W9-CKF-745

ДАРЬЯ АСЛАМОВА

Дарья

Асламова

Новые приключения дрянной девчонки

2001

УДК 882
ББК 84(2Рос-Рус)6-4
А 90

Оформление художника *Е. Савченко*

В оформлении книги использованы слайды, любезно предоставленные газетой «СПИД-Инфо»

Асламова Д. М.
А 90 Новые приключения дрянной девчонки. — М.: ЗАО Изд-во ЭКСМО-Пресс, 2001. — 448 с.

ISBN 5-04-002379-0

Дарья Асламова из тех, кто не скрывает, что запретный плод для нее самый желанный. В поисках острых ощущений талантливая журналистка исколесила полмира, испытав немало пикантных приключений. А чего стоят ее блестящие интервью с самыми разными знаменитостями, которых она «раскалывает» задиристыми и неудобными вопросами. В общем, новые приключения «дрянной девчонки» наверняка шокируют ханжей обоего пола. Но ее кредо — «жизнь — бездонный мешок, полный сладостей». Она черпает из него обеими руками. И другим советует...

УДК 882
ББК 84(2Рос-Рус)6-4

ISBN 5-04-002379-0

Посвящается Жанне Агалаковой —
моей любимой подруге и крестной
матери моей дочери Сони.

Вместо предисловия

Самая опасная вещь на свете — это книги. Скажи мне, что ты читал в детстве, и я скажу тебе, кем ты станешь. Взрослым следовало бы это знать. Мои родители относились к выбору книг весьма беспечно. Когда меня спрашивали, кем я хочу стать, я, глядя на взрослых честными глазами, отвечала: секретарем райкома, космонавтом, учительницей и т. д. Но в душе я твердо знала, что буду куртизанкой. Это роскошное слово я вычитала в третьем классе у Бальзака. Я хорошо усвоила, чем отличается куртизанка от банальной проститутки: тем же, чем вор — от пирата. Воры тащат по мелочам, пираты крадут миллионы чистым золотом. Куртизанки рвут мужские сердца на клочки и разоряют их до нитки, проститутки отдают свое тело за гроши.

Книги — самые пышные воспоминания моего детства. Горячее чтиво пробудило во мне болезненную чувствительность и обостренное воображение. Проглотив великое множество французских романов, я поняла, что мое призвание — любовь. Я грезила наяву. Вся разгораясь в безрассудных мечтах, я представляла, как надену доверчивых мужчин на вертел своей красоты и буду томить их в соку любовных мучений. Я признавала только разврат хорошего тона — с шампанским, мехами и бриллиантами. Зеркало разрушало все мои мечты. Беспощадное стекло отражало скелетно-худую, длинную девочку (я постоянно сутулилась, чтобы казаться ниже), голенастую, нескладную, с неопределенными, спутанными чертами лица и полным отсутствием груди. В школе мальчики дразнили меня «плоскодонкой». Популярностью у них пользовались большегрудые, задастые девицы с курносыми носиками и губками бантиком. Но моя сила была в моей самоуверенности. Жизнь — бездонный мешок, полный разных сладостей, и я все их попробую!

Как я мечтала вырваться из своего тесного, провинциального мирка, где опасности встречаются только в газетах! До чего бездарны здесь люди, когда дело касается искусства жить. Я не хотела всю жизнь просидеть в зале ожидания и в 16 лет, закончив школу, собрала чемоданы. Пора покорять Москву. Во мне проснулся инстинкт великих переселений — неведомая сила, которая внезапно срывает с места людей и птиц. Мы отправились втроем — три девочки, почти подростки, еще без истории, с полными карманами прекраснейших надежд. В самолете одну из моих подруг все время тошнило — за восемь часов полета она заблевала все бумажные пакеты. Чем больше ее рвало, тем больше я хотела есть. У меня проснулся зверский, невероятный аппетит, и я умяла не только свой обед, но и порции подруг. В конце полета от кислого зловония рвоты затошнило весь самолет, только я чувствовала себя прекрасно. Именно тогда я поняла, что в какую бы кучу дерьма я ни села, я всегда буду заливаться соловьем, — такие, как я, с одинаковой готовностью нюхают розу и навоз. Москва дала мне первые уроки любви. Поцелуи стали моим любимым видом спорта. В первый же вечер, когда я поселилась в общежитии университета на правах абитуриентки, меня подмял под себя мужчина (мне тогда казалось, страшно взрослый — двадцати трех лет). Я прекрасно помню, как я выгибалась в его руках, как он ловил мои губы, как целовал в закинутое лицо. Он не тронул моей невинности, зато подарил мне чудесное ощущение собственной желанности. Я вышла от него новой, женственной походкой, и весь мир лежал у моих ног.

Во вторую ночь меня попытался трахнуть другой мужчина, прямо на кухне общежития, на невымытом столе для разделки мяса. До сих пор помню гнилостный запах остатков пищи на кафеле и алкогольное дыхание моего неудачливого насильника (я благополучно от него сбежала). Все это было не слишком красиво, но я вдруг выяснила, что нравлюсь мужчинам. Этакая симпатичная и острая девица, прекрасная своей неопытностью. Смесь девственницы и шлюхи. В движениях у меня появилось что-то вольное, а в голосе — интимные, воркующие нотки. Я стала щедро красить губы в чудовищный морковный цвет, а глаза обводить черными треугольниками. На моих щеках свекольными пятнами цвели искусственные румяна, а в ушах болтались синие пластмассовые звезды (они казались мне верхом красоты и изящества). Неведение было моим лучшим другом, я отличалась младенческой храбростью и слишком многого не знала, чтобы чего-либо бояться. Я, как ребенок, лезла во все мышеловки, съедала сыр и ни разу не прищемила себе хвост.

Меня, словно комету, сопровождал хвост поклонников. Я входила в любые двери и с ходу заявляла: «Меня зовут Даша, мне 16 лет, я девственница». Всем знакомым мужчинам я признавалась в любви со слезами на глазах и придыханием в голосе. Этим простачкам страшно льстила первая влюбленность чистой девочки, пока однажды меня не разоблачили. Мужики выловили меня в коридоре общежития, заперли в комнате и устроили форменный допрос, кого же из них я в точности люблю. Я лепетала что-то несуразное и переминалась с ноги на ногу. Мне пообещали задрать юбку и выпороть за вранье, потом сжалились и отпустили.

Жизнь становилась все веселее. На втором курсе я успешно потеряла свою невинность — мужчина раздавил меня, как гроздь винограда, и, перебродив в его любви, я стала вином. Амурные истории следовали одна за другой. Бог мой, сколько мужчин отпили из моей чаши! Это была почти целомудренная чувственность, лишенная пошлости, очищенная ясной правдивостью юного удовольствия. Передо мной была цель: мужская плоть, блаженная, тайная близость, когда мужчина навеки уносит тебя в себе. Со своей кошачьей моралью я легко шла по жизни. Помню, какой шок случился у моей мамы, когда я прилетела в свой родной город Хабаровск после третьего курса. Она увидела меня, идущую от самолета, в длинной цветастой рубашке с разрезами до пупа (юбку я просто забыла надеть). На мне были черные чулки, и подвязки открывались во всей красе при каждом вздохе легкого летнего ветерка. Какой-то случайный попутчик покорно тащил мои чемоданы. Я шла, поводя бедрами, и мужчины делали стойку, глядя мне вслед. «Блядушка», — грустно резюмировала моя мама.

В какой-то исторический момент я сообразила, сколько выгод приносит быстротечное плотское очарование. Из добродетели обеда не сваришь, а мужской член думать не умеет. Хватит ходить в драных юбчонках и курить болгарские сигареты. Я медленно стервенела, выискивая у мужчин слабые места. Та легкость, с которой я распоряжалась собственным телом, избавила меня от материальных забот. В одном чудесном фильме старая графиня, переспавшая в молодости со всеми самыми богатыми и знаменитыми мужчинами, учит молоденькую девочку: «Ты просто пройди мимо витрины с драгоценностями, повернись к своему попутчику и, указывая пальчиком на бриллиантовое ожерелье, скажи невинным тоном: «Какая прелесть!» И все: ожерелье твое». На бриллианты я, конечно, не замахивалась, но гардероб мой существенно обновился.

В свободное от мужчин время я занималась журналистикой. Через пару месяцев мне осточертело быть репортером светской хроники в «Комсомольской правде» — вечно ходить на бесконечные презентации и писать тусовочные репортажи. Надо было сделать что-то решительное, чем-то резко проявить себя. И я мысленно увидела картинку: длинноногая бесстрашная девочка в короткой юбке на войне, в окопах, среди жгучих кавказских мужчин, немеющих от ее очарования, любовь на пороге смерти, поцелуи под пение пуль. Романтика, черт побери! Я стояла на границе неведомой страны под названием «Авантюризм». Чтобы получить визу, пришлось заполнить декларацию: профессия — девочка-женщина, особые приметы — дерзость и безоглядность, цель поездки — слава и мужчины. И я пустилась на поиски военных приключений.

Кто такие авантюристы? Это люди ярко индивидуалистического склада, умеющие извлекать пользу из любых обстоятельств. Когда меня изнасиловали в плену в Нагорном Карабахе, я лишь подивилась внезапному изгибу судьбы. Какая чудесная история сама плывет ко мне в руки! Настоящий боевик со всеми атрибутами: красотка журналистка, захваченная в плен коварными злодеями, засада на дороге, перестрелки, счастливое освобождение и убийство всех врагов. Грех не использовать такую ситуацию. Испытав восхитительное чувство ужаса, я тут же села писать репортаж. Меня всегда удивляли женщины, рыдающие после изнасилования месяцами и бегущие на прием к психиатру. Что случилось, то случилось. Надо перешагнуть через неприятность и идти дальше.

Объездив все «горячие точки», я заскучала. Требовалось новое острое блюдо. А почему бы не стать первой в стране сексуальной скандалисткой? Достаточно припомнить своих знаменитых любовников, раздеть их и выставить на потеху публике. Подавив последние вздохи совести, я села писать. И вскоре шедевр под названием «Записки дрянной девчонки» потряс страну. Газета с вышеупомянутой статьей в один день стала библиографической редкостью, а я проснулась знаменитой.

После этого старательного посева ветра надо было ожидать бурю. И она не замедлила грянуть. Какими только эпитетами не награждали меня добропорядочные женщины! «Развратная девка», «шлюха», «проститутка», «тварь». Угомонитесь, блюстители нравственности, я просто дрянная девчонка.

Все ожидали, что замужество наденет на меня смирительную рубашку. Как бы не так! Я туго натягивала невидимую цепь и только искала случая с нее сорваться. А случаи подворачивались каждый день. Я отправлялась покорять экзотические страны. Руанда, Камбоджа, воюющая Югославия, Таиланд, Йемен, Бахрейн — и всюду мужчины, мужчины, мужчины. Блондины и брюнеты, молодые и старые, красавцы и не очень. Всю жизнь отдают они мне лучшие куски, и я им за это благодарна. Однажды я спросила своего очередного любовника: «Почему, собственно, в меня влюбляются мужчины? Ведь я отнюдь не Мерилин Монро». Он ответил: «Ты не красавица и не уродина, не кандидат наук и не глупышка, ты просто Женщина — такая, какой тебя создал Бог». А другой мой приятель обычно говорит: «Любят не за что-то, любят вопреки».

Теперь я писательница, автор двух книг и мать маленькой девочки, живой розы по имени Соня. Пора бы угомониться, но во мне по-прежнему живет алчная кошка, любящая точить когти об мужчин. Михаил Жванецкий как-то зло пошутил на мой счет: «Дарья, после «Записок дрянной девчонки» последуют «Заметки отвратительной старухи» и «Записки мерзкой покойницы». Ну что ж, было бы неплохо. Об одном я жалею: когда я отправлюсь на тот свет, мне уже не удастся вернуться, чтобы написать об этом последнем путешествии свой лучший репортаж.

ЧАСТЬ 1

Вопросы дрянной девчонки

Вопросы дрянной девчонки: Александру Абдулову

Александр Абдулов. Великий актер не только на сцене, но и в жизни. Поднятый занавес никогда не застанет его врасплох. Обладает самым ценным знанием на свете — знанием себя. Снисходителен к хорошеньким женщинам. Освободиться от его обаяния столь же трудно, как от закона всемирного тяготения. Разведен. Его осенние дни скрашивает любовь к молодой красивой женщине. Не свободен от идеи греха, но безмерно чувственен в своем мироощущении. Владеет секретом заставлять женщин прощать его пороки. Обладатель всех положенных атрибутов богатства — джипа, мобильного телефона, загородного дома, но богатым себя не считает. Любимая одежда — джинсы и свободный свитер. По характеру далеко не божья коровка и способен нагнать страху своими эффектными вспышками гнева. Уверен, что в мире существует только два цвета — белый и черный, не признает тонкостей и оттенков. Себя считает плохим человеком. По-прежнему вызывающе сексуален.

— Что есть, по-твоему, сексапильность в женщине?

— Это существует на уровне запаха, прикосновения, подсознания. Почему, когда к одной женщине прикасаешься, тебя начинает трясти, и вроде ничего в ней особенного нет, а другая — просто идеальна, крутая фотомодель, но тебя к ней не тянет абсолютно. Это необъяснимо. Когда-то давно меня потряс фильм «Запах женщины», но не с Аль Пачино в главной роли, а с Витторио Гасманом. Аль Пачино играл человеческое несчастье, а Гасман был мужчиной, слепым, который идет в толпе за женщиной, чувствуя ее запах, ее сумасшедшее биополе. Так бывает у собак и волков. Что там у них раз в году происходит?

— Сезон случки.

— Вот-вот. Когда самец чувствует самку за десять километров. То же самое происходит у людей — мощный выброс женской энергии, когда женщина призывает мужчину. Все зависит от таланта мужчины — ощущает он этот призыв или нет. Это самое великое, что может быть в жизни, то, ради чего мы живем. Я говорю о подлинных отношениях между мужчиной и женщиной, а не об одноразовой случке.

— А одноразовая случка — разве не отношения?

— Нет, это просто для здоровья.

— Если тебя так волнует естественный запах женщины, значит, ты не любишь духи?

— Почему? Люблю, но предпочитаю не цветочные, легкие ароматы, а чувственные, животные запахи.

— Тебе нравится целовать женщину, когда у нее помада на губах?

— Нет, но что делать? Давайте сотрем губы, а потом начнем целоваться, так, что ли? Поцелуй ведь это не запланированная посевная, — мол, подождите минуточку, сейчас заполним бункеры и начнем сеять. Поцелуй прекрасен своей неожиданностью. И помаду приходится глотать.

— А что тебя больше всего возбуждает в женщине?

— Чистое, ненакрашенное лицо. Не доверяю косметике — она часто обманывает. Знаешь, как говорят, — заснуть есть с кем, проснуться не с кем. Предпочитаю знать, какое лицо я увижу утром.

— Сколько тебе было лет, когда ты стал мужчиной?

— Шестнадцать лет, я тогда учился в десятом классе.

— Не рано ли?

— Рано, а что делать? Я жил на юге, в Узбекистане, в солнечных местах мальчики и девочки созревают рано. Она была взрослой женщиной, ей исполнился 21 год. Мне казалось, что это жуткое количество лет, — по моим тогдашним понятиям просто бабушка. Она меня сама соблазнила.

— Ты был на высоте?

— Если честно, то нет. Посвящение в клан мужчин — это стресс. Но я был безумно горд, даже наклюкался потом по этому поводу. Пил, кажется, портвейн «Агдам».

— Какие ты используешь приемы, чтобы соблазнить женщин?

— Музыку. Она действует на женщин больше, чем на мужчин. Я помню, как в студенческие годы мы подбирали музыку для танцев на вечеринках в расчете, что это подействует на партнерш. Мы знали, как это может сработать. Женщины вообще более эмоциональны, чем мужчины. Если у сильного пола есть одна чувствительная точка и все, то у женщин эрогенных зон гораздо больше.

У меня нет разработанного ритуала соблазнения. Самое интересное — импровизация, когда идешь от живого партнера. Помню, как в юности мы с моим приятелем познакомились с двумя девушками, изображая из себя иностранцев. Мы три часа продержались на французской абракадабре — «пардон, мадам», «мерси», «пурква па», «же ву при».

— Вы их трахнули?

— Естественно, да. Мы так одурачили бедных девушек, так им заморочили голову, что были страшно удивлены их веселой реакцией, когда раскрылся обман. Единственная неувязочка была в моей кроличьей шапке, — я ее все время прятал (ведь у француза не может быть кроличьей шапки). Мой приятель, большой дока в этих делах, все время шептал мне: «Спрячь шапку».

— У тебя случалось когда-нибудь сексуальное фиаско?

— Конечно, было, но я же мужик. Какой нормальный мужик будет об этом рассказывать? Это трагедия.

— Случалось ли тебе покупать проститутку?

— Нет, но я никогда не брошу в таких женщин камня. Есть бляди, и есть проститутки, это разные категории. Существует самая древняя, глубокоуважаемая мной профессия, которая дарит мужчинам радость, причем мужчинам, у которых, как правило, кризис в половой сфере. В спектакле «Тиль» есть гениальная фраза, которую произносит хозяйка публичного дома: «Мои девушки семей не разрушают, семьи разрушают честные женщины, они и денег берут больше, и в душу лезут». А бляди — это склад характера.

— Скверный, с твоей точки зрения?

— Чудовищный. Я бы блядей выжигал каленым железом!

— Погоди, бляди просто занимаются сексом, а проститутки берут за это деньги. Что же порочнее?

— Существует профессиональный театр и художественная самодеятельность — «Ленком» и завод «Энергомаш», который репетирует «Чайку». Так вот, блядство — это непрофессионализм. Правда, я забыл еще одну категорию — шлюхи.

— Как же ты различаешь блядей и шлюх?

— Это трудно объяснить. Блядь — это блядь, я безошибочно чувствую в ней ложь.

— К какой бы категории женщин ты бы отнес меня?

— Ты? Чудовищный провокатор, вот ты кто!

— Тебя устраивает термин «богема»?

— Вполне. Вы, журналисты, просто не понимаете, что такое богема. В ней ничего плохого нет. Это не клоака. Богема подразумевает под собой богов. Богема — это когда безумно талантливые люди могут отдыхать. И такое количество вокруг жижи, которая хотела бы примкнуть к этому кругу. Нельзя пускать никого. Нельзя, потому что неправильно поймут. Бездарности не могут настроиться на ту же волну, что и талантливые люди. Я не хочу, чтобы публика наблюдала мои способы отдыха. Поэтому предпочитаю в рестораны не ходить, только в «Дом кино». А то могут неправильно понять. Не желаю ни с кем смешиваться, я не кока-кола, не пепси или херши, я отдельный напиток — Саша Абдулов. Вокруг известного актера всегда должен быть ореол неприкосновенности, тайны.

— Какая, на твой взгляд, самая короткая дистанция между знакомством и постелью?

— Я с секундомером не хожу. Но, думаю, и через минуту можно лечь в постель, если искра высекается. Если у женщины и мужчины возникает ощущение, что надо немедленно заняться любовью, это замечательно.

— У тебя был секс в экзотических местах?

— Разумеется, был, но я не думаю, что место имеет значение. Хоть в воздухе, хоть на дереве. Какая разница где, если приспичило? Я не буду раскрывать свои секреты, где лучше делать любовь, а то все пойдут туда.

— И все же?

— Рекомендую старый русский способ — стоя в гамаке.

— Тебя возбуждает стриптиз в кабаках?

— Как-то в Париже друзья провели меня по всем злачным местам. (Кстати, самые лучшие девушки — в кабаре «Крейзи хорс».) Сначала мне понравилось, пока я не понял, что везде одни и те же девочки, которые, как в Москонцерте, ходят с костюмами на вешалках из одного кабака в другой.

Меня вообще больше возбуждает одетая женщина, чем раздетая. Тогда я могу подключить фантазию. А когда женщина уже раздета, ну и что? Ты доигрываешь в своем воображении все равно больше, чем потом видишь в реальности.

— А секс-шоу тебе нравится?

— Нет, даже если у мужчины есть эрекция на сцене, все равно это имитация естественного акта, подделка, не более того. И вообще, на людях делать любовь — советами замучают.

— Как ты сейчас относишься к фильму «С любимыми не расставайтесь», где ты играешь со своей бывшей женой Ириной Алферовой фактически историю краха собственной семейной жизни?

— Когда идет этот фильм, я выключаю телевизор, не могу смотреть. Ведь это моя история. Мною владело великое сумасшествие, когда я снимался в этой картине. Я просто боготворил мою женщину. Это то, что должен испытать каждый в своей жизни. Но нас тогда заставили переснять финал, по сценарию героиня Иры кончает дурдомом, а в фильме она просто бежит под дождем, простужается и попадает в больницу. Сейчас я придумал замечательную штуку — одна девочка пишет сценарий «С любимыми не расставайтесь, 20 лет спустя». Мы с Ирой сыграем в этом недоснятом кино.

— Почему ты развелся со своей женой?

— Между мужчиной и женщиной никогда и никто не сможет ничего объяснить. Когда два человека разводятся, они приводят миллион причин — теща, собака, дети и все такое. Но это чепуха, люди разводятся по-другому, и ни один из них не скажет правды.

Что было между двумя, пусть между ними остается. Когда мужчина говорит, что у него что-то было с женщиной, он либо врет, либо дебил. Я никогда не ставил своих партнерш в неловкое положение. Чего не скажешь о тебе, — ты почему-то решила все это рассказать.

— Но ты же меня простил?

— Да, но я прощаю только один раз.

— А что ты сделаешь, если я еще раз тебя подставлю?

— Подам в суд, выиграю его со скандалом и раздену газету до нитки.

— Ну, газету можешь раздевать.

— Я и тебя раздену.

— С меня нечего снимать, кроме моих платьев. Скажи, а женщине легко вытянуть из тебя деньги?

— Легко, я не жадный, но вполне реальный человек. Я и норковые шубы дарил, но всегда помнил, что после всех трат на дорогие шмотки должен остаться прожиточный минимум.

— У тебя есть джип, мобильный телефон, загородный дом. Ты считаешь себя богатым человеком?

— Во всяком случае, бутылки не собираю.

— Как ты относишься к выражению «дорогая женщина»?

— Как бы ни была хороша и шикарно одета женщина, но ее красоту играет ее мужчина. Вот представь себе такую ситуацию — выходит царь, а к нему все повернулись спиной. Он говорит: «Я царь». А ему в ответ: «И что? Ну, царь и царь». Царя играет его окружение. Мужчина должен быть чуть сзади своей женщины, на полшага сзади в прямом и переносном смыслах, держаться в тени и тактично подчеркивать, что в любом обществе его женщина — королева.

— Какой тип женщин тебя больше всего привлекает? Блондинки, брюнетки, большая грудь или маленькая и т. д.?

— Ты сейчас говоришь о женщинах, как на бегах о лошадях. К счастью, обаяние женщины не зависит от экстерьера. Мой идеал — моя мама в молодости. И мать, и бабка были безумной красоты женщины. Это была иная красота, светящаяся. Сейчас все девальвировалось, все какое-то блеклое, можно нарисовать глаза, губы, сделать прическу, но внутреннего света нет. Моя мама светилась, потому что у нее был папа. Я не знаю человека, который о моем отце сказал бы плохо. Они всю жизнь прожили нерасписанными. Для них это было неважно, они просто любили друг друга. Отец не хотел унизить мою мать штампом в паспорте. Он говорил ей: «Я тебя люблю. Разве ты мне не веришь?» «Женат» — само слово скверное.

У меня был уникальный дед, который три раза сидел в сталинских лагерях. Дед был из простых, а бабушка — дворянских кровей (все документы о своем происхождении она съела). В студенческие годы я привозил свой курс к бабке в Иваново. Она мужиков обожала, а на девчонок смотрела как на непригодность какую-то. Мужик может и грядки вскопать, и дров наколоть, а с девчонок что возьмешь? Когда вы, женщины, придумали эмансипацию, вы сами себя унизили. Вы себя превратили в жижу. Вы теперь все делаете — и асфальт кладете, и ядра толкаете, и сваи забиваете. Мужик, которому жена говорит:

«Я больше тебя получаю», уже психологически не может быть мужиком. Для мужика это смерть. Всю жизнь на Руси была фраза: «Кто хозяин в доме — я или Марфа?»

— В «Театре» Моэма великая актриса, влюбившись, начинает бездарно играть, поскольку изображает на сцене подлинные чувства. А тебе не мешала в кино твоя влюбленность в партнершу?

— Конечно, мешала, особенно когда я начинал вносить в игру свои личные эмоции. Бывает, режиссеры специально стравливают актеров, рассказывая им друг о друге всякие гадости. Потом включается камера, они выходят и играют любовь. Ты смотришь на экран и не понимаешь, что происходит, чувствуешь, что за всем этим кроется что-то третье. Какая-то загадка для зрителей. Итальянцы ставили такие эксперименты: актеры кричали друг другу: «Подонок!», «Идиотка!», «Сволочь!», а при озвучивании вставляли слова: «Любимая! Родной!» Эффект потрясающий. Природа ненависти более активна. А для нас любовь — это нечто сладкое, слюнявое.

— Твоя сексуальная фантазия?

— Сыграть Достоевского. Это был сумасшедше закомплексованный человек. Есть чудесная придумка — играть Федора Михайловича в «Игроке». Достоевский писал эту вещь второпях, ему нужно было выплачивать долги. Ему некогда было придумывать, и он писал главного героя с себя.

— А ты — человек азартный?

— Я игрок. Обожаю рулетку. Женщины любят ставить на «красное-черное», «чет-нечет» (у них вечная игра в ромашку «любит — не любит»), а мужчины ставят на цифры. Моя любимая цифра — 17. Однажды в казино «Астории» в Петербурге я трижды делал максимальную ставку на 17 и выиграл 50 000 долларов. Потом вышел хозяин казино и запил со мной. А в Лас-Вегасе мы с моим приятелем играли трое суток в «блэк джек», не выходя из помещения. Чудесное это место, там все время вечер, игроку кажется, что длятся одни бесконечные сутки. Мы спустили кучу денег, получили даже карту для бесплатного проживания. И когда за нами приехала машина, мы сделали последнюю ставку и одним ударом отыграли все.

— Ты согласен с утверждением, что гений и беспутство всегда идут рука об руку?

— Это можно понять. Беспутство и фантазия — родные сестры. Гению нужна подпитка даже из беспутства.

— Ты беспутен?

— Наверное, да. И сколько бы браков ни было в моей жизни, я малоуправляем. Понимай как знаешь. Но подробностей ты из меня не выжмешь. Ты веришь, что Мерилин Монро ходила в туалет? А теперь представь это описанным. Нельзя разрушать образ.

— Тебе никогда не было обидно, что женщины ловились не на тебя, а на твой имидж?

— Я и не думал, что они ловятся, я что, рыбак, что ли? И позволь, как это не на меня? А имидж — это что такое? Разве вместо меня подснимали чьи-то губы, глаза, чужое лицо?

— Ты хочешь сказать, что когда тебя снимали в «Обыкновенном чуде», ты был Принцем?

— Я был Принцем, это моя профессия.

— Ты не ощущал потом зависимости от этого образа?

— Сначала было, потом переболел этим. Меня, наверное, Боженька в лоб поцеловал. Я видел много артистов, которые в молодости сыграли что-то мотыльковое, а теперь даже ходят в той же одежде. Меня Боженька предупредил: «К себе надо относиться с юмором. Когда ты начинаешь к себе серьезно относиться, все, ты погиб». Потом я прочел у философа Розанова: «На одном плече сидит ангел смеха, на другом ангел слез, и в их вечном пререкании проходит моя жизнь». Мне сумасшедше понравились эти слова, они сказаны про актеров.

Надувать щеки у меня никогда не получалось. Все время себя нужно ставить под сомнение — как бы отходить от себя на шаг и смотреть со стороны. Это такое забавное, классное ощущение. Ты думаешь: «Мама родная, это я?»

Вопросы дрянной девчонки: Бари Алибасову

Бари Алибасов. Создатель и руководитель группы «На-на». Как истый мужчина, направляет свою энергию на деятельность и господство. Его национальность — взрывоопасный коктейль из татарской, казахской и украинской крови. Богатая натура, по-восточному лукав. Критический дух и склонное ко всем плотским радостям тело. Из всего умеет извлекать наслаждение. Считает, что нет на земле более сладострастного животного, чем человек. Атеист. Любит вкушать удовольствие лени, хотя редко отдыхает. Не дурак выпить. Предпочтительная поза — лежа на подушках. Наблюдая за ним, расслабленным и томным, трудно представить себе, насколько он опасен в действии, — так нельзя выяснить крепость напитка, не отведав его. Сибарит, забавник и остроумец, не брезгующий крепкими выражениями. Любит называть вещи своими именами. Считает, что секс — это внутренняя свобода.

— Бари, ты неисправимый гастролер, перетрахавший, пожалуй, женщин всех национальностей бывшего Советского Союза. Скажи, верна ли легенда о восточной женщине как о самой темпераментной и эротичной?

— На мой взгляд, женщины белой расы — более изощренные. У них богаче сексуальная фантазия. Легенда о восточной женщине пришла из персидских сказок — любовная прелюдия какой-нибудь азиатской красотки вычурна, она может исполнять танец живота, делать гибкие, зазывные движения руками, у нее много блеска в глазах. Но моя бурная практика говорит о том, что восточная женщина больше обещает, чем дает. Например, сдержанные прибалтийские девушки гораздо изобретательнее, чем ташкентские. Европейская женщина вообще более свободна и раскрепощена. С другой стороны, внутренняя свобода не зависит от генов и воспитания. Внутренне раскрепощенным может быть любой человек, и интеллигент, и вор в законе.

— У тебя никогда не было комплексов, что ты нерусский?

— Нет, у меня советская национальность. В советское время всех детей — чеченцев, калмыков, якутов — принято было называть русскими именами. Меня звали Борис, хотя по паспорту я Бари. Я родился на маленькой станции Чарская, в Семипалатинской области, в 80 километрах от ядерного полигона.

— Бари, так ты мутант?

— Абсолютный мутант. Академик Вернадский подвергал радиационному облучению семена пшеницы и получал сверхбогатый урожай. Так что атомные испытания пошли мне на пользу. Я хорошо помню ядерные взрывы. Все дети в селе знали, когда ухает, значит, взорвалась очередная бомба. У нас даже окна заклеивали бумагой крест-накрест, как во время войны, чтоб не повылетали.

— А когда у тебя, восточного мальчика с непонятным набором генов, случилась любовь с белой девочкой?

— В десятом классе. К нам приехала девочка из Львова, полячка, по тем временам почти иностранка. Звали ее Люська. Вся белая, настоящая Брижит Бардо, с прической «бабетта» (все ходили смотреть, как она делает начес, — чух-чух расческой, и волосы дыбом встают). Ну, представь: три тысячи человек населения нашей деревни — одни мутанты. И вдруг Люська! Оказаться рядом с ней — означало быть круче всех. Круче всех обрывов, с которых мы ныряли в речку летом. Я уже к тому времени обладал богатым сексуальным опытом. Первый раз я овладел своей со-классницей в пятом классе.

— В 11 лет? А ты не врешь?

— Нет, мы с ней залегли на речке и все сделали, как положено.

— А в речке в это время небось плавали прелестные мутированные рыбки с тремя хвостами и четырьмя глазками.

— Но у меня же не два члена, так что рыбки были обыкновенными.

— А как ты узнал техническую сторону любовного дела? Ведь тогда не продавали книжек по сексу.

— Очень просто. Я же сельский мальчишка, был подпаском. Часто видел, как это делают кошки и собаки. И соседскую корову водил в ветеринарную больницу, чтобы ее бык оприходовал. Корова была яловая, то есть неосемененная. Корова должна каждый год беременеть в определенное время, а хозяева прозевали и не трахнули корову вовремя. Приходилось срочно вести ее на случку. Я у животных учился, вот и вся практика. В нашей деревне это называлось «играть в папку-мамку». Это была просто физиологическая обязанность, а не удовольствие и счастье отношений. Взрослые мужики надо мной подтрунивали: «Ну как, ты уже знаешь, как играть в папку-мамку?» Я очень хорошо помню то мое первое соитие, потому что меня еще тогда из школы в очередной раз выгнали. Правда, не за ранний секс, а за любовь. Мне очень нравилась Зинка, которая сидела впереди меня за партой, а она на меня не обращала внимания. Я однажды засунул ей в задницу перо, одиннадцатый номер, а она тут же стала визжать. У нее кровь пошла вместе с чернилами.

— Это было заигрыванием?

— Конечно! А меня из класса выгнали. Разве можно за любовь наказывать? Так вот, до Люськи я кучу девиц перепробовал, но у нее опыт был еще круче. Случилось у нас все на 8 Марта. Я первый раз в жизни выпил самогона и превзошел самого себя. Короче, нажрался я как свинья, а Люська пригласила меня к себе домой. Она жила одна, снимала квартиру, а родители ее обитали в военном городке. Это была феерическая ночь. Люська открыла для меня любовь, показала столько приемов и поз, о которых я не имел представления! В конце нашей романтической ночи мы все вокруг заблевали от пьянства, а придя утром домой, я обнаружил, что надел ее трусы.

И началась веселая жизнь. Летом мы с Люськой часто уезжали в степь на мотоцикле. Она сидела сзади меня, и как ты думаешь, за что она держалась?

— За твой вставший хуй.

— Угадала. Сколько можно проехать за рулем в таком состоянии? 500 метров. Потом мы останавливались и занимались любовью под очередным кустом в 35-градусную жару. И так мы ехали со скоростью 10 километров в день. Помимо Люськи, у меня была любовь с учительницей. Однажды в школьном садике у нас с ней произошел потрясающий оргазм, но она так боялась, что директор узнает. (Бедная школа! Там сейчас сделали мой музейный уголок.) Я довольно удачно распределял своих девушек по времени, никто из них не обижался. С кем я был в данный момент, ту, мне казалось, я и любил. Человек ведь полигамен по своей природе. В молодости даже глупо рассуждать о чувствах, хотя у меня было постоянное состояние безумной влюбленности. Но когда у тебя стоит наперевес 24 часа в сутки, возбуждает все — изображение Венеры Милосской, полуголая баба на обертке мыла, даже дырка в заборе. Твое дело лишь исполнить обязанность перед природой.

Но научила меня жить девочка по имени Тоня, которая была старше меня на 15 лет. Она открыла для меня радость прикосновения к телу. Вначале мы принимали ванну с пеной, а потом наступало это безумие. Она касалась кончиком языка самых укромных моих мест, и я впервые тогда по-настоящему понял, для чего мужчине нужна головка члена.

— А кем была эта Тоня?

— Работник культуры.

— Звучит как анекдот. Скажи, а в каком режиме ты предпочитаешь оральный секс — нежном или сильном?

— Это все равно что спросить: что лучше, Моцарт или «Deep Purple»? Любовь — это не условный рефлекс: нажал здесь, получил одну реакцию, нажал там, получил другую. Эрогенных схем в принципе не существует. Сегодня ты ее кусаешь за попу, и она в полном восторге, а завтра кусаешь, и ей не нравится, и не потому, что у нее с попой метаморфозы, просто у нее другое настроение. Я абсолютно убежден, что между чувствительностью кожи и психическим состоянием человека существует мощная, бетонная связь. Когда тебе нужно быстренько трахнуть секретаршу в обеденный перерыв, ты настраиваешь свое тело работать в определенном режиме. А когда едешь с любимой девушкой на Гавайи и предвкушаешь совсем другие половые события, организм настраивается на иную волну. Когда формируются стереотипы, половая жизнь ломается. Если в семейной жизни так, то ее пора заканчивать.

— Бари, но невозможно каждый день быть художником в сексе. Существует ведь и такое понятие, как сексуальная рутина.

— Да, в постели часто господствует лень. Иногда надо просто быстро кончить — завтра на работу, рано вставать и т. д. Это ремесло, но оно должно быть поводом для вдохновения. А то вдохновение к тебе придет, но ты не владеешь ремеслом, — конфуз. Сексуальные отношения — смысл бытия, то, за чем мы пришли в мир. И я не согласен с церковными догматами в вопросе секса. Духовное познание возможно только через познание телесное, физиологическое. Лишь когда иссякнет или притупится желание узнавать свое тело, начинаешь все больше задумываться о душе. Для кого-то поиск в сексуальной сфере заканчивается в 25—30 лет, а для редких счастливцев он продолжается и в 96 лет.

— У женщины пробуждает фантазию только новый мужчина?

— Новый мужчина не знает твоих стереотипов и смело вторгается в твою неизведанную сущность. Поэтому надо, чтобы у тебя было мно-

го мужчин, желательно разных. В финале этого богатого сексуального опыта обретешь духовное возвышение, как это произошло с проституткой Магдалиной, которую Христос принял и простил.

— А что же делать с браком?

— Брак — это не продукт природы, это изобретение человечества. Карл Маркс назвал его ячейкой государства. А мы кинули Карла Маркса, а на браке почему-то настаиваем.

Все начинается с уважения к собственному телу. Важно, как тело выглядит, как оно пахнет. Раньше ходили легенды, что «Интеграл», которым я руководил, приезжая в город на гастроли, скупал в магазинах все дезодоранты. Даже Ю. Лоза как-то рассказывал в интервью о том, как я его заставлял брить грудь. С ранней юности я делаю прическу ниже пупа. Сейчас у меня стрижка около члена «под ноль», а у «нанайцев» — в форме короны. Я не могу себе представить, что значит после концерта зайти в гримерную, а там воняет потом. Главный признак демократии — это хороший запах. Я считаю, что люди, агрессивно воняющие на других неприятными запахами, нарушают основные принципы демократических отношений. Победа демократии в России наступит тогда, когда люди перестанут вонять друг на друга.

— Но ведь есть свое очарование в естественном запахе гениталий.

— Приятны только запахи, которые вырабатываются в процессе любовной игры. Но перед этим необходимо совместное принятие ванны. Партнеры смывают с себя чужие запахи, которые они принесли с улицы, от других людей, и дарят друг другу новый запах — аромат своей любви.

Я недавно прочитал в журнале «Здоровье» советы проктолога. И что, как ты думаешь, он советует? Мыть жопу после того, как человек покакает. Что само собой разумеется! Надо было прожить 1000 лет крещения Руси, чтобы журнал «Здоровье» советовал людям мыть жопу. Ведь даже животные подмывают себя языком после процесса выделений. Безусловно, когда любишь человека, любишь в нем все, даже дерьмо. Даже тот момент, когда твой милый снимает ботинки и об этом по запаху узнает вся округа.

— Как ты относишься к анальному сексу?

— Я хорошо отношусь к сексу вообще, я не разделяю его на оральный, анальный и т. д. В сексе не бывает извращений, бывает скудость или богатство фантазии. А теперь я тебя спрошу: женщины получают удовольствие от траханья в попу?

— Для меня это сложное ощущение: озноб, мелкий бисерный пот по всему телу, чувство, что я умираю, и боль, странным образом сопряженная с удовольствием.

— Природа почему-то в анусе устроила эрогенные зоны. В русских селеньях мужик днем смертным боем бил бабу, а ночью с особым удовольствием любил ее во все места. Наверное, есть какая-то связь между болью, терпением и удовольствием.

— Объясни, почему у всех мужиков навязчивая идея: «Когда ты позволишь мне сделать это?» Может быть, в заднем проходе теснее и уютнее?

— Нет, теснее всего в руке, ты можешь сжать,

как ты хочешь. А с мазями может быть нежнее всего.

— А какой мазью ты пользуешься в подобных случаях? Лучше всего, по-моему, детский крем «Чебурашка».

— Слюни — вот лучшая смазка. Как правило, такое желание может прийти неожиданно, и под рукой оказываются только слюни. Доказать свою преданность, свою готовность быть рабыней женщина может, только преодолев табу: «это нельзя». И не имеет значения, куда трахаться — в ухо, в задницу, в рот или в глаз. Для мужика важно, что ты его вся. Он достигает вожделенного, того, чего нельзя, и ты ему позволяешь. Какой это необыкновенный кайф видеть перед собой тонкую талию и округлости двух ягодиц, держаться за них!

В молодости у меня были эрогенные зоны — от макушки до пят. Даже ногти на ногах. Иногда просто теряешь сознание от первого прикосновения к телу. А потом уже надо хватать это тело, мять его, как глину, чтобы добиться того первого, хотя бы приблизительного ощущения обмирания. А доводилось ли тебе чувствовать, как язык, едва касаясь, пунктиром проходит по всей спине и внутренней стороне ляжек, ты весь обмираешь, даже если член не стоит, но все равно это кайф такой невероятной силы, что просто впадаешь в нирвану. Иногда это выше, чем оргазм. Вот вы уже оба голые, все готово, вот ты уже должен вскочить на нее, как бешеный жеребец, закатить шары на лоб, впарить и через две минуты, истошно крича, кончить. Но нет, она чуть-чуть, как бы нечаянно касается твоей ноги, и у тебя все становится дыбом, каждый волосок на макушке.

К сожалению, мы очень зажаты прежней ханжеской моралью. Женщины не могут просто сказать: «Васенька, я так люблю твой член, вставь мне его, пожалуйста, в глаз или куда угодно».

— Ты, как всякий брюнет, предпочитаешь блондинок. Как в твоей жизни появилась любимая блондинка Лидия Федосеева-Шукшина?

— Последние 10—12 лет я вообще забыл, что такое личная жизнь и любовные приключения. Был убежден, что буйная гиперсексуальная молодость прошла. Нужно жить только работой и подумать о душе. Иногда мне казалось, что удовольствие, получаемое от творчества, больше, чем оргазм.

Я атеист, но если есть Бог, я признаю его в ситуации с Лидой. Жизнь развивается по своим законам: есть бурная молодость, есть зрелость, когда кроме физиологических потребностей познаешь что-то еще, начинаешь понимать, кто ты есть. У меня было четыре жены, от двух из них есть два сына. Первого сына ни разу в жизни не видел, думаю, что ему даже не сказали, кто его отец. Ему лет тридцать сейчас. Я многое видел в жизни и был убежден, что во мне происходит постепенная метаморфоза от физиологии к духу. Я был уверен, что жизнь в любовно-эротической сфере подарила мне все, что могла, и даже больше, чем другим. Мне и в голову не могло прийти, что я когда-нибудь встречусь с женщиной, которая перевернет мою душу.

Два года назад я должен был ехать на церемонию «Ники». Мне позвонил Стас Садальский и попросил: «Захвати меня по дороге. Со мной Лида Шукшина». Я разволновался. Шукшин для меня не просто великий писатель, он каким-то таинственным образом подглядел мое детство и юность и все описал в своих книгах. А Лидия — не просто его жена, она народная артистка, часть истории нации. В Усть-Каменогорске, в нескольких километрах от родины Василия Шукшина, где я начинал свою самостоятельную жизнь, ходило много всяких легенд о Лидии Николаевне. Она представлялась почти святой. В моем воображении существовал образ великой русской женщины, символ государства. После церемонии мы большой компанией поехали ужинать. Я затрепетал перед Лидой, — ведь я ехал ужинать с государством. Она в этот вечер сломала мне мозги. Она была такой, каким я был в 18 лет. Она спокойно переходила все барьеры, который ей создал ее сценический образ. Веселая, с тончайшим юмором, который даже я не догонял, хотя меня считают остряком. Поразила ее энергия, ее потрясающий талант рассказчицы и удивительная искренность.

— Ты ей понравился?

— Нет, она просто сказала: «Он, в общем, не такой идиот, каким я себе его представляла».

Ты знаешь, что такое образ русской женщины? Это женщина, которую нельзя еть.

— Почему?

— Да потому, что она коня на скаку остановит. Она депутат Балтики, революционерка бесполая, передовая труженица на дорожных стройках в оранжевом жилете. В крайнем случае, она производитель советского народа, живая матка. А Лида оказалась девчонкой-хулиганкой. Но она ведь все свои силы отдала воспитанию дочек Шукшина, сохранению памяти о нем, организации его фестивалей по всему миру. Она бывает на премьерах его пьес от Саранска до Берлина. Она работает над созданием его центра. Она выколачивает каким-то образом деньги на все это. И все же народ ей никак не может простить, что она женщина и что у нее есть тело. Уже 22 года нет Василия Макарыча, а она до сих пор испытывает глубокое душевное волнение при воспоминании о нем.

— Ты влюблен?

— Сейчас да. Я бы давно потерял интерес к жизни, не появись в моей жизни Лида. У нее очень тонкая организация психики, она точно знает, где она должна остановиться, чтобы не сломать отношения.

— У вас платонический роман?

— Какой платонический?! Мы же взрослые люди.

— Вы расписаны?

— Нет, я не хочу браком разрушать близкие отношения. Потому что формальное заключение брака дает супругам возможность агрессивного отношения по отношению друг к другу: «Ты должен то-то», «Ты обязана мне это», «Сделай так-то». Все, что создано человеком, — брак, религия, мораль, этика, нравственность, — противоречит его природе. Человечество создавало эти путы, шоры и намордники, потому что искало себя.

— А по-моему, оно боялось себя.

— Да, боялось развалиться как государство. Ведь что такое государство? Это каркас, на котором держится нация. Но всегда должны быть люди, которые презирают границы, расширяют рамки, именно они двигают общество вперед. Сущность движения в конфликте между консерваторами и прогрессистами. Нельзя сказать, кто из них лучше, у каждого свои роли. Полной свободы не существует. Если хочешь настоящей свободы, отправляйся в космос и летай там один, без земного притяжения. А на земле неизбежны самоограничения. Разрушив все вокруг, ты разрушишь и самого себя.

Вопросы дрянной девчонки: Муслиму Магомаеву

Муслим Магомаев, прославленный певец и сердцеед, объект девичьих грез нескольких поколений. Его фотографии, облитые слезами, дремали у наших мам под подушками. Уроженец Баку, внук великого азербайджанского композитора, сын драматической актрисы и художника. Заласкан судьбой — великолепный голос, сражающая красота, рано обрушившаяся слава. Немножко барин, снисходительный и величавый, последний денди эстрады. Летучая молва приписывала ему фантастическое количество любовниц. Элегантность его белых пиджаков казалась почти вызовом на удушающе сером фоне застойных времен. Блестящий брак, долгое время служивший предметом зависти и сплетен. Жена — народная артистка СССР певица Тамара Синявская, настоящая гранд-дама, светская женщина до мозга костей. Любимый ребенок в доме — пудель по имени Чарлик. Любимый запах хозяина дома — аромат чистоты.

— О начале твоей грандиозной славы ходят легенды. Говорят, поклонницы просто рвали тебя на части.

— Это правда. Мне повезло, звезда на меня сверху упала, но я от этого не обалдел. Меня сейчас удивляет, когда звезды останавливаются в толпе зрителей, раздают автографы, жмут руки. Мне всегда приходилось удирать. Машина ждала меня прямо на поле во дворцах спорта, где я обычно выступал. Я сразу прыгал в авто и на полном ходу уезжал. Несколько раз публика со всего стадиона скатывалась вниз, и я оказывался в тесном кольце людей. Жуткое ощущение, когда на тебя надвигается неуправляемая толпа. Меня рвали на куски, уходил всегда без пуговиц, случалось, воровали личные вещи. На «Севильском цирюльнике» у меня свистнули туфли и разнесли их на части. И костюмы крали, и платочки. Это было близко к катастрофе. Однажды пришлось выпрыгивать из гримуборной со второго этажа, потом на корточках ползти по кустам до машины. Слава была сумасшедшая. Наш сантехник даже делал бизнес на моих подарочных фотографиях с автографами — он их куда-то уносил и, видимо, удачно толкал.

— Но среди твоих поклонниц были эффектные женщины. От них ты тоже удирал?

— Красивых женщин в зале сразу видно.

— Значит, грех не попользоваться?

— Умеючи можно.

— Всю твою жизнь женщины сами искали с тобою встреч. Говорят, самые экзальтированные поклонницы лезли к тебе на балкон, рискуя жизнью.

— Да, я однажды обнаружил у себя в гостиничном номере такой «подарок». Девушка влезла на второй этаж и притаилась на балконе.

— Что же ты сделал?

— А что можно сделать с подарком? Распаковал его.

— Вы провели ночь?

— Еще бы! Восхитительную ночь. Но самое смешное, что я встретил ее спустя много лет, когда она уже была женой популярного композитора. Пришлось сделать вид, что я ее не узнал. Не люблю мужчин, которые хвастаются своими связями с известными женщинами. Если бы я перечислил тебе всех своих знаменитых любовниц, в твоем блокноте не хватило бы страниц, но пусть это будет моей тайной.

— И часто ты получал такие подарки?

— Случалось. Ведь я постоянно жил в отелях — сначала в «Метрополе», потом в пятикомнатном люксе в «России».

— А сколько тебе было лет, когда ты так элегантно пребывал в «Метрополе»?

— 23 года.

— Ничего себе образ жизни для советского мальчишки!

— Ничего себе мальчишка! Я был суперзвездой!

— Жизнь в гостиницах — это, пардон, самое блядское существование.

— Ну и что! Я был молодым, СПИДа тогда не было, сифилис встречался редко. Если женщина меня добивалась, она меня имела. Что же я, по-твоему, должен был у нее спрашивать: «Вы ко мне на одну ночь или навсегда?»

— А было так, что две женщины за ночь?

— Если я скажу «было», ты тут же спросишь: «А три?» Считай так, что иногда у меня в глазах двоилось и троилось. Я вообще не люблю рассказывать об этом периоде. Это мне напоминает воспоминания Казановы, когда этот старый, никому не нужный дурак приперся к Моцарту, когда тот писал Дон Жуана, и стал его учить, как надо соблазнять женщин.

— Хотела бы я присутствовать при беседе Моцарта и Казановы.

— Я не считаю интересным слушать, как старый маразматик объясняет великому композитору, как надо трахать женщин, и у меня есть подозрение, что мужчина, который подробно рассказывает в компании, как и сколько раз за ночь он имел женщину, скорее всего несчастлив в наслаждениях и ни на что не способен. Ведь черти водятся только в тихих омутах.

— Могу я это понять так, что в таком тихом омуте, как ты, полно чертей?

— Можешь. *(Смеется.)*

— Тебе случалось покупать путану?

— Нет, однажды я переспал с проституткой, но она мне сама заплатила.

— То есть как?!

— Ко мне в номер как-то постучалась молодая привлекательная женщина и попросила автограф. Слово за слово, и она предложила мне распить бутылочку шампанского. После шампанского мы легли в постель. Утром я проснулся, а ее нет. Я подумал: «Умная женщина! Знает, когда надо уходить».

— Ты считаешь, что уйти до того, как мужчина проснется, — это умный ход?

— Безусловно. Я полез в тумбочку, чтобы посмотреть, не оставила ли ночная гостья записку с телефоном, и обнаружил кучу денег — не помню точную сумму, но по тем временам целое состояние. Думаю, дама была либо преуспевающей проституткой, работающей при отеле, либо воровкой, спрятавшей у меня украденное.

— Может быть, она была честной женщиной, отблагодарившей тебя за ночь любви?

— Что я, альфонс, что ли?

— Как ты относишься к гомосексуалистам?

— Замечательно, среди них есть множество талантливых людей.

— А тебя никогда не пытались соблазнять мужчины?

— Когда мне было 19 лет, я поехал в Ригу с азербайджанской культурной делегацией. Мне понравилась одна женщина постарше меня, у нас завязался роман. Мы повсюду ходили вместе, и от нас ни на шаг не отставал молодой балерун из Ленинграда. Я думал, что ему нравится моя спутница. Как-то ночью (а я жил в общежитии в комнате с десятью мужиками-соседями) балерун скользнул ко мне в кровать, совершенно голый. Я сказал ему: «Приятель, ты ошибся», потом встал, оделся и пошел к двери. А у выхода из комнаты спал какой-то узбек, он проснулся и спросил: «Ты куда?» Я в ответ: «Да там один парень ко мне в постель залез». Узбек разволновался и шепчет мне так возбужденно: «Скажи ему, пусть ко мне идет». Я засмеялся и вышел, курил потом целый час на улице, ждал, когда в комнате все успокоятся.

— В каких местах ты занимался любовью?

— Легче сказать, в каких не занимался. Но я никогда не делал этого прилюдно.

— Значит, у тебя не было секса в самолете?

— Почему же, был! Только все происходило в моем личном самолете. Мне было 25 лет, и власти послали мне самолет для гастрольного перелета. Я взял с собой в полет женщину.

— Какой тип женщин ты предпочитаешь?

— Меня может покорить кто угодно — и светская женщина, и вульгарная уличная девчонка. Ведь Кармен тоже была обычной работницей табачной фабрики, однако каких мужчин покорила! В женщине должна быть сексуальность — вызывающая, интригующая или скрытая. Не люблю восточных женщин, они какие-то аморфные. Может быть, у них в душе тоже дьяволята гнездятся, но я не чувствую в них внутреннего огня. А мой физический тип — пухленькие женщины. Я ж не собака, чтобы на кость бросаться. Знаешь, есть такой анекдот. Едет грузин в вагоне, напротив него сидит балерина. Он ее спрашивает: «Девушка, у тебя сиськи есть?» — «Есть». — «А почему не носишь?» А вот азербайджанский анекдот на эту тему. «Мамед, ты, говорят, женился?» — «Да, женился». — «Говорят, твой жена об-

разованный?» — «Слушай, какой образованный?! Худой, как селедка».

— Значит, селедочных женщин ты не любишь?

— Даша, я их уважаю. *(Смеется.)*

— Говорят, ты любил в молодости выяснять отношения кулаками.

— Неправда, я могу дать пощечину, но ведь это не кулачный бой. Пощечина — это даже иногда красиво бывает.

— Но ты можешь ударить женщину?

— Если она вынудит меня. Но лучше не надо. Я пианист, у меня удар такой, что человек упасть может. Представь себе такой случай. Я сижу в такси, говорю женщине «до свидания» и хочу от нее убежать, уехать навсегда. Она цепляется за ручку двери и вопит диким голосом. А машина трогается и, конечно, волочит женщину за собой. Что я мог сделать в такой ситуации? Выйти из машины, дать женщине пощечину и быстро уехать.

— Это был случайный роман?

— Нет, с той женщиной я прожил 13 лет в гражданском браке. Я решил уйти тихо и незаметно. Позвонил ей из Баку и велел забыть номер моего телефона. Уходить надо, вообще, стараясь не хлопать дверью.

— У тебя были романы с иностранками?

— Конечно, с француженкой и итальянкой.

— А как ты их завоевывал?

— А никак. Они сами искали встреч с мной. Они знали, кто я такой, были на моих концертах в Москве и в парижской «Олимпии».

— Я смотрю, ты не любишь напрягаться насчет женщин.

— А зачем?

— Ты часто даешь повод для ревности своей жене?

— Раньше давал. Это нормально, когда в семьях люди, что называется, «ходят налево». Унизительно другое — шпионство друг за другом. Можно делать что угодно, но чтоб никто ничего не знал. Это лучше, чем калечить души людей излишней правдой. Я тоже ревнивый, но для меня главное — не застать. Я никогда не возвращался домой без предварительного звонка. Зачем устраивать себе сюрпризы?

И потом, Тамара выходила за меня замуж, зная, что я уже не мальчик. У моей бабушки в Баку был большой кованый сундук с письмами от женщин, и мое знакомство с Тамарой началось с того, что она села их читать. После я все эти письма сжег.

— Ты нарушал когда-нибудь заповедь «Не пожелай жены ближнего своего»?

— Нарушал. Так случилось с Тамарой. Когда я влюбился в нее, она была замужем за известным балеруном.

— Как вы познакомились?

— Это смешно, Тамара уверяет, что мы знакомились несколько раз, но я ее все время не узнавал. И каждый раз торжественно говорил: «Здравствуйте, я Муслим Магомаев». Как будто и без того не было видно, кто я такой. Но окончательно мы познакомились в Баку, куда она приехала с российской культурной делегацией. Гейдар

Алиев (он тогда был первым секретарем ЦК партии Азербайджана) решил устроить колоссальный банкет на острове. В один день все погрузились на паром и долго ждали нас, а мы не пришли. Гейдар Алиев спрашивает: «Где Муслим?» Ему говорят: «Нет Магомаева и нет Синявской». А он в ответ: «Ну, тогда все в порядке».

— А где же вы были?

— Мы исчезли, растворились во времени и пространстве, называй как угодно. Свадьбу мы праздновали в Москве, в ресторане «Баку» — сто человек в зале и двести человек на улице. Для меня было потрясением, что мы поженились. Я ведь так сильно обжегся на первом, слишком раннем браке (мне было тогда 19 лет), что дал себе зарок — никогда больше не жениться. И целых десять лет я держался.

— Ты столько лет прожил неокольцованным. Не жалко было расставаться с холостяцкой вольностью?

— Нет, я ведь никогда не был одиноким. Были женщины, с которыми я поддерживал постоянные отношения, были и случайные подруги.

— А как ты выкручивался, когда постоянные пассии ловили тебя на изменах?

— А я не попадался. Я неуловимый.

— Ты был легкомысленным в юности?

— Я был молодым, горячим, зарабатывающим деньги, любил выпить и погулять. Сумасбродство — это кормить каждый день ораву гостей, устраивать бесконечные приемы с шампанским. Завтракать садилось двадцать человек, обедать — пятьдесят, а на ужин и сто набиралось. А гонорары мои были небольшие. Кроме того, гульба требовала здоровья. Если листать память, так и вспомнить нечего — сплошные банкеты и гости.

— Ты предпочитаешь крепкие напитки?

— Да, я люблю водку и коньяк. Слабые напитки меня не берут, мне от них скучно, я засыпаю. Грузины на меня всегда обижаются. Я выпью в компании с ними рог вина и скучаю. Они пристают с расспросами: «Что ты, генацвале, такой трезвый сидишь?» А я им говорю: «Налейте мне лучше водки».

— Есть ли в вашей семье ласкательные прозвища друг для друга?

— Кутя и Тяпа — Кутя от слова «кутенок», а Тяпу взяли из «Спокойной ночи, малыши».

— Лучший подарок в твоей жизни?

— Подзатыльник от любимого дяди.

— А что за причудливый золотой перстень у тебя на руке?

— Это подарок иранского шаха. Как-то в 70-е годы в Баку приехала по приглашению правительства иранская шахиня, и я был на приеме в ее честь. Я попел, ей безумно понравилось. Шахиня оказалась эффектной женщиной, свойской в доску. Я потом друзьям сказал: «Шахиня приедет домой, не успеет чемоданы распаковать, как тут же шаху заявит: «Приглашай Магомаева личным гостем». Все посмеялись и забыли. Вдруг в Баку переполох — шах приглашает на день коронации Магомаева. Меня провожал Госконцерт, который тут же выдвинул условие: «Если шах во дворце заплатит за концерт, можешь оставить себе 20 долларов, остальное вернешь государству». Я взбесился: «Шах меня приглашает в гости.

Какие деньги?!» Мне и моему пианисту в дорогу ни копейки не дали. «Езжайте, — говорят, — там вас встретят и накормят». Когда ко мне в гостинице подошел швейцар взять мои чемоданы, я мог дать ему вместо чаевых только бутылку водки.

Был указ шаха поселить нас в прекрасной гостинице и все, что мы ни попросим, нести к нам в номер. Но мы-то этого не знали! И два дня голодали, потому что у нас ни цента не было! Зато на приеме по случаю коронации набросились на еду. Я был первым советским человеком, которого шах принимал у себя во дворце, и первым, кто пошел к нему спиной, что является серьезным нарушением этикета. Я пел, шах кричал «браво». Шахиня выпила, сняла туфли и стала плясать. Мы с шахом тоже выпили шампанского. На следующий день я выступил по иранскому телевидению, и мне принесли пакет денег. Я решил сделать бяку Госконцерту и гордо отказался со словами: «На Кавказе в гостях денег не берут».

— А много ли денег там было?

— Не знаю, даже не вскрыл пакет. Когда я вернулся, на таможне у меня решили отобрать все подарки шаха — перстень, дорогой иранский ковер, шкатулку с вензелем, дорогие часы. Но меня встречал иранский консул, и я заявил таможенникам: «Если не пропустите, все отправлю шаху назад. Будет международный скандал». Подарки мне оставили. Зато когда шах во второй раз пригласил меня, ему ответили, что я занят на правительственных концертах и выехать не могу.

— Ты ощущаешь свой возраст?

— Я чувствую себя молодым. Я могу выпить

литр коньяка — это ведь о чем-то говорит? Правда, мне потом будет плохо, но вот 0,75 — это прекрасно пойдет. У меня есть любимое словечко — «недоперепил». Это значит, выпил больше, чем мог, но меньше, чем хотел.

— Лучшая пора в твоей жизни?

— Есть такой анекдот. Мужика спрашивают: «Когда тебе лучше жилось, сейчас или при Хрущеве?» Он говорит: «При Хрущеве». — «Почему?» — «Бабы были моложе».

Вопросы дрянной девчонки: Валерию Золотухину

Валерий Золотухин. Актер и писатель, блестящая личность, давно уже ставшая легендой, осколок иной, сумбурной и романтической, эпохи. Бурная душа и одержимое окаянной страстью к Женщине тело. Не чужд русской потребности к самоистреблению и блуду. Любит сводить счеты с самим собой. Для него не существует понятия греха. Любимый вид спорта — секс. По его собственному признанию, может провести в постели с желанной женщиной трое суток. Собиратель и ценитель матерных частушек. Автор эротико-театрального романа «Божий дар и яичница».

— Валерий, вы родились в алтайской деревне. И мне всегда казалось, что ваш типаж женщины — это дебелые крестьянки, кровь с молоком, с русой косой до пят и грудями, как дыни.

— Дойные, так и хочется сказать. Такие женщины ценятся не только в деревне. Но лично мне, Валерию Золотухину, свойственно разнообразие, увлечение разным калибром и разными мастями.

— И даже худые красотки в вашем вкусе?

— Худой бывает только корова. Или лошадь. Женщина худой быть не может. Только тонкой и грациозной. Это в детстве мальчики влюбляются в большую попу и грудь — то бишь в то, что у девочек другой формы. Я пацаном влюблялся в хорошеньких медсестер в нашем санатории, где я лежал с ошибочным диагнозом костный туберкулез, упал в детсадике со второго этажа, ушиб колено и не смог ходить. Три года, с 7 до 10 лет, пролежал, не вставая в больничной койке. Меня заковали в гипс. Под гипсом карандашами и палочками я расчесал опухоль, так как внутри завелись вши. Гной вытек. И это меня спасло, врачам пришлось снять гипс. Так бы остался калекой на всю жизнь. Мне вытянули ногу на шесть сантиметров, и я ходил на костылях до девятого класса. Меня много и разнообразно дразнили. И мужчиной я стал поздно, в 16 лет.

— Вы считаете, это поздно?

— Конечно! Иван Грозный познал женщину в 13 лет. На селе первое удовлетворение инстинкта происходит в грубой, примитивной форме. Ничего романтичного — несколько мальчиков и одна грязная женщина. Омерзительное воспоминание. Все выстраиваются в очередь. И отказаться нельзя: компания все равно заставит.

— А какой термин используют на селе для занятий любовью?

— Ебля, разумеется.

— Ваши любимые частушки на эту тему?

— Их много. Вот, например: «Я на Севере жила, бочки трафаретила, сзади выебли меня, я и не заметила». Или вот еще: «Полосатая рубаха, полосатые портки, а в портках такая штука, хоть картошку ей толки». Но самая любимая такая: «Сидит Клава у ворот, она не пляшет, не поет. Она сидит ни бе ни ме, одна ебля на уме». Я так живо представляю себе эту Клаву. Я в школе был влюблен в одну такую — пышногрудую, ядреную, рубенсовскую девицу. Но ничего у нас тогда не вышло. А переспал я с ней много лет спустя, когда она уже бабкой стала. Все случилось в огороде, в картошке, под звездами.

— То, что вы ходили на костылях, не создало вам комплексов в детстве?

— Нет, абсолютно. Один мой герой говорит своему сопернику: «Ты пойми, я победитель». У меня всегда было чувство счастливой уверенности в себе. Знаешь, в восьмидесятом году, когда еще жив был Володя Высоцкий, я ездил на «Запорожце», а Володя подъезжал к театру на «Мерседесе». Помнишь анекдот: «Какое сходство между «Запорожцем» и беременной девятиклассницей? И то, и другое позор семьи». Так вот, я никогда не завидовал материальному благополучию Володи, я не попадал в психологическую мышеловку ущербности. Я и на «Запорожце» корону на голове ощущал.

У меня еще с детства чувство уверенности в том, что все, что я захочу и кого захочу, будет моим. Пусть не сегодня, но завтра непременно. Мальчишкой я точно знал, что покорю Москву, прославлюсь и женюсь на первой красавице, на

Элизабет Тейлор, если надо. Когда мы учились в институте и ходили на танцы в ВТО, со мной ни одна девочка не соглашалась танцевать, потому что у меня брюки были короткие. Но я плевал на это, так как твердо знал, что стану знаменитым и все женщины будут моими. Так и случилось. Моя первая жена, Нина Шацкая, входила в сотню самых красивых актрис мира. Это американцы проводили такое исследование. Нина была где-то во втором десятке.

— Говоря о вашем первом браке: кто от кого ушел?

— На все мои романы у Шацкой сил не хватило, они пошатнули нашу семейную жизнь. Но Нина женщина, пусть думает, что она от меня ушла. Когда она уже вышла замуж за Леню Филатова, я даже ночевал у них, и странное дело — ревность меня не мучила.

— Были в вашей жизни случаи, когда, проснувшись утром с женщиной, вы не помнили ее имя?

— Были. В таких ситуациях главное сохранять хорошую мину при плохой игре. Надо дать женщине возможность не уронить своего достоинства, поставить ее над собой. Тут важный момент, на чьей территории тебя застало пробуждение. Если на твоей, и женщине нужно уходить, необходимо все красиво закончить, достойно расстаться. Создать у дамы чувство, что сегодня ты ее хочешь так же, как и вчера. Даже если это неправда.

— Вы когда-нибудь били женщину?

— Конечно, случалось. Бил за то, что пьяная.

Бил из ревности. Так, пустяки, пара затрещин, у нас в деревне это не называют битьем. Там за измену настоящий «Тихий Дон» происходит.

— А в постели вы любите делать больно?

— Иногда. Мне нравится причинять боль членом. В этот момент ты владеешь женщиной до конца, хотя это может быть только твоя фантазия.

— Самое необычное место, в котором вы занимались любовью?

— Тамбур в поезде, в студенческие годы.

— Но ведь там же люди ходят! Может быть, проще в туалете?

— Туалет? Это далеко ходить не надо. Неинтересно. А вот в тамбуре мне пришлось рукой разбить плафон, чтобы свет погас. А плафоны в поездах крепкие. Но я разбил его, достиг своей цели. Такая рана была, что шрам до сих пор остался. Кровь вовсю хлестала, все наши вещи были перепачканы. Но это только подогревало ситуацию. Самый возбуждающий секс — в театре, за кулисами.

— Но ведь не во время спектакля?

— Именно во время. В костюмах, в гриме, когда зрители в зале волнуются и дышат. Это принцип Казановы — чем больше препятствий на пути к достижению цели, тем интереснее охота. Опасность, что тебя застукают, пробуждает азарт.

— А в самолете было?

— Конечно, много раз во время дальних перелетов. Задние сиденья практически свободны, резвись сколько хочешь. Но самое интересное —

в междугородном автобусе ночью, когда все темно и непонятно. У тебя на коленях сидит девочка, а тряска создает дополнительный эффект.

— Насколько я поняла, ваш роман «Божий дар и яичница» — автобиографический и все персонажи в нем — реальные люди. Кто та женщина, которую вы зовете Ирбис, снежный барс?

— Это героиня моего сердца. Уже восемь лет длится эта болезненная, чувственная страсть. Ирбис моложе меня на двадцать лет.

— А сколько лет вам?

— Я нахожусь в возрасте Федора Карамазова — 55 лет. Этакий сладострастник с распущенной слюной. Мне даже интервью давать на такую фривольную тему неудобно. Но вы женщина умная, поймете.

Дело тут не в молодости Ирбис. У меня и моложе были, когда я искал лекарство от этой страсти. Знаете, когда пытаешься клин клином вышибить. И ничего не помогало.

— Что значит «Евина сущность» Ирбис, о которой вы пишете?

— Когда на первом месте у женщины стоят ее чувственные ощущения. Когда все ее поступки диктуются ее сексуальной природой. Она обречена на измены. И ничего с этим нельзя поделать. Такой женщине не интересен один мужчина. Ей нужны все сразу. Я не имею в виду групповой секс. Ей хочется попробовать плоть и душу самых разных мужчин.

— Жить с такой женщиной трудно?

— Невозможно.

— Но вы живете?

— Живу и мучаюсь. Но в этих мучениях наслаждение. Иногда думаешь: «Все, наступил предел». Но он не наступает вот уже восемь лет. Вы же сами как-то написали: «Чем можно погасить гнев мужчины? Это отдать ему свое тело». Если это то тело, от которого ты заводишься, отношения длятся бесконечно. Чем связаны Ирбис и я? Мы связаны пороком.

— Она вам изменяет?

— Конечно. И я ловил ее на этом не раз. Прошлым летом провел у нее ночь, уехал и позвонил ей потом. По ее голосу понял, что в чем-то лжет. Решил нагрянуть внезапно, без предупреждения. Заезжаю к ней, а она мне с порога пощечину дает: «Как ты посмел явиться без звонка?» А я кричу: «Василий, выходи». (Есть у нее такой дружок.) А он мне из спальни отвечает: «Сейчас. Только штаны надену». Вышел он ко мне, а я ему говорю: «Василий, знаешь, что такое танковая атака? Я тебе ее устрою».

— А что это?

— Когда танк против танка в лоб. Но я предлагал ему автомобильную дуэль — у нас обоих «Москвичи».

— Ну что, устроили?

— Нет, только пообещал.

— Вы собираетесь жениться на Ирбис?

— Не знаю, я уже женат. И, как ты понимаешь, второй раз. Ну, что ты уставилась на меня безумными глазами?

— А вы не запутались в своих женах и любовницах?

— Может быть. Это сложная ситуация. Настоящий «Жестокий романс».

— А мне кажется, вам нравятся «жестокие романсы», вы любите вариться в котле страстей.

— Это идет от недостатка воображения. Моя фантазия бедна, мне нужны реальные страсти. И я испытываю их на себе и близких.

— Что ж там такое из золота есть у Ирбис, если ваша страсть к ней с годами лишь разгорается?

— Это необъяснимо и таинственно. Акушерка, которая принимала роды у матери одной моей знакомой, осмотрев половые органы новорожденной, сказала: «Тот мужчина, который будет с ней, счастливец». Быть может, с Ирбис тот же случай.

— Не понимаю. Нутро у всех женщин одинаково. Это у мужчин члены могут быть разными — большими и маленькими, упругими и вялыми.

— Ты ошибаешься. Когда проходишь самый короткий путь сближения с женщиной (по выражению Романа Виктюка, это расстояние члена), начинаешь понимать, что есть мужчины и женщины, которые подходят друг к другу по размеру, как болт и гайка.

— Никто не знает, что произойдет с вами и вашей возлюбленной Ирбис в реальной жизни. Но чем закончится ваш роман на бумаге?

— Герой умирает в сумасшедшем доме, перед смертью гримируясь собственными испражнениями. Роман начинается и заканчивается историей с бритвой, которая происходила на самом деле, но не со мной. Мне рассказал ее знакомый криминалист. Дело было так. Муж, глава добропорядочного семейства, уезжает в командировку. Решив сделать жене сюрприз, он возвращается до срока без предупреждения. Он вернулся и застал следующую картину: жена нежится в постели, а ее любовник в халате мужа стоит перед трюмо и бреется хозяйской опасной бритвой. Сцена всеобщего оцепенения. В романе рассматривается вопрос, как ведут себя люди в экстремальных ситуациях. Либо мужья лезут в драку — неважно, кого они бьют, жену или любовника, либо они давят на жалость: «Ах, ты моя милая, ведь я так тебя люблю, а ты...» Как по анекдоту: «Перестаньте трахаться, когда с вами разговаривают». В нашем случае оскорбленный муж спокойно сказал любовнику: «Не бойтесь, ничего особенного не произойдет, только я вас добрею». Муж взял опасную бритву и брил своего обидчика сорок минут, иногда останавливая лезвие на сонной артерии. После такого стресса любовник загремел в психиатрическую больницу, а выписавшись оттуда, подал в суд на мужа за садизм. А что же происходило с женой-изменницей? День прошел, два, а муж все молчал. Тогда она не выдержала: «Ну, ударь меня, только не молчи». Он ей ответил: «А что, собственно, произошло? Я знал, что жены мужьям изменяют, но по отношению к себе я этого не допускал. Теперь я в общей куче».

— Вас возбуждает в любовной игре с женщиной соперничество с мужчиной?

— Конечно. У меня есть нечто вроде рассказа «Как мы завоевывали Марину Влади». В тот вечер, когда Высоцкий познакомился с Влади, мы все сидели в гостях у французского журналиста Макса Леона. Я был со своей первой женой Шацкой. Помню шкуру медведя на полу и множество всяких экзотических по тем временам напитков.

— Вам понравилась Марина?

— Она не могла не нравиться. Представь себе, кем была для нас тогда французская актриса! Существом с другой планеты. Мы с Высоцким начали кобелировать. Я пел русские народные песни, зная, что Марина их очень любит. Потом гитару брал Володя. Это была музыкальная дуэль из-за женщины. Но Шацкая тоже не фунт изюму. Умная женщина по интонации голоса, по взглядам угадывает, куда мужик встает. Нина увела меня домой и долго потом выговаривала.

— Скажите откровенно, вы блядун?

— Да, говорят. Да я и не скрываю. Когда твою жену называют блядью, это ужасно, а когда чужую, и ты к этому имеешь отношение, это щекочет. Мужчин победы на любовном фронте только возвышают. Джон Кеннеди, у которого было тысяча шестьсот любовниц, говорил: «Секс мне необходим каждый день, иначе у меня очень болит голова».

Вопросы дрянной девчонки: Александру Розенбауму

Александр Розенбаум. Композитор, поэт, исполнитель. Мужчина в сильной степени. Хищный взгляд кошачьих желтых глаз и профессиональная поза боксера, всегда готового к нападению. Привычка смотреть собеседнику прямо в глаза, втягивая его в свою орбиту. Чертовски возбуждающий голос. Работал врачом-реаниматологом на «Скорой помощи». Двенадцать лет занимался боксом. Был на афганской и таджикской войне. Видел людей во всех состояниях перехода от жизни к смерти. Взрывной характер, опасен в гневе. Принадлежит к тем мужчинам, которым не приходится долго уламывать женщин. Вообще не пьет, так как считает, что выпил уже столько, что другим хватит на пять жизней. Прошел по жизни так, как мало кто умеет.

— Это вы, что ли, акула секса?

— А что, похожа?

— Вы похожи на маленькую нашкодившую девчонку.

— А вот вы как раз на акулу.

— Вот вы мне на зуб и не попадайтесь.

— Вы выглядите сейчас, как браток, — бритая голова, золотые цепи, крутые бицепсы. Вы сменили имидж?

— Ничего я не менял. Бритых людей сейчас полмира — что, они все братки? Два года назад в Нью-Йорке я увидел негров, бреющих головы. Мне это страшно понравилось, и я побрился. Это просто мода, если хотите.

— Мне кажется, вы принадлежите к поколению, которое привыкло заниматься любовью попростому — завалил в кровать и взял. А вот молодая поросль сейчас поднимается, воспитанная на эротических фильмах, — так они такие затейники!

— А у них одни затеи, без основы. Техника общей массы примерно одинакова. Есть, конечно, весельчаки, которые в постели на головах стоят, — но это их личные проблемы. Я не индиец в любви, Даша, если вы это имеете в виду. Это у восточных народов Камасутра и прочие вещи в крови, нашему мужику это не свойственно.

— Но ведь ласки языком приятны каждой женщине. Мужики за сорок не жалуют это дело, а вот молодежь отлично с ним справляется.

— Я вообще-то больше люблю язык говяжий в качестве закуски. И потом, Даша, почему вы говорите о нашем поколении как о единой массе? Есть среди нас деревенские мужики, но есть и такие затейники, что сто очков форы дадут двадцатилетним. Кроме того, не всякая женщина вызывает на затейничество. Сейчас женщинам дай Бог мужика нормального найти, какие уж там затейники! Ведь импотенция сейчас серьезная проблема.

— Кстати, о потенции. Скажите мне как доктор, что случилось с мужиками в этой стране? Сейчас встретить крепко стоящий член — большая редкость.

— Импотенция идет от безысходности, от поголовного пьянства, которое тоже результат безысходности. И проникновение всяких ваших затейников тоже вредно воздействует на психику. Мужики стали сравнивать себя с западными образцами. Чтобы женщину удовлетворить после всех видеофильмов, нужно обязательно на уши вставать. А русский мужик не приспособлен к этому по своему генотипу, перед встречей с молодой девушкой он начинает комплексовать. Нельзя русского человека делать французом. Посмотрев «Эммануэль», он может напугаться на всю жизнь.

— Так, что уже ничего не встанет?

— Совершенно верно. Кроме того, мужчину отпугивает повышенная самостоятельность женщины, не дающей ему почувствовать, что она его подчиненная. Посмотрите на животных: у них самочка и прижимается, и заигрывает.

— Но ведь и убегает.

— Но убегает слабо — так, чтоб догнали. А наша женщина идет гордой павой, вся из себя самодостаточная. Все это бьет по физиологии мужчин. Недаром в селах, где женщина выполняет свою изначальную роль самки, мужики-крестьяне гораздо закаленнее в сексуальном смысле, чем избалованные городские жители.

— А вы считаете, что главная роль женщины — это роль самки?

— Безусловно. Давайте сразу расставим все точки над «i». Я за самцовость и самковость. Я считаю, что мы не должны высокомерно отдаляться от животных. Мы себя слишком высоко ценим, когда называем их братьями нашими меньшими. Мы нормальные млекопитающие. Я в мужчине уважаю самца, а в женщине — самку. Основные обязанности самца — охранять логово и тащить туда добычу, основные обязанности самки — воспитывать детенышей и облизывать самца.

— Однажды я была свидетельницей вашего спора с женщиной. Вы говорили, что есть огромная разница между мужским и женским блядством. Мужчина ополоснулся после случайного секса и пошел по жизни дальше. А женщина и в прямом, и в переносном смысле отмыть себя от грязи не может.

— Так считаю не только я, так считает Библия. Женский грех тяжелее мужского.

— В таком случае, как бы вы определили слово «шлюха»?

— Шлюха для меня более моральное понятие, чем физическое. Она может жить с одним мужчиной и быть при этом шлюхой. Шлюха — это женщина, которая не уважает любовь к ней близкого человека, топчет ее в грязи.

— Значит, можно менять мужчин, как перчатки, и при этом оставаться порядочной женщиной?

— Я не видел нормальных женщин, которые бросаются от одного мужчины к другому.

— Может быть, они просто ищут любовь?

— Так искать могут только шлюхи или больные женщины.

— А разве вы не признаете девственность в философском смысле этого слова, когда женщина лишь в физическом смысле женщина, а в душе остается девушкой?

— Признаю.

— В таком случае, можно переспать с половиной города, но остаться непорочной, как Дева Мария.

— Глубоко. *(Усмехается.)* Но все же женщина должна целомудренно относиться к своему телу. Это не значит, что она должна ходить в поясе верности. Целомудрие — это многое, в том числе и секс, но не абы с кем. А давать пенсионерам за деньги — это грязь. Красивые молодые девчонки идут трахаться за шубу и золото, раздвигают ноги перед стариками, у которых уже не стоит.

— Но ведь никогда не знаешь, на что нарвешься в постели, — на вялый или на твердый член.

— Если любишь, то из вялого можно сделать камень. А если не получится, то это будет мало трогать. А вообще, успех сексуального предприятия зависит от женщины. Когда у мужчины не получилось, это чаще ее ошибка, особенно, если она имеет дело с мужчинами после 45. Я не говорю о двадцатилетних мальчиках, которым без разницы. Я говорю о людях зрелых, солидных. Есть мужчины, которые, приходя в бордель, после включения красного света уже ничего не могут. Ему говорят: «Время пошло, у тебя есть пятнадцать минут, я твоя». А ему только десять минут надо, чтобы поговорить.

— Вы болели когда-нибудь венерическими заболеваниями?

— Мой папа-уролог, когда провожал меня в жизнь, сказал: «Саша, спи с кем хочешь, когда и где хочешь, но лечить я тебя не буду».

— Для вас трудно в аптеке спросить презервативы?

— Нет. Правда, сейчас я уже этого не делаю, потому что я Розенбаум, слишком известное лицо. Но вообще у меня нет комплексов в смысле физиологии. Мне нетрудно сказать вам, к примеру: «Извините, Даша, я пойду в туалет».

— Мне вы кажетесь мужчиной, который никогда не отдается женщине целиком.

— Дают мне, я беру.

— Вы любитель быстрого секса, кавалерийского наскока?

— Даша, быстро в койку — это не значит быстрый секс. Смысл не в оргазме, а в том, что до него. Секс — это опера, это не одно ариозо.

— Но ведь кульминацией сексуальной оперы является оргазм?

— Но ведь до этого бывает увертюра, развитие основной темы.

— А вы солист в этой опере?

— Безусловно.

— Ничего, что вы меня возбуждаете?

— Ничего, это нормально.

— Мне кажется, вас привлекают матерые, крупные самки с большими формами. А я как тоненькая брюнетка не имею ни единого шанса.

— Не зарекайтесь, Даша. Бывают тоненькие брюнетки, которые заводят круче, чем пышногрудые блондинки.

— Вы различаете «я вас хочу» и «я вас люблю»?

— «Я вас люблю» говорил всего два-три раза в жизни. Совсем необязательно мужчине говорить «я тебя люблю» женщине, с которой он раз переспал. Все нормально, пока в этом не появляется грязь.

— А что такое грязь?

— Грязь — это когда мужики после сорока пяти бегают, трясутся, сшибают молодых девчонок. Это непристойно. Каждый имеет право на курортный роман в любом возрасте, но именно на роман. Я люблю секс как любой нормальный мужчина, но как спорт я его уже проехал.

— Доктор, а как вы относитесь к мастурбации?

— В определенные моменты жизни это помогает, но постоянное мастурбирование истощает нервную систему. Человек сам без себя уже не может. Ему десять красоток посади, и он не справится.

— Как вы относитесь к эротике на нашем телевидении?

— Секс нужен, это я вам как доктор говорю, и искусственные половые члены нужны массе неудовлетворенных женщин, и резиновые куклы необходимы мужикам, которые страдают робостью по отношению к женщинам, но только в секс-шопах. Нельзя продавать члены вместе со сникерсами, а надувных кукол рядом с солнечными очками. Среди педерастов есть замечательные люди, но голая мужская задница на первом канале в три часа дня мне претит. Я за законопослушный секс.

— А мне вы кажетесь полным беспредельщиком в этом деле.

— Тут вы правы. Если я чего-то хочу, тут меня сам Господь Бог не остановит. Но почему мы в молодости прятались по кустам, чтобы дети не видели, а сейчас все это можно увидеть в центре города, на Тверской?!

— Вы подсчитывали когда-нибудь количество своих женщин?

— Это к Сташевскому. Это он, кажется, списки своих женщин публикует. Нечто петушиное, по-моему.

— Может быть, это просто реклама?

— Для мужика это антиреклама, это реклама для недорослей.

— У вас прочный брак, это странно для знаменитого артиста.

— А кого вы называете артистами, всю эту

эстрадную тусовку? Ненавижу артистов, которые строят из себя мальчиков и девочек до седых волос. Моя семья — это моя жизнь. Надо делать так, чтобы твоя женщина не старела. Те, кто рядом со мной, не стареют.

Вопросы дрянной девчонки: Сергею Крылову

Сергей Крылов. Зачат в ночь с 7 на 8 ноября 1960 года. Музыкант, актер, философ, большой во всех смыслах человек. Несмотря на свои немалые габариты, а может быть, благодаря им, пользуется в богемных кругах репутацией сердцееда. Любит окружать себя свитой, состоящей из поэтов, красивых женщин, собственных детей и карликов. Экзотичен, как грейпфрут в мешке с картофелем, и важен, как павлин в деревенском птичнике. Любимый цвет — белый. Одевается в нью-йоркском магазине для полных, у него теплые сухие руки, а его огромный живот — самая удобная подушка на свете. Автор книги «Самоучитель для игры в жизнь», в которой первая глава называется «Что делать, если ты родился». Считает, что сексом нужно заниматься только в случае крайней необходимости. Является вице-президентом Всемирной благотворительной ассоциации теоретиков профессионального модного секса.

— Ты называешь себя сторонником интеллектуального секса. Что ты под этим подразумеваешь?

— Вот, смотри, скажем, в юности я встретил девушку, например, тебя. Я ничего о тебе не знаю — как ты живешь, чем ты дышишь. Но ты выбрала меня, именно ты. Ведь мужчина не вправе давить на женщину, выбор за ней. Не я тебя искал, ты меня искала. И вот нашла. Потом мы должны купить одну зубную пасту на двоих, чтобы мы могли целоваться. Например, у тебя какая паста?

— «Бленд-а-мед».

— Не подходит, у меня «Колгейт». Одинаковая паста необходима как одинаковая защита. Я просто забочусь о слизистой оболочке полости рта девушки, то есть тебя. Ты же резервуар для зачатия жизни! Откуда ты знаешь, вдруг у парня, который с тобой целуется, какой-нибудь дефект во рту, инфекция, которая в тебе распространится?!

— Если я правильно поняла, пока я не сменю зубную пасту, у меня нет с тобой ни единого шанса?

— Точно. Идем дальше. Я прошу тебя предъявить справку о здоровье.

— Как в бассейн, что ли?

— Вроде того. И обязательно с заключением гинеколога об отсутствии венерических заболеваний.

— Почему бы просто не использовать презерватив?

— Зачем? Я решительно против презервативов, против ущемленного секса. Это не театр, это уже кино. Вот в театре по сцене ходят настоящие люди, живут реальной жизнью, а в кино показывают неживых людей. Для меня секс с презервативами и разной парашей — это кино.

— Ты называешь себя теоретиком профессионального модного секса. Но любая теория нуждается в практике, где же ты черпаешь материал для своих исследований?

— Я безудержно практиковался в студенческие годы. В 20 лет я был ужасно безнравственным человеком, поскольку мне надо было утверждаться каким-то образом. Я учился тогда в Ярославском театральном институте. Вот представь меня тогдашним — мозгов нету, достижений перед отечеством нету. Есть только что? Лысеющий толстый человек, который умеет играть на гитаре. Ты бы обратила на меня внимание? Нет. Мне было гораздо труднее, чем, например, Диме Харатьяну. И секс стал для меня способом самоутверждения. Случается, мужчина проходит через алкогольное увлечение или через страсть к наркотикам, а я прошел через неразборчивый секс. Да, это было, тут нечего стыдиться.

— А тебя не мучили комплексы, связанные с большим весом?

— Уход в беспорядочный секс и стал избавлением от комплексов, хотя я до сих пор стесняюсь своего тела. Я никогда не загораю на пляже, зачем напрягать людей зрелищем дисгармоничного тела? В мире приняты другие нормы красоты — Аполлон Бельведерский, Давид или Жан-Клод Ван Дамм, например. Я этим меркам не соответствую.

— Это правда, что полные мужчины предпочитают очень худых женщин?

— Я думаю, правда, и это объяснимо. Когда каждый день видишь в зеркале такие солидные габариты, хочется чего-то прямо противоположного.

— Скажи, а вес в постели не помеха?

— Нет, многие женщины говорили мне, что со мной в постели тепло и уютно.

— Был ли в твоей жизни групповой секс?

— Конечно, был. Когда наш курс отмечал какое-нибудь событие (например, победу нашей волейбольной команды), мы все собирались в большой комнате и бурно праздновали. И в ответственный момент кто-нибудь выключал рубильник. Что происходило потом, знает только темнота.

— А как ты относишься к этому сейчас?

— Все это было лишь животным удовлетворением страстей. А сейчас я понимаю, что секс — неотъемлемое звено любви, в противном случае он бессмыслен. Я езжу по школам и говорю детям: «Дорогие дети, храните себя до первой брачной ночи, не проходите через помойку». Особенно это касается девочек, их канальчики должны оставаться чистыми. Мне жалко девочек на Тверской, они как пункт общественного питания. Если до твоего мужа у тебя было, предположим, восемь мужчин, то каждый из них оставил в твоем канале свои автографы. Это как колючки, зазубрины. И самое неприятное, что в момент детозачатия твой муж будет с трудом пробираться через этот частокол, а будущие дети поцарапаются о шипы роз твоих сомнительных удовольствий.

— Ты советуешь детям воздержаться от греха до брака, но, пардон, ты сам прошел через так называемую «помойку».

—Но я же не знал тогда, что это «помойка»!

— Люди не учатся на чужих ошибках, только

на своих. Может быть, вся прелесть и состоит в этих ошибках?

— Нет, если бы мне тогда кто-нибудь объяснил, что шататься по нравственным помойкам — это значит приносить грязь в свой дом, я, может быть, задумался бы. Ведь когда ты в дождливую погоду приходишь домой, ты никогда не проходишь в комнату прямо в обуви, ты снимаешь туфли и чистишь их. А вот в семейной жизни люди часто поступают, как неряхи.

Теперь, в тридцать пять лет, для меня важно иное — кто же именно получает мой строительный материал.

— То есть сперму?

— Можно сказать и так, но это некрасивое слово, да и детишкам оно непонятно. А я считаю, нет таких тем, которые нельзя обсуждать с детьми. Так вот, какую бы сексуальную жизнь ты ни вел, активную или не очень, всегда нужно думать о том, кому ты передаешь свой строительный материал, кто получает от тебя информацию. Лучше отдавать ее любимому человеку.

— Если сперма — это важный информационный блок, то как ты относишься к оральному сексу, при котором мужской строительный материал расходуется впустую?

— Ну почему же впустую? Он все равно попадает в организм женщины.

— А если мне не нравится вкус спермы моего партнера и я не хочу глотать ее?

— Тогда найди того, чей вкус тебя устраивает. Ведь ты должна получать удовольствие от процесса. Во-первых, ты принимаешь чистый белок, во-вторых, в нем содержатся ценные сведения о мужчине, который именно тебе доверил свой готовый продукт. Ты должна быть благодарна за то, что тебя выбрали из более чем двух миллиардов женщин. Если ты пренебрегаешь драгоценной жидкостью, то это так же абсурдно, как тщательно, с любовью приготовить кофе, а потом вылить его себе на голову.

— Как ты относишься к адюльтерам?

— К супружеским изменам? Смотря что называть изменой. Например, если случайная женщина при наличии медицинской справки просит мужчину завести ее в ванную и заняться с ней сексом излюбленным ею способом, это не измена, это донорство, помощь. Называй как угодно. В данном случае ты лишь исполнитель чужого желания. Измена — это когда ты тратишь время, которое мог бы провести с женой, на других женщин, сознавая, что тебе с ними лучше.

Мне нравится, что у нас с моей женой Любой в течение пятнадцати лет свежий секс. Я горжусь этим, как гордился бы любым своим мастерством — например, умением играть на гитаре или сочинять стихи. Мы работаем с Любой в одном режиме, совершаем парный автономный полет. Я стараюсь держать себя в форме — не пью вина и водки, курю ограниченное количество сигарет, потому что если такой полный человек, как я, начнет злоупотреблять излишествами, то он превратится в импотента.

— Ты помнишь свою первую женщину?

— Моя первая жена Лариса была девственницей, я считаю ее моей первой женщиной. Все, что было до нее, отличалось такой неловкостью, что и вспоминать нечего. А с Ларисой все случилось в пору моих семнадцати с половиной лет. Она забеременела, и когда мне исполнилось 18 лет, мы расписались. А еще через пять месяцев родилась дочь Каролина.

— Ты шустрый.

— Спасибо, работаю над собой.

— Ты настаиваешь на том, что секс без любви немыслим. А если мне нравится мужчина, и я хочу лишь позабавиться с ним, насладиться его телом, не более того. К чему тогда чувства?

— Вот ты родила ребеночка, а дальше поступай так, как подсказывает тебе совесть. Самое главное, чтобы твои поступки были объяснены тобою самой. Нравится тебе групповой секс — занимайся им и дочке своей объясни, почему ты им занимаешься, почему множество мужчин пересекают границу твоего тела. Если ты в ладу со своей совестью, то все нормально. Не надо пугаться.

— Если ты презираешь презервативы, как же ты предохраняешь партнершу от нежелательной беременности?

— Только естественным путем, исходя из графика месячных недомоганий женщины. Искусственное предохранение — грех. И вообще детей надо учить тому, что за все, что происходит интимного, отвечает девушка. Она должна знать, что любая дружба с мальчиком — это путь к беременности.

Когда я вижу беременную женщину, я радуюсь за нее. Наша Земля постоянно беременна, это ее естественное состояние. И нормальная женщина счастлива, если ее становится больше.

Дети XXI века должны будут знать день своего зачатия. Я был зачат моими родителями в их первую брачную ночь с 7 на 8 ноября.

— А тебя не пугает, что твое зачатие произошло в такую революционную ночь?

— Понимаешь, какая штука, всегда существовали придуманные даты, но на них накладывается энергетика людей. Давай вспомним наше детство, как мы воспринимали этот праздник. Флажки, шарики, музыка, в школу не надо идти. То есть безусловно хорошо. Так что «революционная ночь», совпавшая по дате с первой брачной ночью моих родителей, оказалась отличным временем для зарождения новой жизни.

Зачатие вообще ответственное дело. Как я себе это представляю? Когда у жены удачный период для принятия в себя строительного материала мужа, супруги на несколько дней удаляются от мира и занимаются домашним сексом. Хороший свет, музыка, фрукты, удобная постель, включенная видеокамера. Если пара стесняется снимать себя, пусть снимает потолок. Но ребенок имеет право знать, когда и при каких обстоятельствах его зачали. Рядом с женой в эту минуту должна быть ее лучшая подруга, крестная мать зачинаемого ребенка. Она будет ласкать и успокаивать будущую мать, вселяя в нее уверенность. (Возможна ее поддержка по телефону.)

— То есть ты считаешь, что ребенка нужно делать втроем?

— Конечно, желательна нежная помощь подруги. В какой степени она будет принимать участие в процессе, это ее дело. Раскрепощенная, свободная атмосфера зачатия особенно необходима будущим девочкам. Они рождаются зажатыми, и мальчики вынуждены добиваться их. Оглянись вокруг, и ты увидишь мир коллективной зажатости. Мальчики все время говорят: «Я хочу тебя». Это грубая фраза. Я всегда говорил: «Я тебя не только хочу». Есть еще одна фраза: «Если ты хорошая девушка, то почему я до сих пор с тобой не был?» Если ты услышала такие слова, ты должна в самом деле подумать, не подходит ли тебе этот человек, если нет, дай ему свои объяснения.

Мы все только дети, просто нас воспитывали неправильно. Если помнишь, в детском саду мальчики и девочки вместе мылись, потом нас разделили, отсюда и пошли все нарушения.

— Обусловлено ли твое сексуальное мировоззрение твоей профессией музыканта и актера?

— У меня одна профессия — человек. Я вообще считаю себя пенсионером. Я родил двух детей, воспроизвел двух себе подобных, теперь могу выйти на законный отдых. Я свое дело сделал.

Вопросы дрянной девчонки: Михаилу Пуговкину

Михаил Пуговкин. Любимец публики, киноактер, обожаемый несколькими поколениями зрителей. Всю жизнь по-крестьянски скупо, аккуратно собирал в кино эпизод за эпизодом, одну небольшую роль за другой, пока не стал признанным мастером Эпизода. Сын мясника и крестьянки. Родился 75 лет назад в селе Рамешки Чухламского района Ярославской области во время сенокоса. В 18 лет ушел добровольцем на фронт, в 1942 году был тяжело ранен и списан по ранению. Снялся в 97 фильмах. Недавно ему присвоили звание Короля кинокомедий с вручением Королевской короны. Малую планету № 4516 назвали в его честь «Михаил Пуговкин». С 1991 года живет в Ялте. Три брака, множество детей и внуков, в основном, приемных. Обожает теплые компании, колбасу с чесноком и «сухарик» (сухое вино). Уже много своих друзей и близких он проводил на последний поезд, отходящий с платформы Смерть. Все шире открывается дверь в вечность, оттуда веет сквозняком. Но он не сдается.

— Михаил Иванович, как вас звали в деревне?

— Минька. Меня и сейчас так родственники зовут.

— Как мог деревенский парень Минька пробиться в богемную, актерскую среду Москвы?

— Я всегда говорил, что у меня было трудное детство. Я пережил коллективизацию и убийство Павлика Морозова (*хихикает*), у меня всего четыре класса образования. Когда мне было 13 лет, семья переехала в Москву, и я пошел работать на Тормозной завод. Занимался в драматическом кружке, отучился говорить «чаво». Потом меня пригласили в Московский драмтеатр. Там в фойе висела моя фотография. Однажды туда зашла ассистент режиссера, подыскивающая актеров для фильма «Дело Артамоновых». Увидела мой портрет и пришла в восторг: «Настоящий купчик!» У меня в ту пору была во-от такая будка, глазок почти не видно, лоб отсутствовал и огромный чуб спереди. Режиссер меня спросил: «Что ты можешь делать?» Я ответил: «Все». — «Петь можешь?» — «А как же!» — «А плясать?» — «Да пожалуйста!» Сейчас спроси меня: «Что ты можешь?» Я отвечу: «Ничего».

Снимали свадьбу, столы были заставлены со старинной щедростью, все настоящее. Я должен был переплясать главного героя. Лето, оркестр играет, всем весело, я плясал остервенело. Вдруг входит помощник режиссера и говорит: «Товарищи, прервитесь!» И мы слышим, как Молотов объявляет, что началась война. Я доснялся и тут же ушел на фронт, через полтора года получил осколочное ранение в ногу и вернулся в Москву. У меня эти осколки были по всему телу, они с годами постепенно сами выходили.

— Кто вас научил элементарным манерам?

— Княжна Волконская. Она преподавала в студии МХАТа хорошие манеры. Я приходил зимой на уроки в огромных валенках, она мне укоризненно говорила: «Миша, как вы можете? Вам же сейчас цилиндр надевать». — «А че? — удивлялся я. — И так сойдет». Раз в неделю она приглашала нас в столовую обедать по всем правилам. Мы сбегали. Ведь война — на обед подают прозрачный суп и подгнившую картошку. А тут изволь спинку держать, ножичком изящно орудовать. Но сейчас все это вспоминаешь с нежностью. В жизни все в конце концов становится на свои места, только самой жизни не хватает.

— Вы далеко не красавец. Ваша внешность создавала вам комплексы?

— Мне в молодости нравилась одна актриса, но я ей был до лампочки. Спустя много лет, когда мы случайно столкнулись с ней в поезде, она с удивлением заметила: «Миша, ты стал такой интересный мужчина». Я ей с гордостью ответил: «Милая моя, теперь я, к сожалению, занят». Мужики с такой внешностью, как у меня, с возрастом хорошеют, а красавцы обычно дурнеют. Одна женщина мне недавно сказала: «Михал Иваныч, да вы еще мужик! Вы еще многое можете! Просто вам нужна соответствующая партнерша. Вы пожилой, но не старичок». Пусть вся страна знает: Пуговкин еще сексуален, Пуговкин еще «торчит», как выражается один мой приятель.

— Вы ревнивец?

— Я бешено ревновал свою первую жену, актрису Надежду Надеждину. Я за ней пытался светски ухаживать, говоря ей «шикарные» фразы: «Надин, вы любите фисташки?» Мне казалось, это звучит роскошно. Директор студии МХАТа, который сам был грешен, ухлестывая за студентками, обвинил нас с Надей в сожительстве. И я ему тогда ответил: «Я не сожительствую, сожительствуете вы, а у нас любовь». И мы гордо покинули студию.

— Надин была у вас первой?

— Нет. Первый раз я согрешил в 15 лет, с подругой моей матери, в деревне. Она была на двадцать лет старше и сама меня соблазнила. Я ей очень благодарен, я тогда узнал, что в жизни есть еще что-то помимо школы.

Но просто секс не делает мальчика мужчиной. Иногда случайный эпизод с настоящей женщиной впечатляет больше, чем постель. Мальчишкой я был влюблен в знаменитую актрису Аллу Тарасову, зрелую женщину. Однажды я участвовал в массовке, когда репетировали сцену эвакуации. По сценарию я должен был задерживать

Тарасову, хватая ее за руки. Я весь дрожал и робел. Она мне сказала: «Пуговкин, ты же мужик, так ты возьми меня по-настоящему». Я осмелел и в следующей сцене схватил ее, что называется, «за грудки». Помню, как у меня колотилось сердце.

Мальчишеский секс в деревне — прост и естественен, как сама природа. А с возрастом хочется чего-то другого.

— Чего, например?

— Сложностей. Их я сполна получил с Надин. Я бросил Москву и уехал за ней в Вологду играть в местном театре. Ссоры, ревность, своенравие Нади, недовольство собой. Друзья звонили мне из Москвы и говорили: «Зачем ты губишь себя? Любовь хороша, но она часто проходит. Ты должен ехать в Москву». В один прекрасный день я приехал на вокзал, продал свои дорогие перчатки, купил бутылку водки и сел в поезд на Москву. Стоял жестокий мороз, окна в поезде заиндевели, я достал пятачок и начертил им на стекле: «Михаил Иваныч, ты начинаешь новую жизнь».

— Но ведь новая жизнь — это и новая женщина.

— И она появилась — певица Александра Николаевна Лукьянченко, все звали ее Шурочкой. Она была замужем за известным пианистом, очень интеллигентным мужчиной. Мы вместе мотались по гастролям, и когда я в качестве конферансье объявлял ее выход, голос мой срывался и дрожал.

— Она была хороша?

— Классическая добротная женщина. Она была... как целина!

— Которую пахать и пахать, так, что ли?

— Но как пахать! Вот таких ядреных легче доставать, в сексуальном смысле. У них все рядом.

— То есть как это? Куда доставать?

— Это необъяснимо. Но вот «проволоку», то есть худую женщину, пронять в сексе труднее. Александре Николаевне я приглянулся. Она рассказывала, что как-то смотрела на меня в поезде, когда я спал на верхней полке, и думала: «Рыхлый мужик. Но если над ним поработать...»

— И поработала?

— Еще как! Она бросила своего мужа и переехала ко мне. Ушла — от трехкомнатной квартиры! Кооперативной! Ко мне, в крохотную комнатушку. Марк Бернес, который называл меня крестьянином, при встрече всегда удивленно спрашивал: «Крестьянин, ты как себе такую бабу оторвал?»

— Говорят, она была вас намного старше?

— На десять лет.

— Может быть, у вас просто материнский комплекс?

— Она, действительно, была мне не только любовницей и другом, но и матерью. Запретила мне пить на тридцать лет, строго за этим следила. Поставила себе цель, чтобы я стал народным артистом СССР. И когда это случилось, умерла со спокойной душой.

— По-моему, она вас держала в ежовых рукавицах.

— Держала, да, но только любовью. Она оставалась женщиной до последнего дня, строго следила за собой, каждое утро мыла лицо с мылом. Ведь я был моложе — это ее мобилизовало. Но у меня есть перед ней грех. Она просила похоронить ее по-христиански. Но обстоятельства так сложились, что мне нужно было уезжать работать, дочери ее были заняты, тело из морга выдавали только на четвертый день, а кремировать можно было уже поутру. И мы нарушили волю покойной, кремировали в один день с Риной Зеленой. Большой грех на мне.

— Вы часто думаете о смерти?

— Стараюсь не думать, но все равно — каждую ночь вижу, как я лежу в гробу, как у меня руки сложены.

— Ваш третий брак в возрасте 68 лет — это скорее брак дружбы, чем секса?

— Ира встретилась мне в трудную минуту, когда я приехал в Ялту в тяжелом душевном состоянии после смерти Шурочки. Эта встреча была моим спасательным кругом, и я его поймал. Сначала это был деловой брак — Ирочка моложе меня на 19 лет, очень энергичная, бывший комсомольский работник, она все мои дела прибрала к рукам. Потом пришли чувства. Конечно, не те, что были в молодости, но, учитывая мой возраст, скажу: «Да, чувства были». Мне хорошо с Ирой. Помните романс Шульженко (*поет надтреснутым голосом, немного фальшивя*): «Я это сделала рассудку вопреки, но я ничуть об этом не жалею».

В молодости цыганка нагадала мне по руке три брака. Я тогда был женат на Надин и жутко расстроился. «Сколько, — говорю, — тебе надо дать денег, чтобы ты мне нагадала одну жену?» —

«А сколько ни давай, — отвечает, — все равно у тебя будет три жены». Так и случилось.

— Случалось в вашей жизни, когда женщина играли вами?

— Нет. Это я играл и бросал. Был у меня тайный роман от второй жены в течение нескольких лет.

— Кто была эта женщина?

— Просто Женщина.

— Актриса?

— Я никогда не увлекался актрисами, они не для меня. Слишком непостоянны — и с режиссерами, и с операторами романы крутят. Я люблю цельных женщин. А с тайной моей подругой у меня был просто секс. Не больше.

— Этого мало для истории, длившейся несколько лет.

— Конечно, ведь в перерывах надо о чем-то разговаривать, а мне с ней было скучно. Но мы мало виделись, я брал ее с собой в поездки на день-два. Она, конечно, не вулкан была в постели, но тянуло меня к ней сильно.

— Секс для вас сейчас актуален?

— Знаете, Даша, к сожалению, да.

— Почему к сожалению?

— Потому что желания с возрастом не угасают, становятся иногда даже сильнее, угасают возможности. Теперь, если мне нравится женщина, я уже не выйду на нее. Если уж идти, так наверняка. Как на автомобилях пишут: «Не уверен — не обгоняй». Ведь когда идешь на охоту, должен быть уверен, что попадешь, а у меня тот возраст, когда можно промахнуться.

Мужчина в возрасте за 70 зависит от партнерши. В женщине должен быть вызов, а если есть вызов, будет и отклик. Это только в молодости женщина зависит от мужчины в сексе, в старости все наоборот. Из-за возрастной неуверенности мужчины уходят либо в политику (им парламент заменяет то, что когда-то им делали женщины в постели), либо в философию. Я ушел в философию. Один попутчик в поезде мне сказал: «Живите банальней». Это значит пришел с работы, навернул борща, выпил водки, пообщался с подругой жизни и в постель. Но кто ж так может? Мысли покоя не дадут.

— Чего вы боитесь?

— Нищей старости, умереть в бедности. На меня сейчас навалилась большая чужая семья, Ирины дети и внуки, приемные дети от второй жены, моя собственная дочь. Фактически я живу на три семьи, обо всех надо думать. Когда я женился на Ире, думал, что мы будем вдвоем, а теперь все собрались под крыло. Ну ничего, надо выстоять. Мои новые родственники не нахальные, даешь — благодарят, не даешь — молчат. Но иногда я так страшусь бедности, что хочется деньги на черный день зашить не то что в трусы — под кожу.

— И все-таки, несмотря на ваши страхи, вы счастливый человек?

— Конечно. Сколько моих друзей и коллег в могиле! Миронов, Папанов, Борисов, Леонов, Гайдай ушли один за другим. А я еще сижу с вами и говорю о сексе. И женщины смотрят на меня другими глазами. Значит, жив еще курилка!

— Вы верите в Бога?

— Я вырос возле церкви и дружил с поповскими ребятами. Моя бабушка боялась вечером закрывать печи в церкви и всегда звала меня с собой: «Пойдем, Миня, со мной, я тебе дам папироску «Бокс».

— Вы тогда уже курили?

— Да, я курил с восьми лет мох и листья, как все деревенские ребята. Родители нас ругали только за то, что мы в сараях смолили, — на деревне очень боялись пожаров. Помню, я както поил лошадь у пруда и курил самокрутку, и отец мне отвесил солидный подзатыльник. «Куришь, — сказал он, — кури в открытую, имей кисет, как взрослый, а от беспорядочного курения только поджоги».

Так вот, когда я с бабушкой входил в церковь, у меня всегда холодела спина. А сейчас церковь превратилась в театр, шоу, — я не верю тем женщинам, что бьются лбом о пол церкви, я не верю политикам, которые с важным видом отстаивают церковные службы. Это спектакль. И недорого стоит такая игра.

Бог у каждого свой. Мой бог — судьба. Она подарила мне долголетие. Софокл говорил, что человек, пытаясь уйти от судьбы, идет прямо к ней. То есть ты думаешь, что ты уходишь, а на самом деле окольными путями попадаешь в ту самую, предназначенную только тебе точку.

Вопросы дрянной девчонки: Олегу Газманову

Олег Газманов. Мужчина, делающий и могущий взять у жизни все возможное. Нравственно опрятная личность, не склонен к вранью. Манеры человека, решившего заставить мир считаться с собой. Глаза сердцеведа, мальчишеская улыбка и эластичное тело. Сложен, как лучше быть нельзя мужчине (из наблюдений в бане). С женщинами по натуре завоеватель, не любит, когда любовная инициатива исходит от слабого пола. Со мною был до глупости безгрешен. Находясь в возрасте 46 лет, переживает вторую молодость, с большим опытом в любви и наслаждении жизнью. Ему можно позавидовать: он в который раз начинает все сначала, сохранив пыл юности, но утратив ее беспомощность.

— У тебя была бурная гастрольная жизнь, наверняка в каждом городе заводил романы. Как ты соблазнял женщин?

— Система обольщения оттачивалась невероятно. Я человек влюбчивый, города менялись как перчатки — по три-четыре дня на город, то есть на роман. В юности было легче, я мог любую лапшу на уши вешать. Я представлялся, например, инженером трубопровода Уренгой — Ужгород.

— А почему не музыкантом?

— Неинтересно раскручивать. Девушка после концерта размякла и уже твоя. Денег у нас тогда не было, поэтому лозунг молодых здоровых организмов, которые ездили на гастроли, был таков: «Чай без сахара — и в койку» или «Чай без сахара, подножку — и на раскладушку». Это звучит пошло, но ты попробуй уговорить женщину без денег. И потом, что такое пошлость? По сравнению со звездами, что светят наверху, все мы пошлые.

Красивая девушка, «снятая» в новом городе,

придавала вес в компании друзей. Мы любили обсуждать, у кого что было, — «охотничьи» рассказы. В советское время возникали хронические трудности с проводом девушек в гостиницы. Врагов было много — швейцары, эти хозяева дверей, горничные (мы их звали «этажерки», потому что они сидели на этажах). «Этажерки» в некоторых гостиницах, где коридор был углом, специально ставили зеркала, чтобы видеть, что творится в любой точке. Милиция устраивала регулярный «шмон». Приходилось прятать полуголых девушек то на балконе, то в шкафу. Я придумал легкий способ провода девушек в номера. Мне хватало стакана воды. Способ прост: берешь стакан и плещешь воду в потолок. Потом звонишь «этажерке» и кричишь: «Сверху заливают». Начинается административная беготня, к соседям наверху ломятся горничные с криками: «Выключите воду», под шумок можно провести хоть десять девушек. Иногда на гастроли я брал халатик и тапочки, чтобы девчонки, одетые по-домашнему, с ключом в руках спокойно проходили в номер.

— От тебя, наверное, девушки лет двадцать назад с ума сходили. Такой милый мальчик с хорошенькой мордашкой.

— Ничего себе мордашка! Я производил довольно угрожающее впечатление. Мастер спорта по спортивной гимнастике. Я был так накачен, что не мог руки опустить из-за мускулов.

— А ты не комплексовал насчет своего маленького роста?

— Нет, женщины почти всегда были выше меня. Это так приятно — ты стоишь, а у нее все самое красивое прямо перед твоим носом. (*Смеется.*) У меня была девочка, волейболистка из Литвы, гигантского роста. Длинная такая девочка, но очень сексапильная, — все очень пропорционально, только большая. Я тогда работал в ресторане. Там была сцена почти метр высотой, и даже когда я стоял на сцене, моя девушка все равно была выше меня, представляешь?

— С трудом. А как она тебя в постели находила?

— Там все было нормально. Но однажды она отвела мою руку и сказала: «Не надо», и я сразу представил, как она сделает неосторожное движение и просто сломает мне руку. К ней как-то пристал парень, завалился прямо в ее номер, она его легонько стукнула, а он отлетел и вышиб дверь головой.

— У тебя все женщины были красотки. А что делать дурнушкам? Может, у них душа хорошая?

— А крокодилы всегда говорят, что у них душа хорошая. Что им еще говорить? Один американский президент при обсуждении кандидатуры сенатора открыл его досье, глянул на фотографию и сказал: «Не подходит». — «Почему?» — спросили его. «Мне его лицо не нравится. Если человек к 50 годам не смог сделать так, чтобы его лицо располагало к себе, что это за человек?» Перефразируя слова президента, могу сказать: «Если женщина к 25—30 годам не смогла сделать себя обаятельной, мне такая женщина не нужна».

— При твоей необузданной любовной деятельности тебе грозили всяческие венерические заболевания. Как ты справлялся с ними?

— У меня случались всякие штучки, не очень

серьезные, слава Богу. В советское время все было сложно. За три дня гастролей надо было найти в чужом городе врача, сделать анализы, начать курс лечения. Однажды я прорвался в кабинет главврача во время совещания с криком: «Знаете, что у вас в городе происходит? У вас триппер». Главврач несколько секунд ничего не мог сказать, только открывал и закрывал рот. Потом ответил: «Подождите меня, молодой человек, в коридоре». Классный оказался дядька. Мы с ним долго потом дружили. Я звонил ему по телефону из разных городов и консультировался. Но, к счастью, все неприятности в прошлом.

— Может, что-нибудь посоветуешь подрастающему поколению?

— Не заниматься самолечением. Всегда найдутся сердобольные дружбаны, которые скажут, что все это чепуха, надо только кольнуться или съесть таблетки. Таким способом болезнь переводят в хроническую стадию. А главное, девушки и юноши, пользуйтесь презервативами. В молодости я стеснялся их надевать, боялся, что партнерша не так меня поймет. Поэтому презерватив одевал заранее, а сверху трусы. Многие девушки даже не замечали.

— Тебя не напрягают презервативы?

— Абсолютно нет. Я их просто не чувствую. Одевают ведь носки перед тем, как надеть ботинок.

— Большое количество женщин — это не скучно? Очередной роман — лишь очередная банальность в жизни.

— Как может быть банально вино? В каждом вине своя гамма вкуса, свой аромат. Или как можно пресытиться едой? Ведь каждый день хочется есть. И потом, еда как средство насыщения — скучно, но еда как трапеза — удовольствие. То же и с женщинами.

— Что, по-твоему, похоть?

— Лакмусовая бумажка для похоти — это когда после секса хочется, чтобы она поскорее ушла. У меня такого в жизни никогда не было.

— Когда в каждом городе есть возлюбленная, тут не обойтись без лжи.

— Я человек влюбчивый, но я никогда не врал женщинам, никогда не говорил, что люблю. Это слишком много для кратковременных отношений. Когда женщина говорит: «Мне с тобой хорошо», разве этого мало?

— А как ты чувствуешь, что женщине с тобой хорошо?

— Как животное. Как самец. Я жутко чувствителен. Я не знаю, как это происходит, но происходит. Это чисто на биологическом уровне. Ты когда-нибудь теряла сознание от секса?

— Нет, никогда.

— Со мной все женщины теряют сознание. После этого нет необходимости говорить женщине банальные слова. И так все ясно.

— А что ж ты такого особенного делаешь?

— Глупо отвечать. Настоящий охотник — молчаливый охотник.

— Может быть, ты просто извращенец?

— Дурочка, они теряют сознание не от боли, а от кайфа. Я никогда не думал только о собственном удовлетворении в постели. Женщины говорили мне, что секс со мной — это нечто особенное. Я настолько тонко организованное животное, что мне приятно брать тот ритм, который задает женщина. Она испытывает наслаждение, и я его подхватываю. Это цепная реакция. Хорошие дети получаются только тогда, когда постель — удовольствие. Сам процесс в принципе жутко примитивен. А вот как доставить наслаждение партнеру — это задача. Диапазон в сексе очень широк — от онанизма до небес.

— Ты ценишь мгновенный секс или долгую прелюдию?

— Скоротечный огневой контакт — это приятно, но хорошо, что есть на свете женщины, которые не дают по первому требованию. Интересно ведь развитие событий, какое-то действие, а не сразу входить в клинч.

— Тебе знакома проблема первой ночи с женщиной, в которую давно влюблен?

— А что это такое?

— Когда мужчина от избытка чувств и робости не может кончить.

— Да не было такого, чтоб я не мог кончить. И потом, все наоборот, в первую ночь ух, ах, ужас что творится — 8—10 раз за ночь.

— Даже сейчас?

— Нет, сейчас максимум три раза подряд.

— Да ты герой.

— Просто здоровый мужик. Я недавно проходил полное медицинское обследование. У меня даже взяли анализ спермы. Выяснилось, что в моей сперме дикая концентрация быстродействующих сперматозоидов, которые со страшной скоростью несутся оплодотворять. Такая насыщенная семенная жидкость бывает у 30-летних мужчин.

— Ты хитрый кобелек.

— Нет, я простодушный кобель.

— Где у тебя эрогенная зона?

— В пятке. Когда я просто хожу, я кайфую, а когда по женщине хожу, кайфую вдвойне. А если серьезно, то все тело может быть сплошной эрогенной зоной, если ты с любимой женщиной.

— Психологи утверждают, что последнее табу для человечества в сексе — запахи. Люди преодолели все барьеры стыдливости, кроме барьера естественного запаха человеческого тела. Они глушат его духами и дезодорантами. А ты сам как относишься к ванне перед сексом?

— Есть такой анекдот. Пациент: «Доктор, у меня везде чешется». — «А вы ванну не пробовали?» — «Пробовал, через месяц опять чешется». Знаешь, иногда бывает такая страсть, что не хочется терять время не только на ванну, но и на снятие одежды. Можно ведь на пуховой перине после ванны долго готовиться и не получить никакого кайфа, а можно на батарее в общежитии, когда вот-вот дверь откроется, кто-нибудь зайдет, и это дико возбуждает.

— Наклонись, я хочу почувствовать, чем ты пахнешь. (*Через паузу.*) Ты пахнешь кабанятиной и костром.

— Настоящий мужской запах. (*Смеется.*)

— А что тебя возбуждает в женских духах: свежесть или чувственность?

— Свежая чувственность. А ты знаешь, что я заметил? От невинной девочки пахнет совсем по-другому, чем от взрослой женщины.

— Так ты лишал девочек невинности, пробивал нежнейшие перепонки?

— Не пробивал, а нежно проходил. Но было немножко стыдно. Помню, была чудесная ночь с чистой девочкой, я ее осторожно сделал женщиной, а она заплакала.

— От избытка чувств. А у тебя была чистая любовь?

— Да, у меня была любовь в Калининграде, мы два года встречались и ни разу не были близки. Я тогда учился в «мореходке». У меня до этой девушки были женщины, но тут я все прекратил на целых два года, представляешь? Я ласкал ее, целовал ей грудь. Мне этого хватало, не хотелось переходить последнюю грань. Был момент, когда она, совсем раздетая, вся дрожала и готова была отдаться, но я ушел. Тем, что я ее не взял, я ей и себе доказал, что я мужчина.

— А с первой женщиной как все получилось?

— Просто. Скакал на ней и ликовал: «Я мужчина».

— То есть как на тренажере?

— Если бы так было на тренажере, я бы с него не слезал.

— Ты первый раз съел мороженое, прочитал первую книжку, пошел в школу, первый раз был с женщиной...

— Да, все в первый раз, но такого нокаута, как с первой любовью, не было. Вообще, в детской любви бывает много смешных и трогательных моментов. Я помню, как пошел провожать девочку в пионерлагере. Мне было 15 лет, и я мечтал девочку поцеловать. Она тоже была не против, чтоб я ее чмокнул. И вдруг я страшно захотел на горшок. Чувствую, еще пара минут, и будет поздно. Я ей торопливо помахал ручкой и бросился в заросли малины. И там, с наслаждением, под шум прибоя, задрав голову и с судорогой смотря на звезды, я понял, какой это большой кайф, если долго терпел. Господи, как я был счастлив тогда! Молодой организм. Запах моря, сосны шумят, луна. И такие спазмы в животе. Это было сильнее, чем любовь. Сильнее, чем оргазм. Оргазм можно было хоть чуть-чуть приостановить. (*Смеется.*)

— Тебе подарили медаль «Одному из последних представителей сексуального большинства на российской сцене». Как ты относишься к гомосексуалистам?

— Нормально. Нам, мужикам, больше баб достанется. Но я бы не хотел, чтобы мой сын стал голубым.

— А он уже мужчина?

— Да, и не только в физическом, но и в моральном плане. Я как-то решил с ним провести серьезную беседу о сексе. «А что бы ты хотел узнать, папа?» — спросил он меня и показал следы от ногтей на своей спине.

— Твое отношение к групповому сексу?

— Неинтересно. Не фига себе, я девушку завоевал, а кто-то пристроился третьим на халяву.

— Тебе нравится дорогое белье на женщине?

— Лучшее платье — женская нагота. Но на самом деле есть женщины, которые умело используют состояние полураздетости. Эротика — тонкое искусство обольщения, не всякому дано.

— Почему богемная среда порождает разврат и легкомысленное отношение к вопросам морали?

— Я не уверен в правомерности вопроса, потому что нет реальной статистики. Может быть, электрик Петя больше имеет женщин, чем композитор Газманов. Может быть, он в каждой квартире, где лампочку ввинчивает, тут же и хозяйку окучивает. И потом, что такое мораль? Понятие относительное. Клеопатра, чтобы получить трон, вышла замуж за своего родного брата и даже родила от него ребенка, а потом задушила своего мужа подушкой. В те времена это считалось нормальным.

— С годами ты стал более разборчив с женщинами или спортивный интерес остался?

— Для меня теперь важнее все, что до постели, интереснее предварительная игра, романтические отношения. Я как-то был в круизе «Мисс пресса». Атмосфера самая раскованная, количество сперматозоидов в воздухе достигало такой концентрации, что у девушек уже токсикоз начался. Я там тут же получил положительный ответ почти от всех «мисс» и очень горжусь, что этим ответом не воспользовался. У меня тогда в крови было 90% алкоголя. Там всем выдавали купоны на спиртное, которые быстренько закончились. Меня сильно возлюбил начальник всех баров за песню «Морячка», и я получил безграничный карт-бланш на алкоголь. Я стал самым модным человеком в круизе. Девчонки за мной гуськом ходили. А я был такой важный: «Девчонки, ты, ты и ты, пойдем шампанским угощу». (*Смеется.*)

— Ты встречаешься иногда с женщинами, с которыми был близок много лет назад?

— Я не люблю такие встречи. Мне жалко женщин, природа к ним несправедлива. Они так

рано увядают, так быстро становятся нежеланными для большинства мужчин, это больно. Я вижу не то что своих ровесниц, а женщин, которые моложе меня на 15 лет, которые с грустью говорят: «Мы уже не девочки». Я встречаю на гастролях женщин, с которыми не виделся 10—15 лет. Некоторые из них в форме, прекрасно держатся, изысканно себя подают, но они не востребованы мужчинами. А я тут общался с девчушками шестнадцати лет, они мне строили глазки, и я чувствовал себя равным им, хотя их отцы младше меня.

— Ты в цвете лет, на вершине успеха, в блеске славы, купаешься в женском внимании. Все у тебя есть, не за что бороться. Тебе не скучно?

— Я знаю знаменитых и богатейших людей, у которых миллиарды на счетах. Кажется, что им уже не за что бороться, но они борются всегда с самими собой. Это борьба за вкус жизни.

Вопросы дрянной девчонки: Юрию Сенкевичу

Юрий Сенкевич. Ведущий популярной телепередачи «Клуб кинопутешественников». Принадлежит к старинному племени кочевников, и кочевая страсть его еще не насыщена. Вид бывалого человека, который знает подлинную цену вещам. Манеры отличаются благородной выдержанностью старого коньяка. Обладает прекрасно развитым чувством паузы. Полковник медицинской службы в отставке, офицер династии марокканского короля. Вместе с норвежским ученым Туром Хейердалом совершил сказочные путешествия — в 1969 и 1970 годах проплыл на папирусных лодках «Ра» от Африки до островов Центральной Америки и в 1978 году на тростниковой лодке «Тигрис» по Аравийскому морю. В качестве врача-исследователя проходил подготовку для полета в космос, год зимовал в Антарктиде. Считает, что в жизни ему дивно везло.

— Вы провели год на станции «Восток», подолгу плавали на судах исключительно в мужском обществе. Как в таких условиях удовлетворялись мужские потребности?

— Естественным путем — спишь и видишь сон. Другого способа нет, поскольку все мы были нормальными мужчинами. На станции «Восток» в Антарктиде нас было шестнадцать мужиков, полностью изолированных от мира. Все мы существовали в тесном, маленьком помещении и не имели возможности побыть наедине с собой. Все время кто-то рядом. Меня мучило одно желание — забиться в уголок, чтоб никого не видеть. Единственное место, где можно было уединиться, — туалет, и там было довольно прохладно. Идти некуда, вокруг голая снежная пустыня, средняя температура — минус 55 градусов, высота — 4000 метров над уровнем моря, воздух сильно разреженный, постоянная одышка. Прошел два шага, моргнул — и ресницы смерзлись. Надо вынимать руки из рукавиц и согревать веки. Далеко не уйдешь. Чтобы добыть воду, надо пилить снег и складывать его в бак, где он постепенно таял.

— Но ведь в таких условиях у людей «едет крыша»?

— Отчасти да. Я видел здоровенных мужиков, которые вдруг начинали плакать, не получив очередную радиограмму от жены. Им тут же наливали спиртику для успокоения. Секретов друг от друга не было, все знали друг о друге все до тошноты. Мне исполнилось в ту пору тридцать лет, и я приобрел бесценный жизненный опыт взаимоотношений между людьми.

— А разве не было на полюсах станций, где жили и мужчины, и женщины?

— Были метеостанции, где жили смешанные коллективы, это гораздо страшнее. Там происходили такие сложные коллизии, дело доходило до стрельбы, поскольку у всех есть оружие, — вокруг бродят белые медведи. Наш радист однажды рассказывал мне, как он жил на станции, где соседствовали несколько женатых пар и несколько холостяков. Там была баня, в которой женщины и мужчины мылись по очереди. Как-то радист, хулиганистый молодой парень, протянул в баню провод с микрофоном и записал женские разговоры. У него волосы встали дыбом. Такого сленга он даже от мужиков не слышал, а уж характеристики, которые они давали своим мужьям, были просто убийственными. Он сохранил эту кассету и долго молчал, но ведь поделиться-то хочется! И однажды по пьянке он дал ее прослушать своему приятелю — тот услышал эпитеты, которыми награждала его собственная жена, и закатил ей дикий скандал. Короче, о кассете узнала вся метеостанция. Через несколько дней в радиорубку зашли несколько женщин, одна из них с карабином, и заявили радисту: «Здравствуй, Вова! Мы пришли тебя убивать. Только сначала ты отдашь нам пленку». Баба передернула затвор, и Вова понял, что, действительно, сейчас убьют. Он встал на колени и заголосил: «Бабоньки, милые! Пожалейте меня, я такой молодой. Не убивайте! Я вам все отдам». Сжалились, простили, но пленку отобрали. Это был поступок глупого мальчишки, вполне извинительный для 20 лет.

— Как вас вообще занесло в Антарктиду?

— Я готовился тогда к полетам в космос (был такой проект — полет врача с животным). Нам предложили зимовку в Антарктиде. Я пришел домой и подумал: «Господи! В кои-то веки я попаду в такие места! В космос я еще успею». Но не успел. Королев умер, и проект накрылся.

— Вам не жалко целого года жизни, проведенного в снегах?

— Когда сидишь на станции, думаешь — ни за что, никогда, ни за какие деньги! Но такая жизнь, как ни странно, затягивает. Во-первых, это выгодно. Метеоролог, который в обычных условиях получал 80 рублей, на севере зарабатывал до 500. Притом он жил на всем готовом. Сначала он покупал машину, потом квартиру, потом возвращался и понимал, что надо покупать вторую квартиру, потому что жена ушла и все забрала с собой. Во-вторых, человек привыкает к определенному образу жизни, к тому, что он возвращается героем, что по приезде у него по крайней мере с год нет проблем, привыкает к вольготной жизни. Я знаю одного повара, который пять раз зимовал в Арктике и четыре раза в

Антарктиде. А повар — самая страшная профессия. Потому что повар должен кормить всю ораву, готовить три раза в день, невзирая ни на что. А если не угодит, в него могут и котлетой запустить. После первого же застолья мы поняли — надо менять режим для повара. Он напился, и мы остались без завтрака и без обеда. Потом решили, что повар выпивает три-четыре стопаря и идет спать, а остальные веселятся. А утром готовит кислые щи на опохмел.

— Вы были в восьмидесяти странах. Где самые красивые женщины?

— В любой стране есть красотки. Как хороши, например, женщины Венесуэлы! Особенно квартеронки, в которых перемешана белая и черная кровь, смесь испанской и индейской крови. А женщины Таити! Этот остров всегда славился гостеприимством в определенном смысле слова. Ведь что нужно моряку после длительного плавания, когда он сходит на берег?

— Женщина.

— Вот-вот. Для таитянок любовь была так же естественна, как желание попить и поесть. На острове существовали своеобразные морально-этические нормы, отличавшиеся от европейских. Таитянам чуждо было чувство ревности, браки заключались только по любви. Если женщина любила другого мужчину и приносила от него ребенка в подоле, ее муж только радовался прибавлению семейства. Работать им не нужно было, хочешь поесть — пойди сорви банан или апельсин, картошка и хлебное дерево растут сами по себе.

4—197

— У таитянок действительно золотая кожа?

— В самом деле потрясающая кожа, необыкновенного цвета. Они совершенные красавицы, грациозные и стройные.

— Неужели у вас не возникало желания попробовать женщин других стран?

— Конечно, такие мысли мелькали, но для романов просто не было времени, а покупать проституток — скучно.

— Какие средства для улучшения потенции используют в разных странах?

— Женьшень, элеутерококк, китайский лимонник — все это природные биостимуляторы. Южноамериканские индейцы жуют плоды колы, это действует возбуждающе (на основе колы была в свое время сделана кока-кола). Любая свежая морская пища (мидии, устрицы) дает хороший эффект. Определенной славой пользуется вещество, изготовленное из оленьих рогов. Только рога нужно спиливать в тот период, когда у оленя вырабатывается много гормонов. А вот в порошок из рога носорога я не верю. А вы пробовали когда-нибудь капальхес?

— Не приходилось. А что это?

— Это чукотская пища, потрясающее изобретение, сохраняет все биологические вещества и витамины, увеличивает жизнеспособность. Сначала убивают моржа, разделывают его и раскладывают. Берут тюленей, чулком снимают с них шкуру и укладывают в моржа. Получается своеобразный рулет, его перевязывают жилами. Бросают все это в яму и засыпают камнями.

— В сыром виде?

— Конечно. Это хранится всю зиму, гниет и бродит. Потом из рулета вырезают куски и делают строганину. Запах жуткий, описать невозможно, зато вкус хороший.

— Какой самый необычный алкогольный напиток вы пробовали?

— Чанг в Непале. Вся деревня жует рис и сплевывает его в бочку. Потом все это бродит в слюне и получается нечто вроде рисовой браги. Типа пива. Я не знал способа приготовления этого напитка, а когда узнал уже в процессе питья, утешил себя тем, что все микробы в процессе брожения погибают. Непальцы от чанга балдеют, они же маленького роста, им немного надо. Впрочем, как любил говорить мой отец: «У каждого свой вкус и манера веселиться, — сказал черт, — садясь в болото».

— А какова ваша манера веселиться?

— В моем возрасте, в 60 лет, все становятся пуританами. Но я люблю и выпить, и закусить, и побалдеть, и пошуметь. Я воспитан не на западный манер — хороший коньяк могу закусить соленым огурцом или квашеной капустой.

— Вы интересовались когда-нибудь технологией любви в разных странах?

— Как мне кажется, это происходит приблизительно одинаково и в цивилизованных, и в диких странах. Если не учитывать зверские обычаи в Африке и в некоторых мусульманских государствах, где у девочек еще в раннем детстве удаляют клитор, чтобы, став фригидными, они хранили верность своим будущим мужьям.

Многие любовные обычаи мы идеализируем,

например, многоженство. Русские мужчины представляют себе это примерно так: есть муж, и у него, допустим, имеются четыре жены, и в доме у него царит рай и благоденствие, жены живут в мире и согласии, старшая учит младших и т. д. Никакого мира, более того, никаких отношений между женами нет. Беря вторую жену, человек обязан ей построить отдельный дом. Узаконена обязанность мужа отдельно и независимо содержать каждую из своих жен, не ущемлять материально. Жена может развестись, если муж нерегулярно выполняет супружеские обязанности. Так что если господин Жириновский предлагает ввести в России многоженство, то у него не совсем верные представления о том, что же это такое.

Я был однажды на мусульманской свадьбе. Мой приятель купил себе вторую жену. Все происходило в Каире, в мертвом городе, там, где брошенные дома и нет ни водопровода, ни электричества, ни канализации. Гости веселились в пустом доме, полуразрушенном, без окон, без дверей и крыши.

— Самое романтичное место, где вам приходилось жить?

— Когда мы готовились плыть на «Тигрисе», ко мне в Ирак приехала жена, а жить нам было негде. Я занял палатку у ребят из Би-би-си, и мы спали на улице, можно сказать, в райских кущах. Это было место, где Тигр сливается с Евфратом, где по преданию были Эдемские сады. Там даже лежала какая-то коряга с надписью: «Здесь когда-то произошла знаменитая встреча Адама и

Евы». А рядом находилась канализационная труба, которая спускала все прямо в Тигр.

— Когда вам по-настоящему было страшно?

— На папирусной лодке «Ра», когда мы плыли через океан. Лодка тонула, а яхта, которая пришла нас спасать, не могла нас найти пять дней. Мы разговаривали по радио, сообщали наши координаты. Мы боялись, что они в конце концов плюнут и уйдут, потому что яхта была частная. А мы выбросили за борт все лишнее, остались практически без еды и с небольшим запасом воды. Огромное количество акул пришло к лодке, когда мы выбросили продовольствие. Хижина из бамбука, в которой я жил, заполнилась водой. Я соорудил себе плотик из пустых канистр и спал на нем, плавая по воде. Кто-то спал на крыше хижины, один из нас привязывался к мачте и так проводил ночь. Наш спасательный плот из пенопласта мы распилили на куски и использовали в качестве поплавков — обвязали лодку, чтоб ее приподнять. И уйти с лодки нам было не на чем. Сейчас, когда я вижу наше хлипкое суденышко в музее в Осло, я думаю: «Боже мой! Неужели мы на нем плыли?!»

Другой раз я испытал чувство ужаса, когда мы плыли на «Тигрисе». Шторм носил нас по Аравийскому морю. Ночью обрушился тропический ливень, сплошная стена воды, сквозь которую ничего невозможно было разглядеть. Мы были с итальянцем на мостике и вдруг видим впереди два огня. Я подумал, что это два корабля, и говорю: «Давай пройдем между огнями». Когда мы приблизились, то увидели прямо перед собой гигантский танкер. 250 тысяч тонн водоизмещения, настоящий 11-этажный дом. Мы едва успели свернуть и прошли так близко, что почувствовали тепло корабля. Танкеры пошли чередой. Ночная передряга была настолько страшной, что, когда закончилась наша вахта, я полез в хижину, завернулся в спальный мешок и уснул. Забился в норку и подумал, что лучше я всего этого видеть не буду. Сквозь сон я слышал, как кто-то кричал, но решил — если что-то случится, позовут, или окажемся прямо в воде.

— Вы объездили весь мир. Неужели у вас не возникло чувство пресыщения?

— Нет! Я только что вернулся из чудного путешествия — Перу и остров Пасхи, куда ездил вместе с Туром Хейердалом. Это юноша 82 лет. Сколько в нем жизненной энергии! Он так бегал по перуанским пирамидам, что мы все, включая Макаревича, Ярмольника, Якубовича, Стаса Намина, Макса Леонидова, еле за ним поспевали. А вы говорите о каком-то чувстве пресыщения в 60 лет! Это ерунда. Кстати, с этими перуанскими пирамидами связана криминальная история. В округе вдруг появились большие деньги, у местного населения забренчало золото в карманах. Полиция провела расследование и вышла на банду, которая грабила пирамиды, тащила знаменитое золото инков. А пирамиды, которые изучает Хейердал, считались местом проклятым, потому что, когда местное население пытались обратить в свою веру завоеватели, они сгоняли жителей к пирамидам и там их сжигали.

— Чем вы соблазняете женщин?

— Я всегда увлекал их своими рассказами.

— То есть вы Шехерезада в мужском обличье.

— Мне ничего не стоит охмурить, например, вас. Но я этого не хочу, я предпочитаю блондинок.

— А почему вы решили, что я легкая добыча?

— Это видно.

— А на чем основана такая самонадеянность?

— На чистой психологии. Я же врач и занимался вопросами межличностных отношений. Я почти всегда знал, как очаровать, но не всегда себе это позволял. Виной тому душевная леность. Или психологическая несовместимость с женщиной. Впрочем, ее в идеале вообще не существует. Мы несовместимы даже сами с собой. Если бы мы ладили с нашим вторым «я», то лучшим состоянием для нас стало бы одиночество. Жизнь упростилась бы до принципа: «Я люблю себя сам и надеюсь, что это взаимно».

Вопросы дрянной девчонки: Марку Рудинштейну

Марк Рудинштейн. Президент кинокомпании «Кинотавр». Монстр отечественного кинобизнеса, сумевший за восемь лет раскрутить скромный сочинский кинофестиваль в грандиозное шоу международного масштаба, чьими гостями и участниками были не только самые блистательные звезды российского кино, но и международная киноэлита — Депардье, Анни Жирардо, Лилиана Кавани, знаменитая «Эммануэль» Сильвия Кристель и другие. Типичный одессит. Чувствителен и сентиментален. Целуется со знанием дела. Всем напиткам предпочитает водку. Обманчиво мягок, податлив и добродушен, но в душу пускает немногих. Не утратил свежего любопытства к людям. Органически не переносит сквернословия, особенно в устах женщины. Его бурная биография сгодится для романа: колония для несовершеннолетних, год тюрьмы за расхищение социалистического имущества, три брака по любви, попытки делать бизнес в глухую эпоху застоя, организация концертов Жванецкого и «Машины времени», создание первого в перестроечную эпоху кинофестиваля «Кинотавр». Считает, что все к нему пришло слишком поздно, уверен, что любовь — это кратковременное чувство.

— У тебя имидж известного, сильного и богатого человека. Вокруг таких мужчин всегда вьется множество красивых женщин, желающих использовать их в корыстных целях. Тебя это раздражает?

— Да, женщины любят сильных. Почему это должно меня раздражать? Женщины кончают ушами и глазами.

— А по-моему, они кончают мозгами от сознания того, что у них в постели знаменитый и могущественный персонаж.

— Может быть. Мужчина и должен покупать женщин, только не обязательно это выражается в денежном исчислении. Он покупает женщину умом и возможностью убить бизона — постелить на пол его шкуру, где его избранница сможет заниматься любовью, и накормить ее свежим мясом. Если это называется продажность, то я согласен с такой терминологией.

— Как часто ты «убиваешь бизона»?

— Не часто, но у меня постоянное желание его убить. Я называю это состоянием поворота — постоянным ожиданием, что вот сейчас из-за угла выскочит кто-то, ради кого стоит убить бизона. Это напряжение всех духовных мускулов. Вообще мужская мускулатура, если выбросить прямой физический смысл, — это хроническое ожидание любви. Мужчина живет ради того, чтобы покорить противоположный пол. Почему я стал заниматься искусством? Потому что слово «искусство» связано со словом «рождается». А рождаться что-то от однополой любви не может, только от двуполой.

Если состояния влюбленности нет, значит, его надо придумать. Слово «любовь» можно заменить на «мгновение». Это вспышка, и она не может быть долгой. Грешно себя убеждать, что можно всю жизнь прожить с одной женщиной. Я не верю в теорию вечной любви. После страсти остается лишь привязанность и уважение.

— Красивая женщина — это почти профессия. На твоем фестивале бывает множество хорошеньких дам. Это случайно или преднамеренно?

— Я специально приглашаю обаятельных женщин, которые не являются ни актрисами, ни журналистками. Они создают волнующую, романтическую атмосферу. Мужчины при виде их начинают «гарцевать», совершать безумства. Ведь что такое «Кинотавр»? Это юг, море, солнце, новые встречи и влюбленности, две недели праздника. Люди не только влюбляются, но даже создают семьи и заводят детей. Например, актриса Лариса Гузеева ровно через девять месяцев после фестиваля родила мальчика от грузинского сценариста. Катя Семенова и Вероника Долина встретили на «Кинотавре» своих будущих мужей. Можно сказать, что от «Кинотавра» уже родилось трое или даже четверо детей.

— О чем ты сожалеешь?

— Что все пришло слишком поздно. Так как внешними данными я не обладал и, когда я шел по улице, женщины не падали в обморок, мне надо было кем-то стать. Я, как и все люди невысокого роста, страдал комплексом Наполеона. Для того чтобы не подниматься на цыпочки, мне нужен был успех. Но он пришел, когда мне стукнуло 45 лет. Многого уже не могу. Помню, как в юности я, провожая домой любимую девушку, отдал последние пять рублей на такси, а на обратную электричку опоздал. Пришлось 15 километров идти пешком в жесточайший мороз, все себе отморозил. А сейчас! Когда вспыхнет на пути нечто новое, возникнет перед тобой юное, свежее существо, а ты...

— А ты думаешь: «А надо ли мне это?»

— Не совсем так, но накопилась усталость. Хватает сил лишь на короткое озарение. Просто понимаешь, что ты приручаешь женщину, а следовательно, несешь за нее ответственность.

— Но ты же приручаешь ненадолго.

— Это я понимаю, что ненадолго, она же этого не знает.

— А ты предупреждай.

— Предупреждать — значит убить чувство в самом начале. Нельзя разрушать иллюзию.

— Ты сильно переживал из-за маленького роста в детстве?

— Конечно. Мальчишкой я проигрывал в уме эротические спектакли, но все это только в голове — так легко скатиться на онанизм. Мама всегда говорила: «За нашим Мариком девочки в очередь выстраиваются». А папа ей отвечал: «То-то я иду, смотрю — очередь. Спрашиваю: «За чем стоите?» — «За Мариком», — говорят». В еврейских семьях считают, что у них — все самое красивое и лучшее. Кстати, у меня никогда не было любовницы-еврейки.

— Это тоже комплекс?

— Нет, они мне просто не нравились. Они быстро толстеют и становятся сварливыми.

— Зато вкусно готовят.

— Я не приучен к домашней пище. В 15 лет я удрал из дома в город Николаев строить суда.

— Так почему тебя раздражали еврейки?

— Понимаешь, у нас была чисто еврейская семья. Когда я первый раз женился и привез жену-мордовку в Одессу, нас так сухо приняли, что мы развернулись и уехали. Родители постоянно искали мне невесту-еврейку. Так было принято. Как Жванецкий говорил: «Вот девочка, она тебе подойдет. Только тебе надо туда подойти». Меня знакомили с типичными домашними квочками. Родители нашептывали: «У этой девушки такой папа и такая дача!» Я соглашался, что папа и дача у нее, действительно, ужасно красивые, но ведь с ней еще и спать надо. В еврейских семьях не существовало момента ухаживания, родители просто знакомили своих детей с целью их супружества. Меня это раздражало. Видимо, у меня что-то заложено в организме, что на женщин-куриц я не включаюсь.

— А на что ты включаешься?

— На многое. Но точно могу сказать, чего я не люблю. Мне не нравятся большие женщины. Не хочу бегать по кровати и кричать, что это все мое. Один мой знакомый женился третий раз на трехметровой. Так вот на свадьбе, когда кричали «горько», он подпрыгивал. А потом невеста в шутку держала его на руках, чтобы он смог поцеловать ее. А я хочу чувствовать себя с женщиной мужчиной, а не лилипутом. Хочу танцевать с ней и прижиматься не к ее пупку, а к ее глазам.

Моя физиология так устроена, что я не возбуждаюсь ни от насилия, ни когда я вижу, что меня не хотят. Я слишком хорошо к себе отношусь, чтобы включаться, когда меня не желают.

— Ты два года жил с проституткой. Скажи, женщины этой профессии в самом деле столь изощренны в сексе, как про них говорят?

— Нет, они даже более сдержанны, чем обычные женщины. А вот непрофессионалки бывают такие отчаянные в постели, без границ! Но моя возлюбленная родилась свободной. Мы и разошлись с ней потому, что я посягал на ее свободу.

— Так это она тебя бросила?

— Да. Не то чтобы я намеревался на ней жениться, но я просто хотел приходить домой каждый вечер и видеть женщину, которая меня ждет. А она не собиралась связывать себя какими-то обязательствами. Один мой друг как-то сказал про проституток: «Женщина, у которой была подобная профессия, непременно к ней вернется. Потому что в этой профессии есть свобода выбора». Это верно, тогда ведь еще не было сутенерства.

— А где ты с ней познакомился?

— Это смешная история. Я купил фильм «Интердевочка», поехал с ним в Новосибирск. И вот иду я с друзьями на премьеру и вижу: стоит девушка и плачет. Я говорю: «Не плачьте, пойдемте с нами на «Интердевочку». А она отвечает: «Так я и плачу по этому поводу».

— Ты ревнив?

— Нет, я чужд примитивной ревности. Если ты любишь женщину, а ей было хорошо с другим мужчиной, значит, нужно порадоваться за нее. Это трудно в юности, когда ты еще не состоялся и физическая измена язвит твое самолюбие. А в зрелом возрасте мужчина, добившийся успеха на всех фронтах, великодушно прощает женщине сексуальную свободу. Меня не волнует, с кем спит моя женщина, — она здесь, рядом, этим все сказано.

— Женщине тебя легко спровоцировать?

— Легко, я не боюсь последствий. Только мне нужно убедиться в том, что это надо тому, кто провоцирует, что это не просто игра.

— А часто женщины раскручивают тебя на деньги?

— Постоянно, но я стараюсь об этом не думать.

— Что такое грамотная раскрутка?

— Это когда ее не замечаешь.

— Все хотят с тебя что-то поиметь. Это утомляет?

— Это еще вопрос, кто кого имеет, — я их или они меня.

— Что для тебя предел откровенности?

— Ты в своих книжках пишешь про вялый пенис и про то, как он становится твердым, но я никогда не буду рассказывать тебе про свой пенис. Ты хочешь, чтобы я излагал тебе Камасутру? Изволь, но я буду называть только номера поз. Есть такой анекдот про сумасшедших, которые рассказывали друг другу анекдоты, называя их цифрами — 21, 54, 91 и т. д. И когда один назвал номер 45, его избили. Почему? За то, что рассказал неприличный анекдот. Так и я. Возьму Камасутру, открою ее и буду откровенничать: «Вот с этой женщиной у меня была поза № 17». Пусть читатели догадываются, что за поза.

— Но ведь обо всем можно рассказывать мягко и красиво.

— Во-первых, если мягко, это уже не красиво. Во-вторых, для этого надо быть Бодлером или Франсуа Вийоном.

Есть такой писатель Савелла. Он приехал в Россию в начале перестройки. Я решил издать четыре его книги, но прочитал только три. До последней под названием «Мужские разговоры в русской бане» я добрался уже после того, как заключил контракт на издание. Она сплошь состояла из фраз типа: «Тугая струя спермы ударила ей в рот». Для меня пошлость — это порнография. Есть такой набор шаблонных фраз о сексе. В Москве в 50-е годы за каждую страницу эротического романа мы платили рубль, чтобы прочесть ее. Взять на сутки эротический журнал стоило три рубля. Стряпал все эти рассказики некий автор под псевдонимом Николай Николаевич. Для меня они были эталоном пошлости. Так вот, книга писателя Савеллы была выдержана в этом духе. Я отказался ее печатать, автор подал на меня в суд. Когда на суде я увидел, что судья — 70-летняя женщина, я уверился, что мое дело в шляпе. Я решил давить на мораль и заявил вот что: «Давайте я прочту фрагмент из этой книжки, и если вы скажете, что я был не прав, тогда считайте, что суд я проиграл». И я с блеском прочитал отрывок о тугой струе спермы. Суд я проиграл. А судья-старушка потом сказала моему адвокату: «И чего он так возмущается? По-моему, хорошая книга».

— А где бы ты провел границу между эротикой и порнографией?

— Классная эротика — это когда воображение человека благодаря увиденному или прочитанному дорисовывает порнографическую картинку.

— Почему у тебя такой странный, скрипучий голос?

— Однажды на дне рождения у друга выпил чистого спирта. Я не знал, что это спирт, думал, просто водка. Надо было быстро глотать, а я чуть задержал и начисто сжег все связки.

— За что ты попал в детскую колонию?

— За поножовщину. Я сначала был тихим мальчиком, в школе меня постоянно били за то, что я еврей. А в пятом классе к нам пришел еврей-второгодник Ройтенбург, здоровый такой. Он мне сказал: «Тебе нечего бояться». Поднакачал меня, и мы как пошли всех крушить вплоть до детской колонии! Тогда в каждом районе

Одессы была своя банда. Я жил на Слободке — наша банда называлась слободской. Каждый вечер мы ходили в лунопарк, там прохаживались девочки. Из-за девчонок и сцепились две банды — слободская и молдаванская. Вынули ножи, тут нас и повязали.

— А ты носил с собой ножик?

— Еще бы.

— За что тебя посадили?

— Как в те времена можно было жить, не нарушая законов? Я работал в Росконцерте. Чтобы решить какие-то вопросы, всем надо было дарить букеты и конфеты. Это требовало денег, расходы надо было как-то оформлять, и я выписывал липовые накладные на погрузочно-разгрузочные работы.

— И за это взяли?

— За это дали!

— От чего бы ты предпочел умереть?

— От пули. Этого недолго ждать: через месяц меня должны убить. Может быть, ты тот счастливый журналист, который опубликует последнее интервью Рудинштейна.

— Кому же ты мешаешь?

— Этого я не скажу. Хотя причина в таких случаях всегда одна — деньги. Такой раскрученный фестиваль, как «Кинотавр», может и должен приносить деньги. Есть структуры, которые хотят прибрать его к рукам, чтобы извлечь из него максимальную прибыль. Единственное, что меня радует в этой ситуации, — то, что я не испытываю чувства страха.

— Если ты говоришь мне, журналистке, о

своем предполагаемом убийстве, значит, ты рассчитываешь на защиту?

— Нет, если бы я защищался, я бы наговорил гораздо больше.

— Ты жизнелюбивый человек и совсем не похож на жертву. Меня удивляет твое спокойствие.

— Может быть, я спокоен потому, что мне уже неинтересно жить, нечего узнавать, — все познано. А смерть от пули — легкая и быстрая, не худшая из смертей.

— Я бы предпочла смерть во время оргазма.

— Я читал один порнографический роман, в котором главная героиня, испытав все виды любви, решила умереть на пике оргазма. Она ввела в вибратор цианистый калий вместо обычного молока, имитирующего сперму. И в самый острый момент нажала на кнопку.

— Что или кого ты не любишь в жизни?

— Жидов. Есть понятия «еврей» и «жид». Еврей — это человек, который не мешает людям жить. У меня есть чувство вины перед этим государством, еврейское чувство вины за концлагеря, которые мы возглавляли, за революцию.

— Неужели ты вправду считаешь, что евреи сделали революцию? Это абсурд.

— К сожалению, нет. Так сложилась история, что, распространившись по всему свету, мы принесли ему много благ. Но нам приходилось бороться за свое выживание, и во имя этой цели мы устроили эксперимент на 70 лет.

Есть такая птичка-воробей, ее называют «жид». Он везде клюет, во все вмешивается, повсюду мельтешит, у него одно желание — урвать. Нет ощущения своего кусочка. Что такое родина? Это не место на карте, это парадная, где ты первый раз обнял девушку или распил с друзьями бутылку портвейна, это улочка, где ты комуто дал в морду или тебе дали. Родина — это сентиментальность. Меня трудно вытащить отсюда. У меня вся семья уехала, а я остался. Так вот, жид — это человек без чувства родины, которому абсолютно на все плевать. А еще — это чувство зависти. Жидом может быть человек любой национальности.

— Ты не слишком откровенен со мной.

— А я хочу, чтобы оставалась недосказанность. Это прием фильмов Тарковского. У тебя никогда не было такого ощущения? Вот ты смотришь в окно, на улице стоят два человека и разговаривают. По их жестам и мимике ты сам придумываешь их диалог. То же самое у нас с тобой, договаривай за меня. А вообще на все твои вопросы у меня есть универсальный ответ: «В моей жизни было все».

Вопросы дрянной девчонки: Борису Краснову

Он из тех, кто уже осыпан золотом славы и известен всей богемной Москве. Ни одно крупное шоу в столице не обходится без его участия. Его имя на афише — знак престижности и дороговизны представления. Четыре пары «отрубленных рук», символизирующих четыре национальных премии «Овация», пылятся в его кабинете. Кипучая энергия его мыслей и прихотливое воображение выливаются в сумасшедшее количество проектов — декорами к сольным концертам всех самых крупных «звезд» в стране, оформление самых популярных телепередач, международных фестивалей и презентаций. Предмет его гордости — декорации к гала-концерту Майи Плисецкой в Нью-Йорке.

Его зовут Борис Краснов. Чистая лиса и бесовски талантлив. Темперамент авантюриста, великолепная дерзость провинциала, покорившего Москву, быстрота в мыслях и движениях, отчаянно продувной вид. «Я лучший шоу-дизайнер шестой части суши! — кричит он по мобильному телефону очередному заказчику. — У меня нет конкурентов!» Его неколебимое сознание собственной неповторимости гипнотически действует на окружающих. Он словно на шарнирах, подвижный, как ртуть, хваткий, как осьминог. Под слоем кожи у него натянуты голые электрические провода — он весь, от макушки до пят, вибрирует от тока жизненных сил. Кажется, Краснов растрачивает больше энергии, чем необходимо. В нем все бродит, бурлит, пенится. Его патологическая артистичность выливается в шумные эскапады и ребячества. Он так долго существует среди декораций, что давно уже путает театр и жизнь. Он любит петушиться и склонен к небезопасным чудачествам, противоречить ему невозможно — он тут же ошпарит вас потоком безупречно исполненной ярости. В последнюю нашу встречу он грозился метнуть в меня тяжелой хрустальной пепельницей. Впрочем, сотрудники Бориса Краснова, в отличие от слабонервных посетителей, давно не реагируют на экстравагантные выходки своего босса. Его любовь к площадному фольклору приводит меня в восторг, но, к сожалению, это нецензурное красноречие нельзя процитировать, не рискуя оскорбить нежные читательские уши.

Борис Краснов из тех, что торопятся жить, высосать сок из всех апельсинов, оставив корки неудачникам. Весь трещащий от модности, победоносный и важный, он выделяется в толпе, как райская птица на сером утином дворе. Похоже, у него есть все — известность, деньги, выхоленная красавица жена (таких женщин выращивают, наверное, в особых оранжереях) и удачные, судя по фотографиям, дети.

Образ его жизни — бешеная работа пополам с фиестой, вечным праздником. Он не мыслит себя без тусовок, без шумных компаний и кабацких ночей. Он тратит кучу денег на рестораны, для него идеальная ночь отдыха — это путешествие из одного ночного клуба в другой, обрастание по пути друзьями и хорошенькими подругами. «Тусовка — это тяжелая работа», — устало заметила одна эффектная приятельница Бориса, проведя бессонную ночь за столиком ресторана. На вторые сутки пьянства наша компания имела весьма помятый вид, только Краснов выглядел свежим, как мать его родила. «Как это ты не спился?» — полюбопытствовала я. «Люди спиваются генетически или от скуки, — заверил меня Борис. — Я пью очень много, но после водки наутро всегда бодр. Я живу, соображаю, действую.

Вот «травка» — это не мое. После нее тяжелый отходняк.

— Ты эпатажный человек?

— Нет, я этим не занимаюсь. Что такое эпатаж? Это изготовление собственного имиджа. Зеленое ухо, например, волосы до пояса, шуба до пят, шмотки из говна, из кусочков материи, и при этом золотая цепь до пупа. Эпатаж — это когда я иду по улице и все говорят: «Ой, какой идет! Видно, что это художник или поэт». Вот Богдан Титомир — это эпатаж.

— Ты любишь золото — часы, цепи, кольца?

— Не люблю, но это надо носить. Это рабочий инвентарь. Когда я учу людей платить деньги, я даю понять, что я не бедный. Я всегда должен быть при параде, потому что я не знаю, где и когда я встречу заказчика. Одному моему другу художнику четыре года назад новый русский велел сделать оформление ресторана. Мой друг ходил тогда в туфлях «Саламандер», в тех, что по распределению давали. Заказчик спрашивает его: «Сколько вы стоите?» Художник начал с четырех штук. А тот ему говорит: «А ты хоть штуку в глаза видел? Ты на брюки свои и туфли посмотри». Почему многие артисты этой страны идиоты? Плебеи и твари. Потому что они постоянно жалуются на свою жизнь. Они вечно плачутся, что у них нет денег. Они не могут сказать: «Дай мне десять тысяч за концерт», к примеру. «Да почему?» — «Да потому, что я так стою». Артисты начинают давить на жалость: «Понимаешь, все очень сложно, тяжело». — «А почему ты с меня начинаешь подыматься? Почему я тебе первый должен платить большие деньги?»

А я этим уродам хочу доказать, что сегодня никто не понимает кожаный ремешок на часах. Я могу надеть часы престижной фирмы, элегантные, дорогие, но их не поймут — какие-то плоские, маленькие, простенькие, на кожаном ремешке, у меня такие же «Победа» были. А вот золото понятно всем. Я только два года назад начал носить костюмы и галстуки, а то все ходил в простых рубашках, джинсах и свитерах. Понял: нельзя. А мой завпроизводством приходит на переговоры в затрапезном виде. Я ему столько раз говорил: «Носи костюмы». На переговорах заказчик, показывая на него, спрашивает: «А сколько твоим рабочим платить?» А он директор крупнейшей фирмы, сделавшей все крупные шоу в этой стране. Но ему и его людям будут платить, как рабочим, только потому, что он поленился одеть костюм. Это советский менталитет: люди считают, что затраты художника — только бумага и краски.

Я не могу перевоспитать эту страну. А вот уже мои дети, дай Бог, продолжат мое дело и смогут позволить себе ходить в сандалиях на босу ногу и холщовых штанах, но про них будут говорить: «Это дети Краснова». Если имя известно, то клиентам до фени, в чем ходит руководитель фирмы. Если человек представляет крупное дело, он может прийти на переговоры весь обмазанный дерьмом, перебинтованный и в прыщах. Но есть правила игры в этой стране, и им нужно следовать, если хочешь добиться успеха. А в данный период времени люди понимают только вещественные доказательства преуспевания, поэтому я еще долго буду носить золотые часы.

Каждая игра соответствует своему полю. Если я играю на этом поле, я обязан соблюдать все условия. Например, мне было противно, когда Б. пришел на «Овацию» в джинсовом рваном дерьме, грязный, мятый и смеялся над нами, что мы все, дураки, вырядились в смокинги. Да, мы парились в смокингах, но мы соблюдали церемониал. Игра есть игра. Я считаю, что люди должны не скупиться на зубы, если они у них плохие. Я ездил в Америку, улыбался-улыбался, увидел, что все отворачиваются, и сделал себе зубы.

— Значит, если здесь ты играешь по правилам «золотой цепи», то в Америке ты играешь по правилам «хороших зубов»?

— Да, если хочешь. А в этой стране еще половине населения не нужен дезодорант. Пройти же нельзя ни в одной тусовке. Вот, например, мы каждое воскресенье оформляем студию передачи «Русское лото». Я прохожу там через толпу людей, и всякий раз задыхаюсь. Ты только представь, люди приходят на телевидение в воскресенье утром, представляешь, как они готовились. Они нарядные, они прически сделали, только под мышками не помылись. А так все нормально. А есть среди них такие, которые годами не сдают вещи в химчистку. В стране вонь.

— Ты помнишь свои первые деньги?

— Конечно. Я был в четвертом классе и подкатил колесо одному чуваку, ремонтировавшему машину. Он дал мне сорок копеек. Я очень переживал. Я пришел домой и спросил: «Что делать?» Родители ответили: «Брать».

— Твое первое поражение?

— Мне дали почувствовать провал, когда меня не приняли первый раз в институт. Мне поставили «два» по истории, хотя в аттестате было «пять». Сказали: «То, что вы говорите, на руку буржуазным фальсификаторам истории». Просто на Украине, в Киеве не любят евреев. Тут же я сдал экзамены в полиграфический на отделение графики — по специальности ставят «пять», по истории «пять», сочинение — «два». Одна ошибка в слове «оккупация» — написал одно «к». Вывод экзаменатора — «не раскрыта тема». Мои родители чуть не поседели с горя, даже собрались уезжать из страны. Они столько сил на меня потратили — мало того, что я в художественной школе учился, так еще брал частные уроки за 50 рублей в месяц. Можешь себе представить, какие это тогда были деньги?! Натурщики стоили — рубль пятьдесят в час за «обнаженку». Портрет 80 копеек, торс — рубль. Это были деньги — в столовой можно было за 30 копеек поесть.

Что главное было в институте? Момент реализации. Меня поражало, что ребята с архитектурного факультета участвовали в конкурсах, представляли проекты, но я знал, что они никогда в жизни этого не построят, все это воздушные замки. Я не хотел делать то, что никогда не реализуется, и с первого курса начал ставить декорации для спектаклей в народных театрах. Это удивительное состояние! Когда делаешь первый спектакль, рисуешь какие-то эскизики, потом выходишь в зал и видишь — в этом живут люди! Это как ребенок, который внезапно вырос. Ты дал ему жизнь!

После института работал фактически главным художником Киевского академического русского драматического театра. Потом ездил по стране ставить спектакли — в Челябинске, Свердловске, Минске, Баку, Витебске, Ярославле, Горьком. А ты можешь себе представить, какие в провинциальных театрах амбиции! Потому что в Москве сорок театров, и зритель может выбирать. А когда один театр в городе и одна народная артистка! Все очень настороженно относятся к халтурщикам. Если уж ты приехал, то отношение к тебе, как к легионерам в футболе, — ты должен играть на две головы выше. Какой толк был мне оплачивать гостиницу, перелеты, платить гонорар, когда в театре на ставке и так есть художник. Значит, я должен сотворить нечто особенное, чтобы меня пригласили еще раз.

— Что для тебя деньги?

— Разумеется, свобода. Говорят, что человеческие желания беспредельны, а я считаю, что это неправда, чепуха. Я сам могу установить контроль над своими желаниями. У меня все есть, я не собираюсь покупать себе яхту или вертолет. Мне нужны деньги только на дело. Например, все мои друзья дали деньги на постановку гала-концерта Плисецкой как спонсоры, я на декорации для Лаймы Вайкуле взял денег, попросил: «Дайте реализоваться». Почему? Да потому что я всем рассказываю, что у меня уже есть квартира 200 метров на Тверской, у моей семьи пять автомобилей, есть квартира у родителей и есть гараж. Мне лично уже ничего не надо. Дайте денег на работу. А что творят наши уроды? Первое, что они делают, взяв кредит, — это быстренько покупают себе машины и квартиры или едут куда-нибудь отдыхать на чужие деньги. А я не отдыхал уже пять лет.

— А на женщин ты много тратишь денег?

— Я отдавал в своей жизни столько денег другим женщинам, что сейчас уже не хочу. Романтика меня не привлекает. Деньги надо нести в дом, к детям. И вообще, ухаживать за женщиной — это тяжелая работа. Не хочу вести двойную жизнь — слишком утомительно. Мне не нужны романы для стимуляции творческой деятельности.

Женщина — это фронт, а жена — это тыл. Женщина, которая с тобой постоянно, должна быть «на фарт», на удачу. Как один мой друг жаловался: «Первая жена была — гроши не шли, а женился второй раз — денежка в дом прикатилась». «Баба на фарт» — это когда удача идет тебе в руки, когда деньги идут к тебе, идут в дом. Я знаю, о чем говорю. Поверь мне. И дело тут не в женской помощи, интуиции или советах. Это необъяснимое влияние. Удачную женитьбу можно сравнить с покупкой машины. Вот купил я машину «Жигули», сосед-ветеран в Киеве предложил за бесценок. Я объездил на этой машине всю Москву, и на ней живого места не было. Она постоянно ломалась, каждая авария на дороге была ее. До смешного доходило. Ставлю машину на тротуар у театра, кто-нибудь рядом открывает дверцу своего авто и срезает моему «жигуленку» бок. Это была не «фартовая» машина.

То же самое с женщинами. Свой первый серьезный контракт я получил, когда уже жил со своей будущей женой. До этого у меня было много работы, но разбогатеть не получалось. А тут я понял: «Вот она, удача!» Мой вам совет: ищите «фартовую» женщину.

Вопросы дрянной девчонки: Гарику Сукачеву

Игорь (Гарик) Сукачев. Подпольная кличка — Горыныч. Рокер, тусовщик, талантливый музыкант, чьи песни больно бьют по сердцу, с недавнего времени режиссер (поставил фильм «Кризис среднего возраста»). Умница-мужик и вдохновенный пьяница с подлинно вакхической искрой. Буравчики острых глаз и внешность «прыщавого пэтэушника» (по его же собственным словам). Забубенная головушка и отчаянная душа. Там, где Гарик, царит веселое безобразие. У него не развито чувство общественных расстояний — способен сказать «Привет, чувак!» и президенту страны, и последнему бомжу. Любимое словечко — «клево». Отказывается от внешних форм приличия с беспечностью Диогена — может явиться на помпезный светский прием в кедах, шортах и спортивной вязаной шапочке, надвинутой на глаза. Внешне простоват, но отлично знает, что почем. Писательница Нина Садур называет его «хитрым деревенским мужичонкой, который за всеми нами подсматривает из-за угла».

— Гарик, судя по твоему фильму, тебя мучит тема первых отношений между мальчиками и девочками. А ты сам в детстве подсматривал в дырочку женской бани, как это делает мальчик из «Кризиса среднего возраста»?

— В бане — нет, но в школьных туалетах все мальчики сверлили дырки в фанерных стенах и подсматривали за девочками. В этом возрасте это нормальное, здоровое любопытство. Надо же посмотреть, как у девочек все устроено. Но мне было противно, когда мои сверстники подглядывали, как трахаются бобик и жучка, и грубо ржали при этом, гораздо противнее, чем просто смотреть на любовь бобика и жучки.

В 17 лет я прочитал Фрейда, но все это показалось мне слишком простым. Если человеческие отношения завязывались бы только на сексуальных эмоциях, то любые поступки можно было бы легко просчитать. А мысль Дарвина, что человек произошел от обезьяны, вообще меня жутко унизила. Я подумал, что это всего лишь идея, оригинальная и симпатичная, но не более того. Я представил себе, что вот я инфузория-туфелька. Нет, здесь что-то не так. Есть, конечно, такие, которые от обезьян произошли, но я от родителей.

— А кто и как лишил тебя невинности?

— Мне было тогда 14 лет. Я жил в Тушино, на берегу Химкинского водохранилища. От пристани ходил пароходик в сторону речного вокзала. Наша компания брала гитары и портвейн, все садились на заднюю палубу и ехали на другой берег, в парк «Дружба». Однажды мы пили в парке, и одна девушка пошла в туалет. Она была постарше меня и абсолютно мне не нравилась, но у нее были пышные формы — то, на что у подростков встает. Ну, знаешь, этот период полового созревания. Я сказал ребятам: «Чуваки, я сейчас вернусь». Девушка стояла в кустах в четвертой позиции, я скинул штаны и попытался сделать это. И когда мне почти удалось, девушку вырвало, оказывается, она пошла блевать. Она даже не заметила меня. Короче, типичный случай. После этого у меня был большой перерыв в сексе, потому что очень мне это не понравилось. Осталось только чувство глубокого омерзения.

— А когда случилась первая чистая любовь?

— Это было с Ольгой, моей женой. Ей исполнилось тогда 14, а мне 16.

— Ты в ту пору лелеял ее девственность?

— Конечно. Мы с ней, что называется, «гуляли».

— Вы уже столько лет с ней вместе. Даже ревности, наверное, не осталось?

— Ольга не дает мне поводов для ревности. Если бы я заседал в Синодской комиссии, я бы ее канонизировал. Она святая.

— А ты сам святой?

— Ты меня еще причасти, налей немножко кагора, дай просвирки и пригласи на исповедь. Я не святой, но любящий муж.

— Ты хочешь сказать, что не изменял жене?

— Нет, не хочу сказать. Хотя что называть изменой. На мой взгляд, измена — это разлюбить человека.

— Значит, переспать с другим партнером — это не измена?

— Если ты этим занимаешься изо дня в день, это предательство, а если случайно, по пьянке — это пустяки.

— А ты винился после этого?

— Конечно, себя ненавидел прежде всего. Это как пятно.

— А что для тебя табу?

— Проснуться со случайной женщиной в супружеской постели.

— Значит, где угодно можно трахаться, но брачное ложе — это святое?

— Однозначно, сто пудов.

— А что ты делал, когда с утра не помнил имени своей партнерши?

— Лежал и не помнил имени. (*Смеется.*)

— Что тебя заводит в женщине?

— Мне нравится русский тип. Знаешь, как говорят, титечки и попочка.

— Сиськи-письки, как говорят подростки.

— Нет, именно титечки и попочка. Ладные, аппетитные. А еще светлые глаза — серые или зеленые. Очень возбуждают хрупкие косточки-ключицы, особое женское движение ими, — мужчины так не умеют. Люблю, когда девушки идут босиком в длинных юбках, волнуют их щиколотки.

— А ты экспериментатор в сексе?

— Лет десять назад переспал бы с резиновой куклой, у нее такие совершенные формы. Даже сделал бы это весело, клево, позвал бы друзей, а сейчас я уже старый. Мы в юности все позы из

«Камасутры» проэкспериментировали, весь сексуальный самиздат перепробовали. Тогда я был молодым и задорным, мог провести 48 часов в постели.

— А сейчас бы выдержал?

— Сейчас бы просто не захотел.

— А как ты относишься к групповому сексу?

— В групповухе люди похожи на червей. Ты пойми, все это захватывающе только в юном возрасте. А когда люди уже много лет вместе, начинается просто любовь, а не эксперименты. Секс не может являться рекламным приложением, это часть любви.

— Но вокруг тебя — молоденькие поклонницы, это ведь непременно провоцирует на случайный секс.

— Да, периодически в меня влюбляются девчонки, но для того, чтобы что-то произошло, мне надо бесшабашно влюбиться. Когда все отключилось к чертовой матери и понесло. Но я могу влюбиться в женщину, не в девчонку. Хотя чем черт не шутит — седина в бороду, бес в ребро.

— Ты способен на страсть?

— Страсть — страшная вещь, все сжигающая. Люди из окошек выкидываются, девочки вены вскрывают. Мне повезло, что меня это не тронуло.

— А может быть, ты просто не способен.

— Нет. Просто не встретилось, не случилось, у нас в душе всего понамешано: и страсти, и ненависти, и дружбы, и холода, и стали, и любви.

— А разве не стоит все попробовать?

— Я был когда-то человеком, который экспериментировал, существовал в другой системе координат, замешанной на религиях, на философии, на «траве». Но такого рода эксперименты связаны со смертями. Я периодически хороню людей, которых очень люблю.

— А ты часто рисковал?

— Я стоял на краю много раз. По дурости. На одиннадцатом этаже по карнизу ходил, пьяный и обкуренный. Начал падать, меня сдернули обратно в квартиру. На льдине тонул, спасал друга. Мы сдуру переходили по льдинам на речной вокзал в ресторан за вином.

— Прямо как Ленин по льду Финского залива.

— Ага. Там прошел ледокол, и на середине реки плавало много маленьких льдинок. Мы стали скакать по ним. Трижды мой приятель проваливался, и трижды я его спасал. У меня был длинный пояс, я по всем правилам ложился на лед и кидал конец пояса утопающему. Пьяный-пьяный, а соображал. Короче, дошли. А на том берегу нас уже ждала милиция. Ребята-милиционеры забрали нас в отделение, сбегали за водкой, отогрели нас на каких-то батареях и на своем «газике» отвезли домой.

Я вообще закаленный. Я родился у проруби. Мама пошла меня рожать в роддом пешком ночью (отца не было дома, он работал в ночную смену) и не дошла — я начал рожаться прямо по пути. Мать пролежала у проруби два часа в лютый мороз. Но самое странное, что бабке-соседке приспичило вдруг в два часа ночи за водой пойти. Так нас и спасли. Хотя я сильно застудился, но выжил.

— Ты человек запойный?

— Иногда, не чаще, чем раз в два месяца по четыре-пять дней. Я отношусь к запоям как самурай. У самураев верхом считается знаешь что? Напиться до потери человеческого облика, упасть в лужу и валяться. Лучший способ самоуничижения. Мне это очень нравится. Зато потом какие муки! Башка-то работает, все соображает.

— А как ты выходишь из запоев?

— Я все время хожу по улице, пью много минеральной воды. Очень трудно целый день ходить, но запомни — это лучший способ. Никогда не вызывай капельницу. Прими аскорбинку и в скверик. Человека трясет жутко, он ходить не может, садится на лавочку, потом опять идет. Вставлять будет до семи вечера, причем крепко, но надо терпеть. Потом идти домой и пить много чая с сахаром. Перед сном принять 35 капель валокордина. Огурцом на следующий день. Я всегда так гуляю. Меня этому научил режиссер Ванька Охлобыстин.

— На фестивале в Сочи тебя грузили в самолет в жидком состоянии. Ты не боишься спиться?

— Нет. Это сработал инстинкт самосохранения. Я никогда в жизни не находился в атмосфере такого недружелюбия, поэтому я автономно начал передвигаться в пространстве с помощью водки, чтобы не сделать никому плохо. Как спутник, который потерялся и сошел с орбиты. Со мной трудно пить, я путешествую один. Существует, правда, параллельная фаза вхождения в запой — это когда я созваниваюсь с близким другом и спрашиваю: «Ты пьешь?» — «Пью», —

отвечает он. «И я пью». Один мой товарищ недавно сказал: «Черт возьми! Когда же мы научимся благородно выпивать! Хорошая закуска, водка в графине, хрустальная рюмка». Но не получается.

— Но где водка, там и разврат. Ты податлив к разврату?

— Еще как. Гипотетически. Только все заканчивается: «Ребята, где у вас диван? Я спать хочу». Я ж за своих ребят рублюсь, чтоб им было хорошо. Я им говорю: «Чуваки, а давайте устроим разврат. Поедем в клуб, возьмем девок посиськастее». Я жуткий провокатор. Я всех везу, а потом спокойно ложусь спать. Алкоголь, наркотики и секс — вещи несовместимые.

— То есть, грубо говоря, ты алкоголик, а не ебарь.

— Вот-вот. Однажды в Мурманске мы после концерта пошли в бар «Интуриста» и набрали винно-водочных изделий. Там было полно проституток с сутенерами. Мы девчонкам очень сильно понравились. Знаешь, чем все это закончилось? Лютой пьянкой у меня в номере. Пили водку и орали песни. Приходили сутенеры и спрашивали: «Чуваки, у вас все нормально?» — «У нас все в порядке». Девки нам говорили: «Мы с вами зависнем на пару суток. Нам по кайфу. Мы с работы отпросились». Представляешь! Проститутки сбежали с работы, чтобы протащиться. А ребята-сутенеры — те вообще зарплату за ночь не получили! У них был рабочий простой. Правда, я к утру всех разогнал.

— Неужели никто не попользовался доступным телом?

— Можно было, конечно, заплатить сто долларов и получить онанизм, только зачем? Однажды я жил на квартире с двумя проститутками. Это был мой очередной уход из дома. Приятель сдавал однокомнатную квартиру двум валютным путанам. Я спал на кушетке на кухне. Проститутки приходили утровать, а я ночевать. Они меня кормили всякими там западными печеньями и конфетами, поили напитками из «Березки». Я пировал, как кот. Как они обо мне заботились — ведь я музыкант! Мы болтали и перманентно выпивали. Одно из самых прелестных воспоминаний в моей жизни. Но через месяц я ушел — неудобно было жрать за их счет.

— В число твоих пороков страсть к игре не входит?

— Однажды я играл в казино. Я выдал крупье деньги и сказал: «Ребята, сыграйте, а я посмотрю». Они быстро проиграли мои деньги, и я сказал: «Не, ребята, это неинтересно».

— Чего бы ты хотел для своего сына?

— Чтоб он не знал нужды, чтоб у него в детстве были все доступные материальные радости. Помнишь, как в сказке у Андерсена: «Детей надо баловать, чтобы из них выросли настоящие разбойники».

— А за что же детям бороться, если у них все будет?

— Первая борьба — это ощущение несправедливости. Поэтому всегда новому человеку будет за что бороться и против чего.

— А если он миллионер?

— Значит, бороться против денег. Ты пойми,

фишка в том, что дети чувствуют добро и зло без всяких слов. Им не надо ничего объяснять.

— А чего ты хочешь для себя?

— Мне нравятся обыкновенные человеческие истории. Я люблю копаться в них, снимать слой за слоем, как луковицу, но этих слоев столько!

— У человека множество внутренних дверей, и если даже ты откроешь их все, одну за одной, ты все равно упрешься в стенку. А что за ней?

— Душа. Туда нельзя входить, и потому неизвестно, что там. Но на пороге так хочется постоять.

Вопросы дрянной девчонки: Михаилу Барщевскому

Михаил Барщевский. Глава и основатель адвокатского бюро «Барщевский и партнеры», доктор юридических наук. Независимый арбитр в спорах игроков и ведущего передачи «Что? Где? Когда?». Среди его клиентов много знаменитостей — Эдуард Сагалаев, Александр Корсаков, Анатолий Чубайс. Успешно продает экстракт своего мозга и отлично понимает, что все поочередно может быть и правдой, и ложью. Изящный ум и внешность почтенного ловеласа: порочные усики, чувственные губы и взгляд, заставляющий женщин краснеть. Любитель американских галош и утрированно элегантных костюмов. Неуязвим под шлемом холодного анализа и умеет оперировать фактами так же ловко, как швейцарский часовщик деталями часового механизма. В общении с женщинами производит впечатление хищника, который из любезности на время спрятал когти. Живет в ладу со своей совестью, по его же собственным словам, «не кидала по жизни».

— Адвокат — профессия, связанная с двумя формами эротики — низшей и высшей. С одной стороны, он выступает в роли соблазнителя (ведь ему надо очаровать суд), с другой стороны, он, как последняя проститутка, ложится под любого клиента, были бы деньги.

— Давай остановимся на чем-то одном — либо соблазнитель, либо проститутка. Задача адвоката — заставить себе поверить, принудить за собой пойти, мыслить его адвокатской головой. Соблазнитель, по сути, делает то же самое — заставляет себе довериться. Но если клиент задавливает адвоката, подминает его под себя, тогда лучше отказаться от ведения дела. Это все равно что ложиться под нож к хирургу и советовать ему, как резать. Это моя поляна, и я знаю, как на ней играть.

— Фрейдистская точка зрения на твою профессию тебе не по вкусу?

— Есть такой анекдот о пяти евреях, которые построили цивилизацию. Первый еврей сказал, что у человека все в голове. Это был Моисей. Второй еврей утверждал, что у человека все в сердце. Его звали Иисус Христос. Потом пришел третий еврей, Карл Маркс, и заявил, что у человека все в желудке. Четвертый еврей, которого звали Зигмунд Фрейд, сказал, что у человека все ниже — в половых органах. И наконец, пятый еврей по фамилии Эйнштейн заявил, что все в мире относительно. Я придерживаюсь последней версии.

— Как ты относишься к процессам о сексуальных домогательствах на работе? Возможны ли они в России?

— В Америке сексуальные домогательства превратились в особый предмет шантажа, в роскошную кормушку. Не приведи Господи сказать коллеге по работе: «Как вы сегодня хорошо выглядите!» На тебя могут тут же подать в суд. Но отношения полов никто не может отменить. И потом, почему, говоря о сексуальных приставаниях, мы подразумеваем активность мужчин? А когда женщина постоянно домогается мужчину, что, как правило, носит более опасный характер? Тогда это просто дьявол в юбке! Эти постоянные звонки, приходы на работу в откровенных туалетах.

— Это просто мода.

— Не путай задирание юбки и ее укорачивание.

— Да я могу хоть голой прийти на работу! Это мое личное дело.

— Есть понятие деловой культуры. У женщин масса характерных приемчиков. Когда женщина хочет овладеть мужчиной, она подходит к его рабочему столу, роняет ручку и наклоняется, чтобы ее поднять. Жертве открывается весьма пикантная картина.

— Ненаказуемо.

— Нет, но это прямая провокация. Когда к начальнику заходит секретарша и, выслушивая его распоряжения, оттопыривает бедро, и юбка у нее при этом всего на два сантиметра ниже от места, где кончаются трусики, а декольте чуть выше пупка (и нижнее белье она забыла надеть), то начальник вправе расценить это как намек на сексуальное желание.

До 25 лет мужчины обычно являются инициаторами сексуальных отношений, после 25 — женщины. Редко можно услышать, чтобы мужчина 30 лет жаловался на холодность жены, зато 30-летние женщины часто предъявляют сексуальные претензии мужьям.

Самые непредсказуемые сексуальные агрессоры — женщины-начальницы. Когда мужчина «подбивает колья» и не наблюдает встречной реакции, он относится к этому достаточно спокойно. Женщины реагируют на отказ подчиненного гораздо болезненнее.

— Но женщины объективно реже домогаются подчиненных именно в силу того, что боятся получить отказ, и в силу того, что это не соответствует их природной роли.

— Согласен, но и последствия ужаснее. У женщин другая эмоциональная организация, они чувствительнее к этой сфере отношений, чем мужчины. Если мужчина получил отказ, вероятность неприятных последствий — двадцать из ста случаев, если женщина — сто из ста.

— Тебя часто домогались?

— Трудно утверждать. Если ты проверяешь, то еще неизвестно, кто кого соблазнил, если не проверяешь, то сомневаешься, — может быть, у нее взгляд такой томный от природы. Хотя были достаточно понятные намеки. Например, желание поговорить наедине: «А что мы у вас в офисе беседуем? Лучше приезжайте ко мне домой».

Есть такая наука — виктимология (наука о поведении жертвы), которая утверждает, что любое преступление в любой ситуации отчасти спровоцировано поведением потерпевшего. 80% изнасилований провоцируется самими женщинами. Характерная ситуация: они познакомились на танцах, он пригласил ее к себе домой попить кофейку или выпить пива в парке. Она пошла, он начал ее целовать, она не возражала. Он начал ее раздевать, она сопротивляется всерьез. Но это только распаляет его, он-то считает все это кокетством, иначе зачем она пошла с ним и позволила себя целовать. Типичный пример ложно воспринятого кокетства.

— Вернемся к случаям домогательств на работе путем шантажа — «ты со мной спишь, я тебе повышаю зарплату». Как в таких ситуациях поступать, если нет свидетелей?

— Если женщина и мужчина опасаются сексуальных домогательств, то после первого покушения (а это, как правило, происходит несколько раз) они могут написать заявление в милицию, и следователь имеет право произвести скрытую фото- или видеосъемку или аудиозапись.

Если в стране возникнет серьезная безработица, то количество сексуальных домогательств резко возрастет. Тут прямая зависимость. Он или она, являясь начальниками, будут знать, что объект домогательств никуда от них не денется, потому что боится потерять свою работу.

Но все это палка о двух концах. В отделе две женщины, одной из них повысили зарплату, а другой нет. Обиженная приходит в прокуратуру и пишет заявление, что начальник ее домогался, она ему отказала и потому не получила прибавку к зарплате. Что делать? Если начальник — мужчина, ведь действительно, можно предположить между ними некие отношения? Секс — хорошая почва для мошеннических проделок.

Несколько лет назад я вел дело о признании брака недействительным. У истицы родился ребенок от другого, и она подала на развод. А ответчик утверждал, что брак был фиктивным из-за прописки. Дело осложнялось тем, что, действительно, была свадьба, присутствовали свидетели. На суде я задавал истице глупые вопросы в агрессивной форме, чтобы ее расслабить.

— Разве агрессия может расслабить?

— Глупая — да. Противник думает: «Ага, он кипятится, потому что ничего у него нет». Потом я сказал: «Больше вопросов не имею». Истица выдохнула с облегчением и пошла на место. И тут я говорю: «Минуточку, один последний вопрос». Она поворачивается ко мне и снисходительно, высокомерно цедит: «Ну, пожалуйста». — «Какие особые приметы есть на нижней части живота вашего мужа?» Она краснеет, молчит и после долгой паузы отказывается отвечать на этот вопрос. Судья и народные заседатели — женщины, которые тут же оживляются: «Нет уж, отвечайте». Та наотрез. Мне повезло с судьей — из породы домохозяек, кухарок, что управляли государством. Такие обожают «горячее». Она вынесла приговор в пользу ответчика.

— А была какая-то особая примета на животе?

— Понятия не имею. Я на ровном месте устраивал бурю ради одного последнего вопроса — и выиграл дело.

— Я хочу получить у тебя совет, как клиент у своего адвоката. Я — журналистка, постоянно берущая интервью у знаменитых мужчин. В каждом втором случае я подвергаюсь приставаниям и откровенному шантажу: «Если не ляжешь со мной, не получишь интервью». Могу ли я подать на них в суд?

— Раньше ты бы не смогла это сделать. Действовала 118-я статья, которая наказывала за понуждение женщины к половому сношению, используя ее служебную зависимость. Интервью — это не прямая зависимость, в конце концов, ты можешь просто развернуться и уйти. Но в новом Уголовном кодексе появилась 133-я статья, которая наказывает за «понуждение лица к половому сношению, мужеложству, лесбиянству или совершению иных действий сексуального характера путем шантажа, угрозы уничтожения, повреждения или изъятия имущества либо с использованием материальной или иной зависимости потерпевшего(шей)». Выбор наказания большой — от тюрьмы до денежного штрафа. Но важно не как наказывают, а сам факт наказания.

— Конечно, человек теряет репутацию. Прелестный закон.

— Ужасный закон! У него «резиновый состав», как говорят юристы в таких случаях, — то есть под него можно подогнать что угодно. Что такое «иные действия сексуального характера»? Законодатель четко не определил. Выбор широк — от минета до поглаживания по щеке. Завтра, если я посмотрю на тебя похотливым взглядом или возьму тебя под руку, ты сможешь смело подать на меня в суд за «действия сексуального характера». Такой закон создает почву для шантажа, — могут схватить любого человека, который, что называется, ни сном ни духом.

Есть еще 22-я статья Конституции, которая говорит о свободе личности, связанной с ее физической, нравственной и психической неприкосновенностью. Разговоры о сексе, навязываемые человеку, нарушают его психическую неприкосновенность.

— Камешек в мой огород?

— Ага, на воре шапка горит. Конечно, твои знаменитые клиенты также могут подать на тебя в суд за «сексуальные действия иного характера», то есть за развратные разговоры, которые ты ведешь против воли собеседника. Есть и другой аспект этой проблемы. Если ты подашь в суд, то запросто сможешь нарваться на встречный иск вот по какому поводу. Сегодня все заинтересованы в рекламе, а интервью — это та же реклама. Складывается зависимость от журналиста. Знаменитый мужчина запросто может заявить: «Журналистка сказала, что она опубликует интервью только тогда, когда поймет всю степень моей сексуальности, то есть если я пересплю с ней. И я вынужден был скрепя сердце, стиснув зубы и закрыв глаза, решиться на половое сношение. Ведь мне нужна реклама». Как тебе такой вариант?

— Все, что ты говоришь мне сейчас, — это рассуждения ярко выраженного самца, который инстинктивно защищает свои половые интересы. Это не ты пытаешься представить женщин нападающей стороной, это твои гормоны.

— Может быть. Просто я твердо уверен — сучка не захочет, кобель не вскочит. Грубое, но верное народное выражение. Проблема женщины в том, что она всегда хочет нравиться, забывая о том, что вызывает своими действиями ответное чувство у мужчины — желание ею обладать.

— За такие разговоры феминистки повесили бы тебя на первом же суку.

— О, я имел однажды удовольствие наблюдать феминизм в действии! Однажды в Америке я присутствовал на вечеринке юристов и имел неосторожность произнести тост: «Я хочу выпить за присутствующих здесь очаровательных дам. Мужчины пьют стоя». Как только мужики выпили, подскакивает разъяренная дамочка и мстительно говорит: «Я хочу выпить за присутствующих здесь очаровательных мужчин. Женщины пьют стоя».

— Ты покраснел?

— До самого кончика. Носа.

— В представлении общества ты — светский человек, модный бизнес-адвокат. Почему ты никогда не берешься за уголовные дела? Оставляешь грязную работу другим?

— Я психологически не готов к таким делам, боюсь, что на мое отношение к человеку будет давить тяжесть предъявленного ему обвинения.

— Значит, ты трус?

— Пусть это малодушие, но я не могу рисковать судьбой, а иногда и жизнью подзащитного, если не уверен в собственной силе.

— Профессия адвоката — психологически тяжелая профессия. Трудно защищать заведомого убийцу и не сломаться при этом.

— Американцы говорят, что адвокат становится либо циником, либо алкоголиком. Если адвокат защищает человека, обвиняемого в убийстве, ему приходится сталкиваться со страшными доказательствами — фотографиями насилия, смерти, видеть родственников убитого. И естественное отвращение к убийству он боится перенести на обвиняемого. Происходит постоянное внутреннее борение. Если он пытается абстрагироваться, защищать абстрактно, как машина, он глушит стресс алкоголем. Если он внутренне признал, что обвиняемый — убийца и защищает его из чувства долга, он становится циником. Происходит профессиональная деформация. Циничное отношение к профессии переносится на отношение к жизни вообще. По принципу: «Я знаю, что это плохо, но это недоказуемо». Знаменитый адвокат Генрих Падва научил меня важному правилу: «Относись к обвинению как к только что выстроенному дому. Если тебе удалось его разрушить, это прекрасно — значит, дом построили скверно, с нарушением технологий, и жильцы, которые вселились бы туда, погибли. Если тебе не удалось разрушить этот дом, тоже хорошо, — значит, дом выстроен прочно, на славу, и люди могут спокойно в нем жить».

Вопросы дрянной девчонки: Константину Боровому

Константин Боровой. Один из первых русских капиталистов. Создатель Российской товарно-сырьевой биржи и Партии экономической свободы. Депутат Государственной Думы. Интригующая личность. Широкие плечи крестьянина, манеры интеллигента и подкупающая улыбка, которая обещает гораздо больше, чем он рассчитывает дать. Изящный ум математика, рафинированный целенаправленным образованием. Любит калькулировать будущее и строить чистые логические комбинации. Способен наполнить живой кровью самые отвлеченные демократические идеи. Принадлежит к числу натур, которые сознательно обороняются против заражающих влияний толпы. Под ворохом всяких слабостей таит в душе священный для него уголок неопороченной истины.

— У тебя математический ум. Ты всегда «просчитываешь» женщин?

— Я не просчитываю женщин, но всегда прогнозирую отношения. У меня никогда не бывает ослепления. Мне странно, когда кто-нибудь из моих друзей плачется с похмелья: «Вот, опять вчера напился и кого-то трахнул». Мое правило в жизни: не бросаться в омут никогда. Слишком сильно потом разочарование. Да и зачем? Всегда можно броситься в озеро, дно которого видно.

Я очень хороший математик и привык делать анализ ситуации. Это просто наличие мозгов. Отсутствие иллюзий меня только радует.

— Но ведь иногда так приятно отключить сознание.

— Выключение мозгов — это ненормальное желание ходить с завязанными глазами. Ощущение глубже, когда действие не безотчетное, а сознательное, оцененное. Женщина, как вино. Конечно, можно взять любую бутылку и из горла выпить, а потом думать, хорошее вино или плохое. Но я хочу выбирать. И когда меня спрашивают: «Будешь пить вино?», я тут же интересуюсь: «А какое?» А ты мне говоришь: «Зачем спрашивать? Это ведь так интересно, когда не знаешь». В 15 лет это может быть интересно, когда нет опыта.

— В тебе просто говорит твой осторожный возраст.

— Способность к выбору — это не признак возраста, а признак развитости.

— Если ты не умеешь отключать мозги, как же ты можешь заниматься любовью?

— Это серьезная проблема. Женщина в постели может думать о чем угодно, а вот мужчина должен отключаться, иначе у него ничего не получится. Иногда это приходится делать усилием воли.

— Ты, наверное, в детстве был странным мальчиком, занудой-отличником, сухарем-математиком.

— Я, действительно, учился в математической спецшколе. Однажды меня арестовали на Красной площади. Рядом со мной кто-то запустил ракету, а я случайно поднял с мостовой капсулу. Когда милиционеры обыскали меня, то обнаружили, что все мои карманы набиты листочками с формулами и задачками. Меня отпустили, потому что поняли, что вся эта история из другой оперы. Не может такой математический мальчик заниматься шалостями.

Я помню, что даже когда я целовался с девочками, я в уме решал задачки. Тогда я научился поглощаться наукой так, что зрение и слух отключались. Менее удачно у меня получается поглощаться любовью.

Даже в ту ночь, когда я стал мужчиной, я рассказывал своей первой женщине про теорему Ферма. (Это такая теорема, которую невозможно доказать. Все друзья надо мной издевались, потому что я пытался доказать недоказуемое.)

— Кто была эта женщина?

— По моим тогдашним понятиям, многоопытная старуха, все познавшая и все испытавшая, которой уже помирать пора. Хотя ей было всего 18 лет. А мне 15, кажется. Все происходило на берегу моря, ночью. Очень романтично. Мы целовались, и я ей рассказывал про теорему. Вдруг она говорит: «Давай я тебе покажу, как по-настоящему надо целоваться». И она показала так, что я был в восторге и думал, что сильнее ощущения просто не может быть. И сегодня уже ничего больше не произойдет. Тут мимо нас прошли люди и спросили, как пройти куда-то. У них был такой возбужденный вид, что моя подруга сказала: «Эти уже трахнулись». И я понял, что она намекает, что я должен сделать что-то еще помимо поцелуев. И я начал делать то, что знал только в теории.

— Получилось?

— Да.

— И сейчас получается?

— Ну, зачем ты так? Ты меня обидеть хочешь?

— Шутка. Ты как математик должен не любить экстравагантные места для занятий любовью, потому что они непредсказуемы.

— Я предпочитаю там, где удобно. Ты, наверное, тоже любишь заниматься сексом в местах, где есть хотя бы ванна?

— Не всегда. Я люблю отступать от правил.

— Отступать от правил — это тоже правило. Надо существовать в рамках, которые ты сам для себя создал, и изредка выходить за них. Если это делать часто, это перестанет быть удовольствием.

Последний раз я выходил за рамки, когда занимался любовью в море. Это было чудесно. Вода была теплее, чем воздух, под тридцать градусов.

— Давно это было? Десятилетия назад?

— Нет, этим летом.

— Ну, значит, не все еще в тебе умерло.

— Перестань меня оскорблять. Неужели я произвожу впечатление человека, у которого уже все умерло?

— Я тебя просто завожу. Ты всегда такой серьезный?

— Конечно. Я ко всему отношусь с серьезностью, чтобы все, что я делаю, получалось хорошо. Секса это тоже касается. В любом деле нужно быть специалистом или знать, когда надо обратиться к специалистам. Вот ты, например, считаешься экспертом в области секса...

— Я? А разве можно быть в нем экспертом?

— Конечно. Возьми Кона, к примеру.

— Ну, он скорее теоретик, чем практик.

— Но теория бесконечно важнее.

— Почему? Цель секса — удовольствие. Я предпочитаю активную практику.

— Секс — важный фактор жизнедеятельности. Мы с тобой разбираемся в этом вопросе как практики, но прогнозировать ситуацию мы не в состоянии. Вот тебе пример. Мой жизненный опыт подсказывает мне, что максимальная температура отношений между мужчиной и женщиной держится не более года. Ты знаешь почему? Нет. И я не знаю. И хотя мы с тобой специалисты, мы пойдем с вопросами к Кону. Как там в Библии? «Никто не знает пути сокола в небе, змеи в пустыне и пути мужчины к сердцу женщины».

— А Кон знает?

— Конечно. И пойдем мы к нему в ножки кланяться. Помоги, родимый. Год прошел, и все уже не так. Что ж такое?

— Неужели ты готов искусственно продлить жизнь любви с помощью теорий и лекарств?

— Нет. Мне кажется, это безнравственно — продлевать такое возвышенное чувство, как любовь, медикаментозными или иными средствами. Это выглядит так, как если бы я завтра собирался влюбиться, а уже сегодня стал бы принимать «Виагру». Пошло.

— Для тебя возможен партийный роман — общие цели и общий секс?

— Не только возможен, но и необходим. Это роман единомышленников.

— А ты мог бы переспать с коммунисткой?

— Это невозможно.

— Но если она красивая женщина?

— Если она коммунистка, значит, она идиотка. Значит, я не приемлем для нее, она отрицает меня. В КПРФ есть объективно красивые женщины, но они не могут быть единомышленницами. А я не могу быть просто кроликом.

— Значит, перед постелью надо выяснять убеждения?

— Это не просто убеждения. Это способ мышления. Ведь до постели и после люди общаются.

— Неужели у тебя никогда не было случайного секса?

— Был, но каждый раз, когда это случалось, я жалел об этом. Я не мог себе объяснить, зачем я это сделал. Я ищу сначала партнера, друга. Это, знаешь, как кофе — первый глоток можно пить без сигареты, но потом уж лучше с сигаретой. То же самое можно сказать о женщине и общении. Переспать один раз можно с кем угодно, но потом захочется чего-то большего. Личность важнее оболочки, иногда я влюблялся даже в некрасивых женщин.

— Тогда почему не состоялся твой роман с Новодворской?

— Я Лерочку очень люблю. Она мне как сестра. Мы каждый вечер беседуем с ней по телефону час-полтора. У меня с женой столько разговоров не бывает. Зачем портить такие возвышенные отношения сексом? Зачем их превращать в интрижку? Это начнется, потом пройдет. У нас была возможность близких отношений, но я решил, что не стоит.

— Сколько у тебя было браков?

— Два. Первый раз я женился в 17. Классическая история — одноклассница, беременность, благородное желание стать отцом по всем правилам. И еще — то, что быстро поняли мои родители, — желание стать самостоятельным, освободиться от родительской опеки. Мы прожили семь лет, потом развелись, и я почти сразу снова женился. Я не могу не быть женатым.

Моя жена прежде всего друг. Я ее люблю, как необходимо любить жену, доверяю ей. Мы очень редко ссоримся, ее подружки возмущаются этим фактом. Одна наша знакомая утверждает, что нет счастья в той семье, в которой не бьется посуда.

В сущности, брак необходим людям в возрасте после 45. Это не любовь, это что-то другое — социальное партнерство, стабильная форма отношений, физиологически необходимая здоровым людям. Но брак и любовь несовместимы.

— Ты когда-нибудь занимался групповым сексом?

— Пробовал, но это просто спорт. Неинтересно. Но попробовать надо, чтобы потом не чувствовать себя ущербным. Секс — это личностные отношения двоих, совершенно изолированные от всего мира. Как бы отношения под колпаком. Третий человек здесь только помеха.

— А секс с мужчиной тебя интересует?

— Фу! Мне даже думать об этом неприятно. Это как-то не эстетично. Так получилось, что у меня много знакомых этой ориентации, и я так рад, что все они — деликатные люди и не заводят со мной разговоров на эту тему.

— Ты спишь со своей секретаршей?

— Сейчас нет. Несколько лет назад я очень завидовал своему другу-предпринимателю, который нанял десять секретарш, одну другой краше. Я тоже себе штук шесть тогда нанял. И они...

— Что? Спали с тобой?

— Они любили меня. За хорошую зарплату. Но это противно. В конце концов, я понял, что это патология. Да к тому же работе мешает. И потом, был бы я урод, к примеру, или какой-нибудь противный, но у меня все нормально, я в состоянии влюбить в себя женщину. Проверено не раз. У меня никогда в жизни не было отношений с проститутками. Однажды мой приятель снял мне в подарок двух самых дорогих проституток, из тех, что по тысяче долларов в день. Мы провели пять дней в шикарной гостинице на берегу моря, зимой. Я звонил своему приятелю и говорил: «Старик, не могу. Брезгую». Девчонки думали, что у меня болезнь, или я другой ориентации, или они мне просто не нравятся. В какой-то момент я сказал себе: «Ты не мужчина, если ты их не попробуешь». Я пошел к ним, они играли со мной, мы даже выпили, но я не смог. Это какой-то внутренний запрет.

— Не понимаю. Это ведь так просто. Мужчина, как компьютер, на определенные кнопки нажал, что-то сработало.

— Они ужасно старались меня возбудить, тут была задета их профессиональная честь. Но, по-видимому, я не компьютер. Вернее, я не хотел бы им быть. У меня, правда, есть атавистическая кнопка «Аларм — тревога», которая срабатывает, когда я вижу чулочки, подвязочки и прочее, но на проституток она не включается. Одна мысль, что женщине проплачено и она сделает это в любом случае, убивает у меня всякое желание. Мне важно, чтобы меня хотели.

— Но ведь женщины в большинстве своем продажны. Кто-то спит с мужчиной ради карьеры, кто-то ради подарков. Это тоже своего рода проституция.

— Подарки, помощь в карьере — это другое. Это входит в систему ответственности мужчины перед женщиной, причем ответственности добровольной. Может быть, это немножко самообман, но в таких случаях я запрещаю себе прочитывать мысли женщины. Это мой моральный кодекс. И руководитель моей службы безопасности говорил мне: «Давайте ее проверим», намекая на то, что она мне неверна. Но я ответил: «Нет». Если она мне изменяет, она сама должна сказать мне об этом. Я не имею права шпионить за ней. Нельзя сомневаться в своем партнере. Когда начинаешь сомневаться, надо прерывать отношения.

— На тебя можно влиять через постель?

— Нет, но когда женщина ведет интригу, я всегда пытаюсь выяснить, откуда ноги растут, кто на самом деле хочет повлиять на меня и с какой целью. Недавно одна моя подруга попыталась вести свою игру, но выбрала неудачный момент — между двумя поцелуями. Я сразу спросил ее: «Ты решила заняться политикой или тебе кто-то платит за это?» Она обиделась.

— Знаешь, что меня бесит в тебе? Эта твоя уверенность в том, что при желании ты всегда вычислишь мотивы женских поступков. Но женщина и есть пресловутая теорема Ферма, которую нельзя доказать.

— Я не хочу обижать женщин, но интеллектуально они слабее мужчин. Их легко можно прогнозировать.

— И ты ни разу не ошибался?

— Не сильно.

— Но женщина умна умом чувств.

— Да, это так. Но в жизни эмоции, чувства — лишь случайный, хаотический фактор. Вот, например, я веду машину неровно, дергаю руль из стороны в сторону, но в конечном итоге, тем или иным путем, я прихожу в нужную мне точку. Так и с эмоциями. Они не более чем дерганья руля, не мешающие достичь цели.

— Вот как? А если, дергая руль, ты врежешься куда-нибудь и просто не доедешь? Вот тебе случайный фактор, повлиявший на ситуацию.

— Ты упрощаешь.

— Напротив. Если цитировать твою любимую Библию, то вот тебе слова Екклесиаста: «И видел я под солнцем, что не проворным достается успешный бег, не храбрым — победа, не мудрым — хлеб, и не у разумных — богатство, но время и случай для всех их». Случай! А ты его недооцениваешь.

— Это примитивное толкование.

— Это правда, что по твоему телефонному звонку вычислили и убили генерала Дудаева?

— Нет, не по моему звонку, а по его звонку мне. У него был спутниковый телефон, по которому я не мог звонить. Он его редко включал. А когда пользовался им, то уносил антенну очень далеко от передающего устройства. Но в день своей смерти он забыл о предосторожности. По спутниковому лучу была наведена ракета. Но я не уверен, что именно наш разговор с ним оказался роковым.

— Каким он был?

— Однажды я ждал с ним встречи в одном селе, жил несколько дней в доме чеченцев, у которых погиб сын. Поскольку я был гостем, от меня скрыли печальное событие и всю процедуру похорон перенесли. Они спрятали тело у соседей. Селяне каждый день приходили ко мне и развлекали меня, играли в карты, пили, ели, как будто ничего не произошло.

И вот прибыл Дудаев. Он вошел стремительно, не разуваясь. Не как простой смертный. Не знаю, кем было создано это ощущение, — его окружением или им самим, его чувством собственной ответственности за судьбу своего народа, но он казался не Богом, нет, но представителем Бога на земле. В нем было какое-то внутреннее свечение, горение. Просто наместник Аллаха.

А так он был типичным советским генералом со своей шизой. Мне часто приходилось объяснять журналистам, что на самом деле он хотел сказать. Они были очень похожи с Лерой Новодворской. Лера даже внесла его в список мужчин, которых она любила.

— Но она же девственница.

— Ну и что? Но не лесбиянка. Лидер наших лесбиянок как-то пыталась ее свернуть в свою сторону, но это ей не удалось. Лера считает, что как политик она не вправе обладать полом.

— По-видимому, так считает не только Новодворская, посмотри на наших политиков, большинство какие-то бесполые люди.

— Так это хорошо, что они сексуально убогие. Значит, свою энергию они вкладывают в политику. Что ж в этом плохого? Многие из них фанатики, романтики, по-настоящему чистые люди.

— Почему ты сам бросил большой бизнес и ушел в политику?

— Я мог бы заработать миллиард-другой, это реально для неглупого человека. Но большие деньги — это большая ответственность, головная боль. За каждым крупным состоянием стоит несколько тысяч человек.

— И все они смотрят в рот хозяину и просят хлебушка.

— Вот-вот. Владея большими деньгами, ты себе не принадлежишь. Я мог бы повторить вслед за Библией: «Господи! Не наказывай меня богатством и нищетой, потому что если я буду богатым, то спрошу тебя: «Кто бог?» Если я буду нищим, то имя твое я буду употреблять всуе».

Сны Николая Караченцова. Сон первый

Ему снилась Екатерина Вторая. Она лежала перед ним в чем мать родила с двусмысленной улыбкой на губах, раскинув свое крупное дряблое тело на огромной бесстыжей кровати в золотых завитушках. Такие женщины понимают толк в кроватях, созданных для одной-единственной цели. Он видел перед собой трясущийся, как желе, опустившийся бюст, поблекший рот, напрашивающийся на поцелуи, глаза ведьмы с выражением хищного вожделения, пухлые руки, обремененные кольцами, лоб, похожий на выбеленную стену со спекшимися от жары хлопьями пудры. Перед ним была стареющая самка, беспощадная во всяческом насыщении похоти, но самка королевской крови, в чьих волосах невидимо светится корона. Он с трудом заставил себя поцеловать ее напудренную руку, и сквозь мускусную муть духов учуял кислый запах разлагающейся старости. Женщина зашевелилась во влажной неразберихе простыней и с царственным бесстыдством призывно раздвинула ноги. С отрешенностью евнуха он глазел на это изобилие плоти и жира, страшно конфузясь тем, что не может выполнить свой мужской долг.

Екатерина медленно приподнялась и в этот миг стала похожей на кобру, готовую к броску. Его верный дружок между ног онемел в жутком предвкушении соития. Он попятился к двери и вдруг сорвался с места и бросился вон из ужасной комнаты. Он бежал по бесконечным коридорам дворца, поскальзываясь на гладком паркете, падая и снова поднимаясь, кружил в лабиринте комнат, натыкаясь на острые углы драгоценной мебели, пока заверещавший будильник не врезался в его сон, как входит нож в масло.

Несколько секунд ему понадобилось, чтобы вспомнить, кто он такой. Он — Николай Караченцов, актер, муж, отец. Все встало на свои места. Бр-р-р, ну и приснится же такое! Уже за завтраком, перебирая обрывки сна, он удивлялся тому, как по-разному стареют женщины. Он знал многих женщин на последнем круге беговой дорожки. Есть женщины, умеющие наслаждаться достойной, уважаемой старостью как вершиной своей жизни, итогом своих дел. Их сердца становятся мягче и чувствительней, они приобретают обаяние мудрости и прелесть снисходительности к людям. А есть покрытые коркой времени старухи. Их старость кажется прилипчивой, как заразная болезнь. Уязвленные утратой привлекательности, они пускаются во все тяжкие, пытаясь взять от жизни все. Он вспомнил старую французскую принцессу урожая 1920 года, владелицу прекрасных виноградников и старинного поместья, где в конюшне она устроила студию звукозаписи (там оказалась великолепная акустика). Он записывал в студии свои песни и жил в замке, с интересом наблюдая за его экстравагантной, страшной, как смертный грех, 70-летней хозяйкой. Она жила с сорокалетним мужчиной в соку и, разогретая на медленном огне старческого желания, занималась с ним любовью во всякое время суток.

Память услужливо нарисовала перед ним другой женский образ. Пожилая красавица польско-французского розлива, в которую он был почти влюблен. Она была совсем девочкой, когда вместе с родителями попала в фашистский концентрационный лагерь во время войны. Родители ее умерли, и она осталась круглой сиротой. В 15 лет ее изнасиловали лагерные охранники. После победы русских она как военнопленная попала в концентрационный лагерь в Казахстане, где ее снова изнасиловали вояки, на этот раз русские. Какие-то далекие польские родственники сумели ее вытащить из этого ада, но она не хотела больше жить, пыталась наложить на себя руки. Волею судьбы она встретилась с богатым французским евреем средних лет, который влюбился в нее и увез к себе во Францию. Она стала его женой скорее из чувства благодарности, чем по страстной любви, — благодарности за то, что он отмыл ее от жизненной грязи, дал новые силы и новые крылья. После его смерти она оказалась богатой владелицей роскошных русских ресторанов «Шехерезада» и «Распутин» и нескольких злачных мест на улице Сен-Дени. Ей платили дань проститутки и сутенеры, с ней дружили самые знаменитые люди Парижа. Она жила как бы на грани двух миров — респектабельного, светского и криминально-делового. Когда Николай познакомился с ней, солнце ее жизни уже склонилось к 70 годам. Его поразила ее породистая, не поддающаяся времени красота и напряженная жизнь, сверкавшая в глазах этой видавшей виды женщины. Она состарилась красиво, как старится благородная слоновая кость, и, несмотря на все, что ей пришлось пережить, осталась настоящей дамой. Именно благодаря ей он понял, что особы женского пола после 50 лет делятся на женщин и старух.

Сон второй

Ему снилось, что он безмятежно дремлет на вокзале, лежа прямо на полу на газетах. Мимо ходят ноги, множество ног всех размеров, в чистых ботинках и не очень, в туфельках на шпильках и со сбитыми каблуками, в тапочках и кроссовках. Ноги весьма бесцеремонно переступают через него. Он зевает, поднимается и садится на газетах в позе восточного божка. Ни дать ни взять индийский факир — только вместо чалмы потрепанная кепка, а вместо набедренной повязки — штаны и куртка из мусорного ящика (типичная униформа бомжа). Страшно хочется курить, он подбирает упавший мимо урны жирный бычок «Мальборо». Одна глубокая затяжка, и мир вполне сносен. Что наша жизнь? Папироса — выкуришь ее и бросишь. Он медленно обдумывает эту нехитрую мысль, снова и снова ворочая ее в уме.

Куда спешат все эти люди? И зачем? Все равно не успеют. То ли дело мирная, неспешная жизнь бомжа, который ютится и питается по обстоятельствам. Он так и не узнает, кто победит на президентских выборах или чья партия наберет большее количество голосов, его волнует только одно — жизнь. Он абонирует себе лучшую ложу в ее театре — пятачок на вокзале, где картинки постоянно меняются. Для полного счастья не хватает только глотка портвейна и, может быть, женщины. Вон бредет его старая подружка, вокзальная проститутка Нюра с изношенным лицом, богиня сточных канав. По ее усталым глазам в трещинках морщин видно, что ночь была бурной.

Он любит свое состояние после женщины и вина. Тогда он философствует и сочиняет горькие, как хина, стихи. Он научился писать без бумаги и петь без звука. Он — поэт... Жизнь проходящих мимо кажется ему дракой мартышек из-за ореха. А орех-то этот пустой! Он довольно хихикает. Откуда-то тянет запахом хорошего кофе, он блаженно потягивает носом и... просыпается. Аромат крепкого кофе, приплывший с кухни, щекочет ему ноздри. Как и во сне, наяву ему страшно хочется курить. Затягиваясь своей первой «Примой», он усмехается. Кем был сегодня ночью Коля Караченцов? Бомжем. И ему это нравилось? Признаться, да. Его всегда интересовало, почему люди так охотно, даже с радостью освобождаются от социальных уз, возвращаются к первобытной простоте и неустроенности, к дикому образу существования — только позволь обстоятельства. Почему ребенок не пройдет мимо грязной лужи? Почему люди с азартом наблюдают, как две женщины дерутся в грязи? Может ли быть радость от сидения в болоте? Может. Это радость независимости от чужого мнения. Не надо спрашивать себя: а что подумают обо мне люди? А как они к этому отнесутся? А никак.

Кайф, когда вещи не имеют над тобой власти, когда они ничего не решают. Он вспомнил, как в детстве мама возила его в дом отдыха актеров, в бывшее имение Островского. Там процветало чудесное наплевательское отношение к внешним формам и условностям. Особым шармом считалось ходить в тренировочных штанах с 33 дырками. Когда кто-то из актеров рискнул прийти на ужин в пиджаке, его заставили вывернуть пиджак наизнанку и лишь потом пустили в столовую.

Чтобы стать бомжем, надо обладать немалым

мужеством. Свобода на всех уровнях достается дорого. Бомж — это не вид человеческого падения. Бомж — это жизненная позиция.

Сон третий

Он взглядывался в сон, точно медиум, подстерегающий появление картинки в хрустальном шаре. И она появилась. Перо, чернильница, свеча. Он сидит за столом и пишет прощальное письмо перед дуэлью. Лицо его бледнеет и дергается, во рту противная сухость, сердце бьется где-то в пищеводе. Буквы прыгают на бумаге, никак не желая складываться в полноценные слова. Ему приходит на ум солдатская поговорка: «Лучше пять минут быть трусом, чем весь век мертвецом». Он никак не может сделать выбор, кем же ему быть — трусом или мертвецом? Его душа сейчас, как площадь для боя быков, где идет генеральное сражение между мужеством и страхом. Вдруг его осеняет: надо просто первым выстрелить в воздух! За этим достойным решением кроется недостойный расчет. Если обязать противника благородством, можно предотвратить его роковой выстрел.

Как в тумане он бредет к месту дуэли. Как узнать, чье счастье перетянет? Он пытается отыскать на лице противника признаки тайного страха, но тот лишь усмехается в ответ на его безмолвный вопрос. Ему приходится напрячь все мускулы воли в борьбе с демоном страха, жарко и дико колотится обезумевшее сердце. В подвалах своих мыслей он тысячекратно празднует труса. Наконец он дрожащей рукой стреляет в воздух. Театральная пауза. Противник с гаденькой улыбочкой поднимает пистолет, целится прямо ему в голову, и в глазах его — убийство.

Он проснулся в холодном поту. Стрелки циферблата, светящиеся в темноте, показывали три часа. Скотт Фицджеральд утверждал, что в потемках человеческой души всегда три часа ночи.

Что за сны живут в его подушке? А может быть, днем они прячутся в подземных пещерах, как летучие мыши, и ждут наступления темноты? За окном хлещет дождь, рядом тихонько дышит спящая жена. В такую ночь нет ничего лучше, чем лежать в теплой постели, обнимая спящую женщину и слушая, как снаружи стонет ветер.

Сон четвертый

Каждый разумный человек держит свои желания на привязи, давая им свободу только во сне. Без ведома жены он просмотрел сегодня необычайный сон, по сладости сравнимый только с грезами курильщика опиума. Ему снилась маленькая турецкая баня, где клубился ароматный пар и теснились роем прелестные медноцветные голые девчушки с вениками, мочалками, массажными щетками и прочей банной дребеденью. Они принимали жеманные, целомудренно-бесстыдные позы, и он торопливо отмотал пленку сна назад и включил цензуру. Девчушки нехотя натянули полотенца на бедра. Знаками они приказали ему лечь на кушетку. Ловкие руки принялись осторожно массировать его тело благовонными маслами. Его захлестнуло ранее неведомое чувство, желание безвольно отдаться любым неожиданностям — пусть с ним делают все, что хотят. Ему казалось, что он медленно плывет в облаке из розовых лепестков, опьяняющих своим ароматом. Девушки щебетали, как райские птички, ласкали и тормошили его, дразнили и щекотали. Оцепенев от блаженства, он думал о том, как приятно это редкое состояние беспомощности, когда о тебе заботятся, когда ожидаешь удовольствия и вкушаешь его.

Телефонный звонок расколол мутное зеркало его сна, и, вынырнув из-под его обломков, он схватился за трубку. День начался, но сладкое, обморочное чувство еще не выветрилось. До самого вечера, вспоминая райские ночные отравы, он иногда жмурился от удовольствия, как кот, которого чешут за ухом.

Сон пятый и последний

Ему снилось, что его хоронят. Он лежит в гробу в новеньком черном костюме и слушает пафосные речи, в которых нет недостатка на любых похоронах. Все звуки доносятся до него приглушенно, словно он находится под водой. Он читает на скорбно-официальных лицах тайное, глубинное удовлетворение, что не они лежат сейчас в ужасном черном ящике, и желание побыстрее добраться до щедрого поминального стола. Сквозь обволакивающий его ужас он пытается шевельнуть одеревеневшими губами, чтобы крикнуть им: «Не смейте! Я живой!», но губы не слушаются его. На могильных плитах он видит надписи: «Мы были, как ты, — и ты станешь, как мы».

Медленно опускается крышка гроба, он слышит, как заколачивают в нее гвозди, как падают первые комья земли. Он стряхивает с себя летаргическое оцепенение, и до него доносится хохот загробного мира. Его, сгусток жизненной энергии, похоронили заживо! Узкий гроб, как камера, где заключенный напрасно ждет амнистии. В припадке утробного ужаса он воет, как дикий зверь, и бьется, как бесноватый, о дубовую крышку. Пена выступает у него на губах, и с криком ужаса он просыпается.

Господи, жизнь! Проснуться от такого сна — блаженство, и блаженство осознать, что все это был никчемный ночной кошмар. Какая сложная наука —видеть сны! «Они плоды бездельницы-мечты и спящего досужего сознанья». А может быть, сны — это просто его несыгранные роли.

ЧАСТЬ 2

Приключения дрянной девчонки

Десант путан

18 мая. Посадка в самолет, вылетающий в Бахрейн, напоминала выездную сессию небольшого борделя. Женщины разных возрастов и разных степеней привлекательности в обтягивающих платьях, с решительно загримированными лицами и обесцвеченными волосами оценивающе, с долей враждебности рассматривали друг друга. Некоторые девицы, классом повыше, напротив, выглядели подчеркнуто скромно, их лица без косметики излучали невинность, но любой опытный мужчина безошибочно почувствовал бы окружающую их ауру доступности. Мой муж, с любопытством рассматривающий этот букет легкомысленных прелестниц, торгующих своей красотой, иронично заметил: «У тебя будет отличная компания, дорогая».

В зале ожидания молодая женщина с игривыми глазами подошла ко мне с откровенным вопросом: «А ты работать едешь или отдыхать?» Пришлось объяснить, что у меня другая специальность. «А-а», — разочарованно протянула она, сразу утратив ко мне интерес. Я не была ни потенциальной соперницей, ни возможной подружкой, с которой удобно работать в паре.

В самолете не оказалось ни одного мужчины. Это был развеселый полет — девицы, знакомые друг с другом по прежним рабочим поездкам, глушили водку и рассказывали бахрейнские истории, употребляя живописные выражения, от которых покраснел бы даже портовый грузчик. Спектакль под названием «Бойцы вспоминают минувшие дни» длился пять часов, пока внизу не засверкали огни ночного Бахрейна, островного государства в Персидском заливе. Моя соседка, изрядно нагрузившаяся дама в темных очках, начала бурно икать, время от времени добавляя благовоспитанным басом: «Пардон». Она истово перекрестилась, когда полный самолет отборных русских шлюх благополучно приземлился в аэропорту города Манамы. Пьяные девицы буквально падали на руки пограничников, которые, помогая им подняться, говорили, закатывая глаза: «О-о, Россия — прекрасная страна!»

Я едва успела занять свой номер в гостинице, как меня пригласили на местную свадьбу. Я выбрала для такого случая свой самый скромный сарафан. Меня сопровождали две приличные русские дамы средних лет Ирина и Галя, случайно попавшие в такое экстравагантное общество и несколько шокированные контингентом нашей туристической группы. Увидев меня, они хором воскликнули: «Даша, это же арабская свадьба, а у тебя голые плечи! Это неприлично!» — «Но это единственное мое платье, прикрывающее ноги», — защищалась я.

Было три часа ночи, когда мы прибыли на свадьбу, в отель «Шератон». Празднество отличалось необыкновенной пышностью, общество буквально лучилось деньгами. Дух захватывало от ослепительного смешения красок ярких тканей и золота. Мы увидели множество опаляюще красивых женщин со сладкими газельими глазами и чеканными, словно на монетах, лицами, в осыпанных блестками декольтированных вечерних нарядах. Некоторые были даже в коротких платьях, обнажающих точеные колени и изящные икры. Меня ошеломила горячая, бьющая в глаза красота этих пряных долгоногих брюнеток, и я в своем сарафанчике почувствовала себя сельской простушкой, попавшей в королевский дворец. Мужчины были одеты как в современные костюмы, так и в традиционную одежду — белые свободные рубахи до пят и белые головные платки. Люди наслаждались изысканными блюдами шведского стола и заказывали в баре напитки в огромном количестве. Эта роскошная трапеза казалась современной сказкой из «Тысячи и одной ночи». Мне рассказали, что в день и ночь свадебного банкета любой человек с улицы может зайти на торжество и будет принят как дорогой гость. Меня поразило количество и тяжесть золотых колье, которые обременяли женщин. Казалось, дамы соперничают в массивности и изощренности украшений. При каждом вздохе женские шеи и груди искрились неправдоподобным блеском. Рассказывают, что каждый жених обязан подарить своей невесте золота на сумму 5000 динаров (это приблизительно 13 000 долларов).

Я выпила вина в компании отца жениха. Он потягивал из стакана какую-то янтарную жидкость, и я поинтересовалась, что это за сок. «Это всего лишь виски, дорогая», — ответил этот достойный человек. «Этого не может быть! — воскликнула я. — Насколько я знаю, в арабских странах употребление спиртного карается законом». — «Бахрейн — государство, снисходительное к маленьким человеческим слабостям, — объяснил он. — Вы в этом еще убедитесь. И вспомните стихи Омара Хайяма. Он воспевал сладость вина как одно из величайших удовольствий жизни. Я с ним полностью согласен».

Помимо нашей компании в зале было еще несколько европейцев. Блондинка лет тридцати в облегающем белом платье, подчеркивающем великолепие ее фигуры, сидела в углу в обнимку с красивым арабом. Они целовались взасос как сумасшедшие, не смущаясь присутствия посторонних. Почувствовав мой взгляд, блондинка улыбнулась и весело помахала рукой. Вино располагало к откровенности, и я обратилась с прямым вопросом к своему соседу-бахрейнцу: «Почему вас привлекают европейские женщины? Я сегодня видела столько местных красавиц на свадьбе, что мне остается только удивляться, как русские проститутки могут пользоваться здесь успехом, — ведь большинство из них и в половину не так красивы, как жительницы Бахрейна. Или все дело в изначальной мужской порочности?» Мой собеседник ответил с мягкой усмешкой: «Вся загадка в коже. Люди склонны гоняться за новыми ощущениями. В наших краях красивые смуглянки привычны глазу, и мужчинам хочется прикоснуться к светлым волосам и ощутить под рукой нежность белой кожи. Так же как в какой-нибудь северной стране в диковинку жгучие брюнетки. Это так по-человечески понятно».

За окном ночь уже утратила свои права, и недалек был тот час, когда невесту, увешанную венками из цветов жасмина и мяты, сладко пахнущую, вверят заботам жениха. Гости танцевали, повинуясь медленному знойному ритму арабских мелодий. Мы не могли оторвать глаз, завороженные прирожденной музыкальностью их тел и мягкой пластичностью движений. Столь дивное управление плотью казалось почти нереальным. Позже в угоду гостям-чужестранцам включили популярную латиноамериканскую музыку, и меня пригласили танцевать. В первые две минуты я не сообразила, что назревает тихий скандал. Люди неодобрительно перешептывались и качали головами, вскоре все женщины, сидевшие в первом ряду около сцены, демонстративно поднялись и вышли из зала, всем своим видом выражая негодование. Потом мне объяснили, какую невероятную вольность я позволила себе, — я танцевала с мужчиной, прикасаясь к нему телом! Вино в моем сознании размыло границы местных приличий, и я переоценила степень раскованности здешних дам.

Мужчины рассматривали меня, как конокрады скаковую лошадь. Я сидела на диванчике, важная, как королева, один из гостей с восточно-конфетным лицом, сверкая своими арабскими белками, присел на корточки у моих ног и, взяв меня за руку, произнес пылкую речь, что давно искал такую женщину, как я, злую и умную, чтобы бороться с ней и побеждать. Он говорил обо мне, как о необъезженной лошади, и я подумала: «Арабы неисправимы. Женщины и лошади — для них животные, на которых приятно упражнять свою силу воли, подчиняя их себе и укрощая. Это то, что тешит их тщеславие».

За окном рассвело, пора было уходить. Ирина, Галя и я вышли из «Шератона» в шесть часов утра и пошли пешком до своей гостиницы. Летаргически-недвижный воздух уже дышал огнем. Настойчивый поклонник догнал нас на машине и предложил подвезти. Я вежливо отказалась. Он поехал медленно вдоль дороги, надеясь, что я переменю свое решение. Тогда Ирина, повернувшись к его «Вольво», сказала с презрительной гримаской: «И это он называет машиной! Да сесть в такую развалюху — это ниже нашего достоинства! Посмотри только на его колеса, на помятое крыло и облупившуюся краску». Она сделала жест, выказывающий отвращение. Араб все понял без переводчика по ее насмешливому тону, его как ветром сдуло, а я принялась хохотать. Отсмеявшись, сказала: «Ира, ты поосторожнее! Кто знает этих горячих мужчин! Они самолюбивы до крайности. Могут и кинжал достать».

В гостинице после купания в слишком теплом бассейне я поднялась в свой номер и отправилась в ванную смывать косметику. В зеркале я выглядела точно поблекшая роза, бледная от усталости. Какая бурная ночь, какая быстрая смена впечатлений! Ночной полет в самолете со странствующими жрицами любви, арабская свадьба, блеск золота, разгоряченные мужчины. Еще не улегшееся возбуждение отражалось в моих потемневших глазах, расширенных и таких далеких от всего происходящего. Пора спать.

19 мая. Сегодня мы совершили прогулку по так называемому Золотому базару — длинной, узкой улице ювелирных лавок, заполненных вычурными свадебными украшениями невероятных размеров. Венчает эту улицу огромный трехэтажный магазин, сверху донизу набитый золотом. Люди бродят там часами, не в силах насытиться зрелищем бриллиантовых и золотых цветов, жарко пылающих на черном бархате. Настоящая пещера Алладина! Один местный шейх так объяснил мне это пристрастие к желтому металлу: «Обещания мужчин ничего не стоят — их уносит ветром, причуды страсти переменчивы, как море. Единственное, что имеет вес, — это золото. Только оно способно подтвердить мужские клятвы. Вот почему невеста получает такие щедрые подарки».

Но не только золото дает женщинам уверенность в завтрашнем дне. Перед свадьбой они получают богатый выкуп. Чтобы выкупить невесту женихам часто приходится брать кредиты в банках. Для молодой жены эти деньги — ее обеспечение на черный день, ее неприкосновенный запас, которым распоряжается только она. Любовь может растаять, красота и страсть недолговечны, но женщине всегда гарантировано приличное содержание. Мне это кажется весьма разумным. Многоженство — чересчур дорогое удовольствие для здешних мужчин, свадьба и выкуп обходятся в кругленькую сумму, да еще каждой жене необходим отдельный дом с прислугой. Только очень богатые люди могут позволить себе такое расточительство.

Уже по сумме среднего брачного выкупа можно судить, что Бахрейн — богатая страна. Нищих здесь мало, в основном это эмигранты из Пакистана и Индии, приехавшие попытать счастья. Коренные бахрейнцы относятся к ним, как к людям второго сорта, и нанимают их в качестве прислуги. В Персидском заливе богатство страны определяется количеством нефти, этой крови цивилизации. Бахрейн занимает далеко не первое место по нефтяным запасам, но его могущество в другом. Это финансовый и коммуникационный центр Персидского залива, иными словами, здесь складируются деньги богатейших арабских стран, здесь работают крупнейшие банки, здесь находятся запутанные лабиринты международных денежных операций, здесь бьет источник энергии, снабжающий артерии большого бизнеса, и процветает мир финансовых королей.

Почему именно в Бахрейне удобно работать талантливым художникам в области финансов? Дело в том, что эта страна — одна из самых уравновешенных и спокойных в политическом отношении, она живет медленно, не торопясь, избегает крайностей, не любит шума. «Бахрейн играет в Персидском заливе ту же роль, что и Швейцария в Европе. Здесь хранят деньги, — объяснил мне Посол России в Бахрейне Александр Новожилов. — Даже во время Второй мировой войны, когда все законы морали утратили свою силу, Гитлер не напал на Швейцарию. А почему? Да потому, что фашисты тоже нуждались в спокойном нейтральном месте, где можно держать деньги. Бахрейн очень дорожит своей репутацией стабильного государства, здесь боятся скандалов и политических осложнений, потому что деньги любят покой. Кроме того, эта страна выступает в роли посредника между Западом и Востоком. Здесь проводятся крупнейшие международные встречи, поскольку Бахрейн имеет репутацию одной из самых просвещенных и терпимых арабских стран».

Чем объясняется терпимость этого маленького государства? Отчасти островным положением. Бахрейн состоит из 33 островов. Он издавна известен как перекресток торговых путей Персидского залива, по преданию, здесь бывал знаменитый Синдбад-мореход. Из века в век море выбрасывало на берег самые разные образцы человеческой породы, островитянам приходилось приноравливаться к чужим привычкам и обычаям, чтобы успешно торговать и поддерживать дружеские отношения.

От древних времен остались многочисленные могильные холмы, которым более двух тысяч лет. Эти страшные курганы тянутся по обеим сторонам современного шоссе, освещенные нестерпимым блеском солнца, как напоминание о неизбежном конце. Человеческие кости сложены в них в положении зародыша — в какой позе человек вышел на свет, в такой и уходит в землю, свернувшись, как улитка. Несмотря на жару, меня пробрала дрожь, — от холмов веяло холодом преисподней.

Раньше Бахрейн называли «островом сладкой воды». В некоторых местах в море на глубине нескольких метров бьют источники пресной воды, вкуснее которой нет на свете. В прежние времена местные жители ныряли со специальными сосудами, чтобы наполнить их этим таинственным, молчаливым даром земли. Один мой знакомый по имени Халид рассказывал мне, что когда он был мальчишкой, то отправлялся вместе с ватагой ребят на берег ждать часа отлива. Когда море отступало, на песке можно было видеть бьющие фонтанчики чистой воды, мальчишки пили это сладкое чудо и наполняли кувшины про запас. После активной добычи нефти ситуация изменилась, все труднее стало находить волшебные источники. Но даже в наше время местные рыбаки, отправляясь в долгое плавание, часто не берут с собой в дорогу запасы пресной воды, если им известны тайны сладких фонтанчиков, бьющих в глубине моря.

Неспешная бахрейнская жизнь не отличается разнообразием. Три страсти здесь владеют людьми — верблюды и лошади, доступные лишь богатым людям, и курение кальяна — развлечение для любого кошелька. В Бахрейне культивируют эту почтенную манию. По ночам открываются специальные уличные кафе, где собираются любители «травки» с легким наркотическим эффектом.

Сегодняшним вечером мы посетили одно такое заведение. Люди там усаживаются в круглые беседки на свежем воздухе, откидываются на мягкие подушки и начинают процесс дегустации, который остался неизменным в течение многих веков. Мундштук прикрепляют гибкой трубкой к кальяну — специальному курительному прибору, состоящему из сосуда с водой и чего-то похожего на крохотную жаровню, на которую кладут «травку» — местную, слабенькую, смешанную с яблочным соком, или египетскую, более крепкую, перетертую с медом. Курильщик своим дыханием заставляет дым проходить через воду, и тот попадает в легкие смягченным и очищенным. Курят кальян в течение нескольких часов, иногда ночи напролет, время от времени промывая горло горячим чаем с молоком или холодным чаем, разбавленным наполовину лимонным соком. Люди болтают, играют в карты, предаются грезам, и вместе с дымом отлетают их скорбные мысли и черные чувства. Спустя три-четыре часа курильщик уже парит в собственном эфире. Бахрейнская «травка» не пришлась мне по вкусу, она слишком легкая и лишь чуть-чуть туманит сознание. А вот египетская «трава» не лишена приятности, вызывает нежную музыку в крови и ненавязчиво искажает реалии, речь становится слегка бессвязной и отрывистой. Бархатистое, как восточный ковер, ночное небо с яркими, пышными звездами надвигается на тебя и накрывает сверху мягким черным колпаком. Но достаточно десять минут провести на свежем воздухе, и все — чары развеяны.

20 мая. Забавное знакомство. Русский консул, весьма спесивый молодой человек, корректный до сухости, которого явно душит пафос от сознания важности своего поста, познакомил меня с одним русским евреем по имени Алекс, лет двадцать назад эмигрировавшего в Америку. У него бизнес в Бахрейне и по всему свету, в подробности я не вдавалась.

У Алекса энергичное, умное лицо, характерный еврейский акцент и проницательный, тяжелый взгляд, оставляющий ощущение нескромного вопроса. В том, как он посмотрел на меня, я почувствовала лестное для моего самолюбия одобрение ценителя. Мы сразу заняли позиции друзей-врагов, которые спорят по любому поводу. У Алекса врожденная страсть противоречить — если я говорю «да», он непременно скажет «нет», если я уверяю «брито», то он твердит «стрижено». Однако внутреннее взаимное уважение, тщательно прикрытое иронией, и странное интригующее притяжение, которое я не осмелюсь назвать сексуальным, заставляет держаться вместе двух таких несхожих людей.

Сегодня мы отправились с Алексом на морскую прогулку за раковинами-жемчужницами. На протяжении веков Бахрейн был крупным центром добычи жемчуга. Но когда в тридцатых годах Япония стала производить искусственный жемчуг, этот старинный промысел пришел в упадок. Быстроходный катер увез нас далеко в море. Но далеко здесь еще не значит глубоко. В Персидском заливе множество отмелей и коралловых полей. По пути мы встретили один такой фарсовый островок — узкую песчаную полоску длиной всего в двадцать метров, на которой группа итальянцев с азартом играла в серебряные шары. Время перевалило за полдень, и вязкая густота воздуха уже придавила оцепеневшую землю, когда мы добрались до кораллов, за которыми начиналась длинная полоса мелководья. Катер прервал свой бег, и внезапно все закричали мне: «Смотри!» В прозрачной воде величественно проплыла огромная черная плоская рыба с длиннющим, как у кошки, хвостом.

«Это электрический скат, — объяснили мне. — Не бойся, прыгай в море. Он заплыл сюда по ошибке». — «А если он меня по ошибке укусит?» — ворчливо спросила я, неуклюже, с шумом и плеском, валясь за борт. Странно было стоять посреди моря, когда берега теряются в белесой дымке, а вода доходит тебе только до пояса. Вдалеке виднелся черный сгоревший корабль, когда-то перевозивший нефть. Несколько десятков лет назад он по неизвестной причине взорвался, да так и остался на отмели как мрачный памятник мореплавателям.

Ловля жемчужниц оказалась довольно муторным делом. Наша компания бродила в воде, выискивая на дне раковины, похожие на грязные камни. Здесь все зависит от удачи. Чтобы найти одну жемчужину, иногда необходимо вскрыть более тысячи раковин. Я от природы ленива и вскоре оставила нудную часть работы мужчинам, а сама уселась на борт катера, свесив ноги в воду, и ковыряла пиратским ножом серые, покрытые морскими наростами раковины. Со стороны это походило на сценку из рыбацкой жизни — славная домохозяйка ждет мужчин с богатым уловом. Катер покачивался на волнах, словно гамак, воздух, как душная вата, обволакивал со всех сторон. Ни малейшего ветерка, полный штиль. Это тихое счастье — сидеть и ни о чем не думать, слушая мягкое дыхание моря, любуясь небом цвета индиго, представляя страшных и смешных чудищ, населяющих морские недра и созданных воспаленным воображением.

Вскрытые жемчужницы малопривлекательны — их содержимое выглядит как плевок, и редко в этой слизи можно встретить крохотную, нежно мерцающую каплю. Ведь что такое в сущности жемчуг? Порождение больной раковины. Случайная песчинка попала в моллюск, вызвала раздражение, и вот уже он защищается, обволакивая чужеродное тело перламутром.

Сегодня фортуна повернулась к нам задом, и мы не нашли перламутрового чуда. По праздникам в Бахрейне для поклонников удачи устраивают жемчужные лотереи. За один динар можно купить десять раковин — торговец тут же их вскрывает, и все, что попадается, принадлежит покупателю.

Вечером нас с Алексом забрал его приятель-бизнесмен по имени Абдулла, владелец великолепного «Роллс-Ройса». Ух, вот это авто! Когда едешь в такой машине, на тебя словно ложится золотое покрывало, отблеск чужого богатства. Мы заехали в отель «Меридиан» выпить и полюбоваться заливом, млеющим в ночном свете и ловящем, будто зеркало, любовную дрожь звезд. Алексу вздумалось ломать комедию, и он вызвал менеджера, благовоспитанного молодого человека с телячьими бархатными глазами и невероятными, загнутыми кверху ресницами, которыми он испуганно и часто моргал. Алекс представил меня как сумасшедшую богатую русскую даму, желающую снять апартаменты по своему вкусу. Я мгновенно приняла рассеянный, высокомерный вид и спросила, найдется ли у них что-нибудь достойное меня. Молодой человек сразу вспотел, ведь мы приехали на «Роллс-Ройсе». Он сказал, что отель может предоставить свои лучшие апартаменты, где останавливаются самые богатые люди планеты, — султан Омана, эмир Катара, король Саудовской Аравии. Не угодно ли нам посмотреть? Мы снисходительно согласились.

Лифт плавно вознес нас на самый верхний этаж. Вслед за красавцем менеджером мы отправились в путешествие по бесконечным комнатам, обставленным с почти бредовой роскошью, с истинным пониманием, что такое удобства. Это было одно из самых ярких зрелищ богатства, которое я когда-либо видела. Менеджер шел впереди, сыпля именами мировых знаменитостей, которые останавливались в этом маленьком дворце. Алекс сопровождал меня, играя роль переводчика. Сзади шел Абдулла, давясь от смеха. Проходя через зал с роялем, где свисающая с потолка хрустальная люстра преломляла свет в мириады сверкающих лучей, а вдоль стен стояли композиции из орхидей, я заметила, что здесь не хватает цветов. «Что предпочитает мадам?» — осведомился менеджер. Мадам желает розы. Взмах ресниц и почтительный ответ: «Как угодно». Мне пришла в голову мысль, что самое прибыльное дело на свете — это роскошь, нужно только знать, кому и как ее подавать и продавать.

В спальне я решила опробовать гигантскую кровать, настоящий сексодром.

— Матрац жестковат, — заметила я, прыгая как кошка на пружинах.

— Но это специальный матрац, — возразил Алекс. — Он полезен для позвоночника.

— Алекс, не учи меня жить. Лучше переведи, чтобы заменили матрац.

В ванной, которая больше походила на зал

для приема почетных гостей, мы увидели ослепительную ванну с гидромассажем немыслимых размеров. Мраморные столики с зеркалами, умножавшими размеры комнаты, были уставлены всевозможными духами и косметикой. Я перенюхала все флакончики и велела заменить все крема на серию «Виши», а духи желательно фирмы «Шанель». Это была чудесная игра — распоряжаться, требовать, капризничать.

После осмотра менеджер показал нам личный лифт. «Никто не будет вас видеть, мадам, если вы не захотите, — заверил он меня. — Этот выход только для вас». Сколько стоят такие апартаменты? О, сущие пустяки, чуть больше двух тысяч долларов за сутки со скидкой. Прелестно. Алекс сказал, что мадам подумает и сообщит свой ответ в ближайшие дни. В холле отеля, поражающем своим размахом, мы величественно простились с менеджером.

В «Роллс-Ройсе» Алекс плюхнулся на заднее сиденье рядом со мной. «Эй, приятель! — возмутился Абдулла. — Давай-ка перебирайся вперед, а то я буду выглядеть как ваш личный шофер».

В полночь мы нализались с Алексом в европейской дискотеке, где лихо отплясывали американские бритоголовые солдаты и красоткистюардессы с крашеными серебристо-светлыми волосами. Мы смешивали напитки жестокой крепости и, пьянея, увязали в собственных рассуждениях, как в тине пруда.

Каждый мужчина для меня — прежде всего противник, с которым надо подписать мирный договор на определенных условиях — дружбы, страсти или любви. С Алексом у нас пока война.

21 мая. При всей своей склонности к патриархальности Бахрейн охотно открывает двери всему новому, особенно если дело касается развлечений. Вино и женщины — это негласно разрешено, но за всем бдительно следит полиция нравов. Окруженный странами с железобетонными правилами, чья настороженная религиозность страшится греховных испарений, Бахрейн ловко балансирует на канате морали, иногда закрывая глаза на маленькие слабости. В четверг, перед выходным днем, в Манаму стекаются на пир человеческие вожделения, город заполняют приезжие из Саудовской Аравии и Катара. Особенно много саудовцев, поскольку между двумя государствами проложена через море автострада, и дорога занимает всего час. Вечером в четверг движение на улицах города становится опасным, множество пьяных саудовцев лихо разъезжают на автомобилях, пренебрегая правилами и пугая мирных обывателей. Их пьянит не столько алкоголь, сколько ощущение свободы, — они в прямом и переносном смысле похожи на людей, которые долго пили простую воду и вдруг пригубили крепкого вина. С непривычки их заносит. Мне в чем-то симпатично это буйное жизнелюбие, которое кроется в мелких провинностях, я и сама люблю сворачивать с узкой стези добродетели.

В нашей гостинице, поначалу пустовавшей, после заезда русских проституток яблоку негде упасть. Толпы саудовцев снуют туда-сюда, пожирая алчными взглядами наших красоток в обтягивающих греховные попки брючках. Мужчины напоминают быков, перед носом которых размахивают красной тряпкой. Кроме того, в гостинице поселились латиноамериканская волейбольная команда и ливийская киногруппа с красавицей кинозвездой. Пестрое общество, огнедышащая смесь. Живется нам куда как весело. Сегодня в номер ко мне попытались ворваться два дюжих негра с лоснящейся кожей и голливудскими улыбками. Я подняла крик, и они удрали, гогоча, как гуси, и самым водевильным образом высоко вскидывая мощные колени.

Алекс, оказавшийся моим соседом по этажу, сознался мне, что поселился здесь ради удовольствия: «Я жил в местных пятизвездочных отелях — это гробы, холодные гробы, в которых снуют люди-призраки. Пустота и скука. А здесь жизнь бьет ключом!» Мне по секрету рассказали, что некоторые высокомерные пятизвездочные отели, сверкающие кичливой роскошью, где царит уныло-учтивая прохлада, ведут тайные переговоры с представителями русских фирм о предоставлении им огромных скидок при поселении, рассчитывая, что приезд русских потаскух окажется сладкой приманкой, на которую клюнет множество богатых постояльцев.

Гостиничный ресторан по утрам напоминает женский клуб. Дамы, уставшие после бурной ночи, обсуждают подробности своих приключений и заработки. Первые дуновения враждебности и соперничества уже улеглись, и женщины, повинуясь безошибочному сестринскому инстинкту единения, даже выказывают подобие сотрудничества. Ирина даже жаловалась, что девицы иногда звонят ей в номер и предлагают на пару подзаработать. Вообще случайным туристам живется неспокойно среди всего этого веселого безобразия. Дни и ночи напролет в моей комнате надрывается телефон. Даже в пять часов утра можно снять трубку и услышать стандартную фразу: «Я жду тебя в комнате номер такой-то». В предыдущий заезд нелегко пришлось семейной паре. В любое время суток к ним ломились распаленные мужчины, крича через дверь: «Мужик, ты совсем обнаглел. Сколько можно! Как будто ты один на этаже».

Девицы, обильно дарящие свою любовь за деньги, сильно разнятся красотой, умом и воспитанием. Есть дамы с интеллектом инфузорий, мозгом величиной с горошину, этакие богини сточных канав и мусорных куч. Самый дешевый человеческий материал. Некоторых из них на заработки отправили любовники или даже мужья. Одна дама такого сорта по имени Люда шокирует весь отель. С виду — это образец сельской девушки, свежей, как воздух полей, которая пьет исключительно парное молоко и спит на сене. Чудится, что лучи деревенского солнца еще сияют в ее глазах. У нее чувствительная нежная кожа со всеми оттенками розового и молочного и простодушный вид. Но когда она открывает рот, то сразу возникает мысль, что лучше бы она этого не делала.

В самолете Люда, выжрав бутылку водки, облилась горячим кофе и получила сильный ожог, в результате которого весь ее живот покрылся страшными язвами, и у нее хватило ума позагорать после этого под палящим солнцем. Теперь она много и охотно показывает всем свои жуткие раны, задирая ситцевое платьишко, и жалуется, что ее работа накрылась. Чтобы утешиться, Люда целыми днями пьет водку, виски, джин и прочие напитки из мини-бара, напрочь опустошая его за сутки. В промежутках между двумя рюмками она звонит любимому мужу в Москву и по часу треплется с ним за жизнь, жалуясь на отсутствие клиентов. Отель выставил ей сногсшибательный счет за переговоры и выпивку, а денег у нее нет. Она имела наглость пойти к своим товаркам и с придурковатой улыбкой заявить, что им придется раскошеливаться: «Не оставите же вы меня гнить тут в долговой тюрьме».

Помимо таких дурех есть женщины, ушибленные жизнью, приехавшие из далеких провинциальных городов подзаработать ради детей. Таких матерей-одиночек, иногда даже с двумя детьми, можно понять. Судьба словно нарочно складывается так, чтобы толкнуть их на скользкую дорожку. Многие жаловались мне на проблемы с безопасностью и жадность клиентов. Часть девиц вынуждены собирать чемоданы, поскольку им не удалось даже оплатить путевку, что называется, съездили порожняком. Остаются самые гладкие, сладкие бабы, полногрудые и тугобедрые. Или женщины оригинального сложения.

Меня совершенно очаровала одна пышнотелая дама с хорошо отточенным язычком по имени Гуля, бывшая учительница русского языка. Несмотря на свои невероятные размеры, а может, благодаря им, она пользуется бешеным успехом. По вечерам Гуля, не смущаясь, надевает трещащее по швам, обтягивающее бархатное платье. Пуговицы едва сходятся на ее могучем бюсте, между ними проглядывает белая кожа. Она начесывает свои вытравленные перекисью до ледяной белизны волосы и спускается в гостиничный бар, садится за центральный столик и заказывает себе несколько порций виски. Она пьет стакан за стаканом и с царственным видом рассматривает арабов, у которых разве что слюна не течет. Наконец она намечает жертву, особо потрясенную ее прелестями, подзывает официанта, хлопая в пухлые, как оладьи, ладоши, и говорит нечто вроде: «Голубчик, отнесите все мои счета вон за тот столик». Польщенная жертва вскакивает и благодарит ее низким поклоном, дрожа от возбуждения. В таких случаях сердобольная Гуля замечает: «Чего не сделаешь ради хорошего человека».

У Гули есть постоянный обожатель, живущий в соседнем Катаре. Каждый раз, когда Гуля совершает вояж в Бахрейн, он садится в самолет, чтобы провести несколько дней со своей экстравагантной возлюбленной. Вся его многочисленная родня хором уговаривает его не делать из себя посмешище, отец рвет на себе волосы, проклиная тот день, когда таинственная белокожая ведьма положила глаз на его мальчика. Гуля столько рассказывала мне о своем поклоннике, что мне не терпелось посмотреть, что за чудо она подцепила. Вчера я увидела ее утром в ресторане за завтраком, всю томную и размягченную. Ее пышные формы рвали тонкую ткань летнего платья. С нежной улыбкой счастья она сказала:

— Сейчас придут мои кисточки.

— Почему кисточки, Гуля?

— У него, как у всех катарцев, на шапочке длинный шнурок с кисточкой. Сейчас увидишь.

А вот и он, — добавила она, делая театральный жест.

В этот момент в зал ресторана медленно вплыл «он», изумительно похожий на гигантского колобка, весь колыхаясь как желе при каждом шаге и тряся кисточками. В нем по меньшей мере могли уместиться две Гули. Его колоссальные размеры потрясли мое воображение. Несмотря на непомерную толщину, у катарца оказалось приятное, даже красивое лицо и обаятельная улыбка. Они с Гулей могли смело претендовать на титул идеальной пары. «Ну как, хорош?» — спросила Гуля, налегая на стол всей тяжестью своей чувственной груди. «Не то слово», — совершенно искренне ответила я.

Сегодня утром вся наша компания, состоящая из женщин порядочных и не очень, загорала на пляже одного частного клуба. Одетые в разной степени откровенности купальники блестящие от масла женские тела грелись на солнце, точно ящерицы. Смежив веки, я рассеянно слушала неумолчную болтовню соседок на фоне ленивого шуршания гальки. Их язычки, звонившие целыми часами, неустанно перемывали косточки окружающим. «Смотри-ка», — услышала я вдруг сквозь смех. Я приподнялась на локте и увидела Гулю, несущуюся по волнам на водных лыжах, пышнозадую нимфу, раскрасневшуюся от зноя. Солнце высвечивало многочисленные складки ее лоснящейся кожи, и, казалось, еще чуть-чуть — и из них вытопится жир. «Вот женщина, начисто лишенная комплексов», — с завистью подумала я.

Днем нашу веселую компанию — Иру, Галю,

Вику и меня пригласили через переводчика Али покататься на моторной лодке. Мы на скорую руку пообедали в отеле и, даже не переодевшись, помчались в яхт-клуб. Я еще чувствовала щекотку песка на позолоченной солнцем коже, когда ступила на борт нашей лодки. «Познакомьтесь с гостеприимным хозяином, — сказал Али, указывая на высокого молодого мужчину, стоящего на носу. — Его зовут Мухамед». «Дура, ты просто дура, — ругалась я про себя, пока ко мне приближался мужчина моей мечты. — Неужели трудно было хотя бы расчесать волосы и чуть подкраситься? А теперь стой тут, растрепанная, как мегера, с обгоревшим носом да еще в длинной юбке, которая ластится к телу от ветра и не дает показать ноги». Внешне я спокойно улыбалась, а внутри у меня все дрожало и пело. Я во все глаза рассматривала красавца Мухамеда, его волосы цвета маслины, могучие плиты грудных мускулов, великолепный торс, зубы, которые явно не нуждаются в услугах дантиста, щедро показанные в ослепительной улыбке. Он не был похож на араба, скорее на европейца, к крови которого примешалось южное солнце. Я безошибочно определила его возраст — 34 года, мой любимый возраст у мужчин, пора их полного физического и духовного расцвета.

Лодка оторвалась от причала и помчалась в море, прыгая по волнам. При резких поворотах мы только успевали взвизгивать, когда нас окатывало водой. Мухамед вел моторку на отличной скорости, крепко упираясь длинными мощными ногами в мокрый пол и широко расставив их для устойчивости. Мы все четверо, женщины разных возрастов и темпераментов, одинаково млели, глядя на него.

Через час мы приплыли на островок с поэтическим названием «Остров птичьего дерьма». Поскольку я с идиотским упрямством настаивала на том, чтобы нас высадили именно на необитаемом острове, то в точности получила то, что хотела, — крохотный пустынный клочок земли, весь засранный чайками. Я с радостью скинула свои пестрые ситцевые тряпки, чтобы продемонстрировать Мухамеду свою фигурку. Я не отходила от него ни на шаг и несла полный вздор на скверном английском языке, чувствуя, как постепенно разогреваюсь на медленном огне желания. Он держался спокойно и с достоинством, как истинный джентльмен, мило шутил и снисходительно слушал мою болтовню. «Ничего, дружок, — думала я. — Мне бы только раскрутить тебя на свидание, а там я в полном вечернем блеске очарую тебя». Никогда я с такой силой не ощущала укусы половой страсти.

Мы поели арбузов, купленных еще в городе, и отправились на соседний цивилизованный остров, где даже был ресторан на берегу. Там мы заказали себе кучу свежепойманных раков и вина и с наслаждением принялись за смачный процесс выковыривания солоновато-сладкой, пахнущей морем, упоительно-сочной мякоти. Винно-красное солнце уже садилось в море, лодки задремали у пирса. Две ослепительные блондинки, типичные красотки из журнала «Плейбой», отдыхающие на пляже, помахали Мухамеду рукой и что-то весело прокричали ему, как старому знакомому. Извинившись, он немедленно оставил нашу компанию и присоединился к девицам, отчего у меня сразу заныло сердце. Чтобы утешиться, я заказала себе виски и медленно потягивала его, ломая в себе темные, жестокие желания. Вполуха я слушала то, что мне рассказывал Али про Мухамеда, что отец его — шейх, богатый, как золотая россыпь, близкий родственник эмира, мать — шведка, мальчик воспитывался в Англии. Родители вскоре развелись, и вот плод их союза — полуараб, полускандинав, мужчина с такой экзотической внешностью — ведет свободный и беззаботный образ жизни.

Когда Мухамед вновь присоединился к нам, я уже была пьяна и решительно пошла в атаку. Моя самая сильная сторона — это разговоры. Я как Шехерезада могу ублажать мужчин сказками часами. Мысленно проклиная свою беспомощность в английском, мешавшую мне развернуться в полную силу, я, однако, затеяла какой-то сложный разговор о России. Мухамед заявил, что никогда не поедет в Москву, — его пугает тамошняя нестабильная жизнь. «Да ты просто трус, как все западные мужчины! — воскликнула я. — Твоя жизнь расписана до самой старости — деньги, респектабельный брак, положение в обществе, путешествия в цивилизованные страны. Можно сдохнуть со скуки! В России ты никогда не знаешь, что готовит тебе грядущий день, в этом есть прелесть неожиданности и острота ощущений. Меня тошнит от вашей предсказуемости, от стремления запланировать все на свете, даже любовь. Вы просто роботы». Наконец-то я нащупала его слабую струнку — страсть к спорам и житейской философии. Он завелся с пол-оборота, искупая своей горячностью прежний холодок. Мы погрузились в темпераментный диалог, забыв о присутствующих. «Что, твои блондинки таких разговоров с тобой не ведут?!» — мстительно подумала я.

Вечер уже плавно опустился на море, когда мы собрались в обратный путь, оставив на столе горы клешней и пустых рачьих панцирей. Мухамед предложил мне самой повести моторку до яхт-клуба. Я в восторге согласилась. Мы неслись на скорости больше ста километров, взрезая пенившиеся волны, ветер бил нам в лицо. Я наслаждалась прыжками чудесной лодки, ее летучей стремительной грацией. Когда до берега, сиявшего вечерними огнями, было уже рукой подать, Мухамед указал мне на странные каменные столбы, высившиеся в море, и принялся что-то объяснять, пытаясь перекричать шум ветра. Я на всякий случай покивала головой в знак согласия и сделала роскошный вираж, пытаясь объехать один из столбов. За моей спиной раздался дикий визг наших дам. У Мухамеда оказались железные нервы и великолепная реакция, он стремительно перехватил у меня руль и каким-то чудом вырулил на прежнюю позицию. От резкого переворота меня кинуло к Мухамеду, несколько секунд я ощущала упругость его тела и горячую судорогу удовольствия внизу моего живота.

Я оглянулась и увидела, что у наших дам совершенно белые лица, а у арабов бледность выразилась в странной синеве смуглых щек. Выяснилось, что я должна была ехать прямехонько между столбов и не пытаться их объезжать, иначе бы мы на полной скорости вылетели на мель.

Мухамед остался спокоен, но руль мне больше не доверял.

На берегу мы сели в джип Мухамеда, поскольку он вызвался довезти нас до гостиницы. Я кусала губы от злости, видя, что предмет моих вожделений от меня ускользает, а я не нахожу предлога для встречи. Наконец у самого отеля Мухамед спросил, что я делаю нынче вечером. Я вспыхнула от удовольствия и небрежно ответила, что ничем особенным не занята, мысленно отметая запланированное свидание с Алексом. Тогда, если я не против, он приглашает меня на дискотеку или в ресторан. Еще как не против! Мы условились на девять часов, и я помчалась в свой номер наводить красоту.

В этот вечер я экипировалась на славу. Ровно в девять я спустилась в холл, блистая коротким до дерзости желтым платьем оттенка золотистой луковой шелухи. По глазам Мухамеда было ясно, что мои усилия, потраченные на собственную внешность, увенчались успехом. Сам он был одет по-европейски. Вообще бахрейнцам удается находить золотую середину между традициями и западными взглядами на жизнь. Мужчины, которые вечером обычно носят легкие европейские рубашки и брюки, на официальные встречи и приемы часто надевают традиционное платье. А женщины, так поразившие меня на свадьбе откровенностью вечерних платьев, на улицах ходят закутанными с ног до головы в черный шелк, точно бабочки в коконе. Европейские наряды предназначены для больших праздников, их покупают, как правило, на один раз, чтобы вызвать зависть подружек, — потому в магазинах столько чересчур пышных туалетов, сплошь расшитых бисером и блестящими камешками, в восточном вкусе.

Мухамед сказал, что нам придется ненадолго заехать к его кузену-шейху, двоюродному брату эмира. В крепко построенном, сцементированном традицией общественном здании Бахрейна главенствующее положение принадлежит представителям знатных родов — шейхам. Они считаются привилегированными существами, как благородные камни, вкрапленные в простую породу. Но и эти вельможи пустыни имеют свою градацию — как качество коньяка определяется на этикетке количеством звездочек, как золото бывает разной пробы, так и шейхов можно определить по степени знатности. Высший слой составляют близкие родственники эмира, главы государства, — им как бы выдан патент на благородство. Здесь действует официальная монополия рода. Но как мне объяснили, истинный шейх никогда себя шейхом не назовет — неприлично выставлять напоказ свою знатность. Шейхами иногда называют в знак уважения просто старых, почтенных людей.

Шейх, к которому мы ехали, принадлежал к высшему эшелону. Мухамед уже сменил джип на серебристый «Мерседес», и я буквально вплыла в мягкий салон автомобиля, обдавая все вокруг чуть развратным запахом духов. Мы болтали о пустяках, и я не могла оторвать взгляд от его лица, не в силах насытиться его красотой, любуясь, как сверкают в улыбке белые зеркальца его зубов. В нем чувствовалась тонкость породы и воспитания.

Вскоре мы подъехали к воротам в огромный парк, охраняемым тремя дюжими молодцами. Нас пропустили, и по темным, тропически жарким коридорам аллей мы добрались до настоящего дворца, прятавшегося среди высоких деревьев. «Хозяин всего этого великолепия, наверное, даже срет золотом», — подумала я. Большой бассейн совершенно очаровал меня. Совсем близко, в десяти шагах таинственно мерцала зеркально-золотая полоса моря. Стояла дивная тихая ночь, вся серебряная от света луны, настоящая западня чувственности. Такая ночь создана для воровских объятий и поцелуев украдкой.

Шейх вышел встречать нас в длинном белом балахоне, он обнял и расцеловал Мухамеда и пригласил нас выпить чашку чаю. Войдя в дом, мы уселись на толстые яркие ковры, похожие на живую лужайку. Шейх хлопнул в ладоши, явилась женщина, закутанная в черное покрывало, с подносом, уставленным чашками. Я пожалела, что обычаи этой страны не позволяют предложить женщине выпивку, — хорошая порция коньяка мне бы сейчас очень не помешала. Мы были здесь не единственными гостями, — трое мужчин в национальных платьях смотрели по телевизору конкурс красоты «Мисс мира», со знанием дела обсуждая женщин. Казалось, они прикидывают, за сколько их можно купить.

Узнав, что я русская, мужчины тут же затеяли пылкий разговор о Чечне. Эта тема живо интересовала их, впрочем, как и всех мусульман. Мне пришлось приложить максимум усилий, чтобы как-то поддержать достоинство страны, защищая его от квалифицированных нападок. На политической теме мне мешала сосредоточиться близость Мухамеда, которую я так остро ощущала. «Господи, хоть бы он дотронулся до меня», — мысленно молила я. Внезапно его рука обвила мою талию. В этом жесте таилась тысяча обещаний, и я вся стала мягкая, тряпочная, без костей. «Нам пора идти», — заявил Мухамед хозяину. «Это твоя девушка?» — спросил его шейх, когда мы стали прощаться. «Нет, — с сожалением ответил Мухамед, — но надеюсь, что она ею будет». Я принужденно засмеялась, опустив глаза.

Покинув шейха, мы отправились в прелестный маленький ресторанчик, где, как назло, оказалось полно родственников Мухамеда. В этой крошечной стране невозможно спрятаться. Мы забились в угол, за уютный столик с хрустящей белой скатертью и свечами. Но и там нас преследовали буравчики взглядов, тем более что я была единственной женщиной в ресторане. От любви я потеряла аппетит и, пожалуй, первый раз в жизни отказалась от еды. От волнения я пила фантастические смеси — ром, водку, коньяк. Мухамед уговорил меня попробовать чудесный коктейль под названием «Скользкий сосок» — волшебное сочетание ликеров с лимонным соком и водкой. Мой визави взял меня за руку и принялся осторожно перебирать мои пальцы. Я замерла, как девочка на первом свидании, не в силах стряхнуть любовного оцепенения. Что за прелесть эти встречи — никогда не знаешь, куда тебя унесет! Мы поцеловались так безыскусно, как будто оба еще не потеряли невинность. Это был очень длинный поцелуй, состоящий из множества мелких, голубиной нежности поцелуев.

Я вся исходила соком, чувствуя, как у меня намокают трусики от грубого зова природы.

Уже на улице нас бросило друг к другу, и тут в его объятиях я испытала сокрушительный оргазм. Мой Бог, я кончила, словно девственница, от одной близости алчущей мужской плоти! Последний раз со мной такое было в шестнадцать лет, когда мужчина первый раз в моей жизни залез рукой в мои трусики и приласкал невинную розу между ног. Тогда я подумала, что умираю, и если это смерть, то она несказанно приятна и легка. Нечто подобное я испытала сегодня, спустя девять лет. Совершенно обессиленная, я поникла в мужских руках, изогнувшись, точно стебелек. Мухамед целовал мое пушистое от пудры лицо, и совсем близко я видела его ошалелые глаза. Он становился нетерпелив, но я ценю вкус отложенного наслаждения. Куда интереснее предвкушение любви, чем ее осуществление. Секс — это жестокая арена правды, где поэтическая мечта терпит поражение. «Отвези меня в отель», — попросила я Мухамеда, освобождаясь из его объятий. Он оказался джентльменом даже во хмелю вожделения. Обуздав свое большое тело, сотрясаемое дрожью, он взял меня за руку и повел к машине. Всю дорогу до гостиницы я молчала, подавленная вкрадчивыми чарами восточной ночи. Мы простились без лишних слов, договорившись о завтрашнем свидании.

В моем номере стоял адский холод от кондиционера. Я быстренько смыла косметику, улыбаясь своему отражению в зеркале. Зазвонил телефон. Сняв трубку, я услышала голос совершенно пьяного Алекса. Размягченный алкоголем, он на время отложил все наши ссоры.

— Мне не спится, — пожаловался он.

— Хочешь, я помурлыкаю тебе в трубку, и ты сладко уснешь?

— Давай, — радостно согласился он.

Я заурчала, словно котенок, которому чешут за ушком, потом требовательно замяукала, как голодная кошка, и снова перешла на вкрадчивое мурлыканье. Алекс часто дышал в трубку. «Ну чем не секс по телефону, — с внутренней усмешкой подумала я. — А ведь от его комнаты до моей не больше десяти шагов. Люди — престранные создания, им куда интереснее сама игра, чем ее результат».

22 мая. Меня разбудил телефонный звонок.

— Леди, — услышала я в трубке низкий мужской голос, — я видел вас вчера ночью в холле в изумительном желтом платье. Это было похоже на сказку, я не мог уснуть, едва дотерпел до утра, чтобы позвонить вам.

— Который час? — прервала я эти излияния.

— Шесть часов утра.

— Черт бы вас побрал! — прорычала я и швырнула трубку. «Это что-то новенькое в любовной практике нашей гостиницы, — подумала я. — Обычно разговор исчерпывающе краток — сумма за визит и номер комнаты, куда надо прийти». Я закрыла глаза, чтобы снова попытаться уснуть, но внезапный приступ тошноты погнал меня в ванную. Там меня вырвало каким-то зеленым мутным веществом. Дрожа от слабости, я опустилась на пол и попыталась справиться с тошнотой. Меня мутило от кислого зловония рвоты, в глазах двоилось, и я недоумевала, что же могло вызвать такое болезненное состояние. «Не надо было вчера мешать крепкие напитки, — решила я. — Причина проста». Я прополоскала рот и снова легла в постель, закутавшись в одеяло, чтобы согреться. Но сон не приходил. Птицы за окном уже верещали вовсю. Спать в таких солнечных странах можно очень мало, стоит открыть глаза, и сон как рукой снимает.

23 мая. После завтрака мы с Алексом поехали в частный спортивный клуб искупаться. Освежившись в открытом бассейне, мы подплыли к бару, расположенному прямо в воде, и заказали себе кампари. Сложность наших взаимоотношений все время возрастала. Мы без устали вступали в интеллектуальные поединки, пробираясь сквозь лес логических рассуждений. Ни один не желал уступить, словесные пощечины сыпались градом. Я подумала, что силы, израсходованные в жарких спорах, лучше потратить на секс. Я чувствовала, как Алекс взглядом ласкает мои плечи и затылок, но что-то во мне противилось такому обороту событий. От его якобы ненарочных прикосновений я вздрагивала и бурно выражала свой протест.

Днем я каталась на лошади в сорокаградусную жару. Мне дали смирную на вид кобылу, белую, как сметана. Ее копыта постукивали по песку, словно кастаньеты. Я закрылась от солнца огромным сомбреро, сквозь мои тонкие брючки просачивался лошадиный пот. Лошадь оказалась жутко стервозной, она сразу почуяла во мне неумелую наездницу и полностью игнорировала мои команды. Если ей хотелось травки, она шла поковыряться в дальнем углу загона, обращая на меня не больше внимания, чем на какой-нибудь бесполезный мешок, привязанный к седлу. Затем ей приспичило потрепаться со своей товаркой через изгородь. Они долго обнюхивали друг друга и тихонько ржали (боюсь, что главным предметом их насмешек была моя персона). В это время я униженно умоляла мою кобылу двинуться с места, дергая за поводья. Поджарый, крепкий японец, наблюдавший за этой комедией, подъехал ко мне, чтобы помочь: «Мисс КГБ (так он звал меня, узнав, что я из России), вам не хватает уверенности в себе. Не робейте. Дайте ей как следует пятками в бока, и она помчится, как ветер!» Я с силой натянула повод, оскорбленная кобыла повернула голову и пребольно куснула меня за руку. «Ах ты стерва!» — заорала я и лягнула ее ногой в бок. Лошадь взбрыкнулась и понесла. Вцепившись коготками в ее гриву и обливаясь потом, я напрягала мускулы ног, чтобы удержаться в седле. При каждом прыжке взбесившейся кобылы мой зад бился о седло, как будто я вколачивала им гвозди. Наконец мне удалось натянуть поводья, лошадь замедлила бег и перешла на мерный шаг. Я перевела дух, безмерно удивляясь, что за удовольствие находят люди в занятиях конным спортом. Отбитые половые органы и задница в синяках — вот и все дела!

Ошалевшая от жары, я добралась до отеля, достала в своем номере из мини-бара ледяной водки и тяпнула стопочку, закусив ее солеными орешками. Затем встала под холодный душ, повизгивая от удовольствия. Через два часа у меня свидание, надо быть в форме. После душа умастила и чуть припудрила тело, потом встала перед большим зеркалом для дотошного осмотра. «Совсем неплохо», — решила я, улыбнувшись своему отражению. Было бы забавно выкрасить в золотисто-белый цвет жесткий кустик черных лобковых волос. Блондинистое руно внизу живота дало бы чудовищно эротический контраст с темноволосой головой.

Мухамед встретил меня внизу в семь часов, весь подтянутый и бесстрастный, и я пожалела, что его типичное английское воспитание не позволяет ему открыто проявлять свои эмоции. Мы отправились в очаровательный ресторанчик с европейской кухней, где я немедленно заказала жуткую для желудка смесь — шампанского и улиток. Мухамед совсем не пил, я же, расправившись с шампанским, заказала кампари. Мы танцевали, и я терлась животом о его крепкое тело, безжалостно вбивая в него огненный гвоздь чувственности. Мухамед затрясся, как параноик, и горячо зашептал мне на ухо: «Поедем ко мне на виллу, дорогая. Я сегодня отпустил всех слуг, мы будем совершенно одни — только ты и я». Почему-то меня это разозлило. Он, видите ли, отпустил слуг. Да за кого он меня принимает? За полную дешевку, которая на второй день знакомства плюхнется к нему в постель, как перезрелая груша? Хочу долгой торжественной увертюры, хочу букеты роз и хорошую дозу поэтической лжи, сопровождающей всякие любовные отношения. Торопливость меня бесит. Женщины вообще в любви медлительны, Мухамеду следовало бы это знать. У него чересчур прагматичный подход к сексу. А может быть, просто инкубационный период в два дня знакомства оказался для меня слишком коротким, чтоб заболеть любовью.

После танца у меня проснулся аппетит. Я потребовала еще порцию улиток и водки — плевать, если это не сочетается.

— Детка, ты играешь со мной, — сурово сказал Мухамед. — Мы нравимся друг другу, почему бы нам не быть этой ночью вместе?

— Даже если это игра — почему бы нет? — ответила я вопросом на вопрос. — А тебе нужно, чтобы все было по правилам и заранее предусмотрено. Отпустить слуг, сменить постельное белье, накачать девочку шампанским, и — готово дело? А может быть, я сегодня не в настроении.

— Я не твоя кукла, чтобы меня дергать за веревочки.

— Отвези меня в гостиницу, — сухо велела я. В машине я почему-то начала плакать. Хорошенькая была картинка — пьяная истеричка и совершенно трезвый Мухамед. В отеле я решилась: «Проводи меня до номера». Мухамед затрепетал от счастья. Мы поднялись на мой этаж и нос к носу столкнулись с охраной, которая блюдет общественную нравственность с вечера до утра, вылавливая русских проституток.

— Простите, сэр, но вы не можете зайти к леди в комнату, — преувеличенно вежливо сказал охранник, преграждая нам путь.

— А не пойти ли тебе в задницу, — поинтересовалась я.

— Я только провожу даму до номера. — заметил Мухамед. Охранник уже теснил нас к лифту.

— К сожалению, сэр, это невозможно.

Я с тоской подумала, что будь на месте Мухамеда русский мужик, не миновать бы восхитительной драки.

— Спокойной ночи, дорогой, — холодно сказала я.

— Завтра мы уезжаем с друзьями на яхте далеко в море, на острова на целый день. Хочешь поехать со мной?

— Спасибо, но у меня завтра тяжелый день.

— Тогда, может быть, в субботу покатаемся на лошадях моей матери?

— Очень мило с твоей стороны, но в субботу я страшно занята.

Я произносила ничего не значащие слова, а внутри у меня все ныло от разочарования. Торжественно пожав Мухамеду руку, я прошествовала в свой номер. Опорожнив маленькую бутылочку виски из мини-бара, я задумалась: «Что же это было с Мухамедом? Любовная галлюцинация, но без любви? Во всяком случае, это полезный опыт. Похоже на эпидемию гриппа. Налетело в один момент — жар эмоций, лихорадка чувств, повышенная сексуальная температура. И прошло само собой. Этот неслучившийся роман — словно вакцина, которая в будущем поможет легче пережить любовное разочарование».

24 мая. Наутро за завтраком только и разговоров было, что о свирепости гостиничной охраны. Гуля рассказала мне, как она всю ночь стояла на стреме у своей двери, чтобы улучить момент, когда охранник отвлечется, и проскользнуть к своим «кисточкам». Но удача была не на ее стороне.

В пять часов утра ее терпение лопнуло, и она пошла в бассейн искупаться. Охранник сопровождал ее до бассейна и там караулил у воды, следя за ней маслеными глазами. Гуля плавала до изнеможения, пока не застудилась и вынуждена была сдаться. «Это еще что, — заметила Валя, крашеная блондинка из Орла, вся в веснушках, с обведенными жирным черным треугольником серыми глазами, — вот меня, например, схватили голую два дня назад в комнате одного саудовца. Охранник притащил меня в свой офис, достал резиновую дубинку и говорит: «Если в тюрьму не хочешь за проституцию, быстро становись раком, мне некогда». Пришлось его обслужить, да еще без презерватива».

Когда живешь в такой странной обстановке, то постепенно перестаешь удивляться чему-либо и принимаешь все как должное. Я подружилась с двумя девицами, Наташей и Олей. «Мы не из разряда всякой швали, что здесь отирается, — говорили они мне с некоторой гордостью. — И мы не позволяем сбивать себе цену. Есть полные дешевки-узбечки, живущие в соседнем отеле, которые отдаются за три-пять динаров (около 10—12 долларов). Наши девочки среднего класса идут по 40 динаров (приблизительно сто долларов), а мы себя меньше чем за 80 не отдаем. Иногда находятся богачи, которые снимают на целую ночь. Вчера, например, мы были на вечеринке, где собралась большая мужская компания. Они пригласили также местных, бахрейнских, проституток. Вот смеху было! Пришли две женщины, укутанные в черные тряпки, потом они скинули свои балахоны и оказались в таком развратном красном белье, что, веришь ли, даже мы такого не видели. Они потанцевали, вращая бедрами, но никого не возбудили. Почему-то арабские мужчины возбуждаются от обычной европейской одежды — какой-нибудь широкой спортивной майки и простеньких хлопковых брюк».

На второй неделе пребывания в Бахрейне Наташа и Оля как-то сдали, осунулись и побледнели. «Чувство юмора у нас иссякло, — сказали они мне сегодня. — Кажется, что если еще один ублюдок нас ущипнет, мы завоем по-волчьи. Они все щипаются, да так больно. Тяжело все это, мы ведь только полгода занимаемся таким бизнесом. В Москве об этом никто не знает. У нас есть любимые мужчины, но так уж сложилось, что денег зарабатывать они не умеют. Вот сделаем еще несколько поездок, соберем денег на покупку квартир, и конец — выйдем замуж да нарожаем детей. Мы ведь не шлюхи, мы на работе. А знаешь сколько здесь настоящих шлюх, стюардесс иностранных компаний, которые дают всем направо и налево бесплатно, за какой-нибудь подарок! Мы таких презираем».

Я тоже видела этих распутных куколок Барби, этих расчетливых золотоискательниц в ночных клубах и барах, приехавших в Бахрейн с полными карманами прекраснейших надежд. Ярко-голубые от цветных линз очи, платиновые волосы, груди как яблоки, не подвластные силе земного притяжения. Всех их пожирает демон корыстолюбия. Эти дорогостоящие дамы одержимы идеей сделать обдуманную партию, — они умело ласкают мужские бумажники и, словно Данаи, ждут золотого дождя. Я им не завидую, — они плывут на роскошных, но утлых лодочках. Грустно видеть, когда такие хрупкие, нежные цветы походя обрывают мужчины.

После завтрака я в припадке хандры поднялась к Алексу, у него всегда есть что-нибудь выпить.

— Алекс, дружочек, у тебя где-то был джин.

— Что с тобой? Садись и рассказывай, — велел он, наливая мне джину с тоником.

— У меня маленькая трагедия, — я два дня была влюблена в мужчину, а теперь разочаровалась.

— Но, дорогая, нельзя полюбить кого-либо за два дня. Так не бывает.

— Но я не полюбила, а влюбилась, — это разные вещи.

Прихлебывая джин, я торопливо рассказала свой крошечный роман. Ирония скрывалась в уголках глаз Алекса.

— Ты мыслишь, как типичная русская женщина, которая мечтает, чтобы весна длилась вечно, — сказал он, выслушав мой сбивчивый рассказ. — Все вы, романтичные киски, думаете, что мужчину можно водить на веревочке и дразнить до бесконечности. Иностранцы рассуждают проще и практичнее — если мы нравимся друг другу, почему бы нам не переспать, у них дистанция между знакомством и постелью гораздо короче, чем в России. А вот логика русской женщины, вернее, отсутствие логики, — она в течение месяца основательно опустошает кошелек поклонника, таскает его по дорогим злачным местам, закатывает ему скандалы без всякого повода, предъявляет постоянные претензии, и, наконец, вся в слезах и соплях говорит, что не может ему отдаться, поскольку она замужем. Это утомительно.

Мы пили до двух часов дня, потом поехали в какой-то респектабельный ресторан при дорогом отеле, где обедали в полном одиночестве, в торжественной, чуть ли не благоговейной тишине. Алекс давал мне уроки житейской мудрости.

— Почему ты так неуверенно держишь себя в ресторанах? Ведь в таких местах платят именно за сервис. Поесть вкусно можно и в забегаловке, а вот приличное обслуживание — это то, за чем идут в дорогой ресторан. Ты имеешь право быть придирчивой и требовательной — это входит в оплату. Вот, например, ты заказала кампари, а теперь передумала и хочешь вина.

— Поздно, заказ уже принесли.

— Ерунда. Сейчас мы потребуем заменить.

Алекс подозвал официанта и заявил ему:

— Дама передумала пить кампари, ей хочется вина.

— Никак невозможно, сэр. Заказ уже выполнен.

— Позовите менеджера.

Явился менеджер, молодой мужчина весьма солидного вида. Почтительно выслушав Алекса, он велел официанту заменить кампари на вино.

— Алекс, ты зануда. К чему этот спектакль?

— К тому, что я хочу отучить тебя от русской привычки заискивать перед официантами и швейцарами.

Я почему-то подумала, что в XIX веке искусство одернуть лакея считалось особым призванием знатных особ.

Вечером мы накачивались водкой с Абдуллой, владельцем «Роллс-Ройса». Он живо интересовался русскими проститутками, обитающими в нашем отеле. Я развлекла его веселыми историями из их жизни и заодно пересказала утренний разговор о шлюховатых стюардессах. Он рассмеялся:

— Чепуха! Ваши русские девочки плохо разбираются в жизни. Они думают, что европейские красавицы, которые работают на местных линиях стюардессами, глупее их или развратнее. Нет, они смотрят далеко вперед. Персидский залив — уникальное место в мире, где красивой и умной женщине предоставляется множество шансов сорвать банк. Стюардессы работают здесь не за жалованье, а в надежде вытащить за волосы удачу. Сколько смышленых женщин разбогатели здесь всего за год или вышли замуж за миллионеров! В этих местах на один квадратный километр приходится богачей в двадцать раз больше, чем во всем мире. Это Клондайк, золотое дно для международных хищниц! Я знаком с одним человеком, подарившем своим любовницам 120 вилл на Средиземном море. Мужчины ищут незаурядных женщин, проститутки им нужны на один вечер. Стюардессы внушают им иллюзию любви, пусть это та же продажа, но искусно замаскированная, поданная под пряным соусом. Сообразительные дамы получают целые состояния, но ни в коем случае нельзя запятнать себя деньгами, взятыми за ночь любви. Это ставит клеймо проститутки, и карьера закончена. Можно принять подарок, но не нужно торопиться.

Хочешь, познакомлю тебя с одним моим другом? Он давно ищет что-нибудь пикантное. Ты журналистка, привлекательна, образованна, — звучит интригующе. Если будешь достаточно ловка, минимум, что ты получишь, — хороший дом в Лондоне.

— Благодарю, но я уже замужем.

— Ну и что? — искренне удивился Абдулла. — Ради прибыльного дела всегда можно договориться с мужем.

— Жаль, но он не из сговорчивых.

25 мая. Сегодня Гуля предупредила меня о серьезной опасности. Она ворвалась в мой номер в пять часов вечера и с ходу накинулась на меня:

— Где ты ходишь? Я ищу тебя уже два дня. Я думала, что ты попала в тюрьму.

— Куда-куда? — рассеянно переспросила я, прихорашиваясь перед зеркалом в ожидании важной встречи.

— Полиция наметила тебя как показательную жертву.

— А меня-то, саму невинность, за что?! — воскликнула я и в удивлении всплеснула руками.

— Видишь ли, полиция жаждет крови и начала облавы, — деловито объяснила Гуля. — Вчера из соседнего отеля троих наших девчат забрали, сейчас сидят они, сердешные, в тюрьме и ждут депортации. Решили взять кого-нибудь для острастки из нашей гостиницы. Мне мой любовник из местной службы безопасности сообщил и указал на тебя, сказал, что, мол, пасут тебя и ждут удобного случая.

— Боюсь, что такой случай им не представится, — беззаботно ответила я. — Мужчин я в номер к себе не привожу, ни с кем наедине не встречаюсь, только в общественных местах — клубах и ресторанах.

— Это ты так думаешь, — возразила Гуля. — Женщину в этой стране могут посадить в тюрьму только за то, что она вечером села в машину к мужчине. Такой случай уже был в прошлый мой приезд. А тюрьмы здесь не сахар. Так что остерегись.

— Боже, но почему именно я?! Тут полно девиц.

— Ты видная молодая женщина, каждый вечер делаешь макияж, одеваешь яркое платье и исчезаешь с разными мужчинами.

Уходя, Гуля жестко добавила:

— Я предупредила не столько ради тебя, сколько ради себя. Если кого-нибудь из нашего отеля заберут, у каждого номера будет стоять по полицейскому, тогда носа не высунешь.

Эта ситуация меня позабавила — с узкой точки зрения блюстителей закона, я оказалась проституткой, у них в голове не укладывается, что симпатичная молодая женщина может жить одна в гостинице, встречаться с разными людьми и при этом не преступать законов морали. Однако смех смехом, но стоит принять меры предосторожности, у меня волосы на голове становятся дыбом, когда девицы начинают рассказывать про изнасилования в тюрьмах.

— Пока дождешься депортации, весь персонал успеет оттрахать.

Но сегодня у меня спокойный вечер, за мной заедет Аня, русская женщина, вышедшая замуж за бахрейнца, чрезвычайно привлекательная и энергичная особа лет тридцати с очень сильным характером. Мы подружились и много общались в последние дни.

Сегодня днем Аня мне сказала: «Вечером мы приглашены к господину Ахмеду». Этот таинственный, очень пожилой человек, богатый и уважаемый, — Анин друг. Он давным-давно развелся с женой и живет в полном одиночестве. Детей у него нет. Дружба с Аней для него — поздняя закатная услада, омраченная мыслями о недалекой смерти. Как уверяет Аня, в их отношениях нет ничего, кроме влечения сердца к сердцу, у Ахмеда уже давно нет никаких сексуальных притязаний.

— Аня, мы приглашены на ужин или просто на выпивку? — поинтересовалась я.

— Я думаю, просто на выпивку.

— Тогда я поужинаю в отеле.

— О, черт! Это секрет — я не должна бы тебе говорить. Ахмед хотел устроить сюрприз, пригласить тебя просто на бокал вина, а потом удивить великолепным ужином, у него самый лучший повар в Бахрейне. Поэтому, пожалуйста, не ужинай.

— Что за ребячество! Тогда я повредничаю — наемся заранее до отвала.

Меня растрогала и умилила эта детская выходка, это простодушное желание удивить и восхитить. Но из какого-то дурацкого каприза я налопалась за ужином в отеле. Аня заехала за мной в семь часов вечера, элегантно одетая и благоухающая духами. Машину она вела босиком, чтоб не испачкать задники классических туфель и не повредить их трением. «Но ведь ноги будут грязными», — удивилась я. «Ерунда! — отмахнулась

Аня. — Ноги можно быстренько в туалете отмыть, а вот новые туфли дорого стоят».

Мы приехали к изящному особняку, где у входа нас встретил вышколенный слуга, некто вроде мажордома. Он проводил нас через ряд блестящих комнат к хозяину дома, семидесятилетнему на вид человеку с пергаментным лицом, мягкими манерами и тихим голосом. В нем была какая-то своеобразная красота старости, какая бывает в старом дереве, отшлифованном временем, в старинных книгах в основательных переплетах с золотым тиснением, в оружии прошлых времен, тускло поблескивающем серебром, в очаровательно потертой старой коже. Мы распили с хозяином дома бутылку доброго французского вина, сидя в изысканно обставленном кабинете и слушая «Лебединое озеро» Чайковского. Господин Ахмед оказался большим поклонником русской классической музыки. «Давайте немного перекусим», — любезно предложил он спустя некоторое время, прерывая нашу умеренную светскую беседу. Я едва сдержала улыбку, предвкушая сюрприз, так тщательно приготовленный.

Мы прошли в столовую, где горели только свечи, рассеивая вечернюю тьму. На безупречно сервированном длинном столе матово поблескивала дорогая посуда и сверкали длинные бокалы. За стеклянными дверями мягко светился небольшой бассейн. Я изобразила на лице все подобающие случаю эмоции.

Мы сели ужинать, но мне кусок в горло не шел, — ведь я уже успела набить себе желудок. Из вежливости я ковырялась в тарелке, чувствуя на себе озабоченный взгляд Ахмеда. «Вам не нравится?» — встревоженно спросил он. «Что вы, все чудесно! — ответила я. — Просто я уже ужинала сегодня». Самым оригинальным блюдом в меню были сырые шляпки шампиньонов, начиненные острыми салатами. Грибы выращиваются прямо здесь, в саду, окружающем виллу. Страшно изысканно, но слишком непривычно, на мой вкус, зато Аня уплетала за обе щеки. Еще она налегала на хлеб двух видов — толстые лепешки с прослойкой из местных трав («зеленый» хлеб) и финиковый хлеб (он включает все обычные ингредиенты, но воду для теста несколько часов настаивают на финиках, и она становится сладкой). Аня попросила повара завернуть ей домой несколько лепешек «зеленого» хлеба.

— Вы меня заинтересовали, — сказал в конце ужина Ахмед. — У меня есть друг, писатель, умный и образованный человек. Я думаю, вы бы ему понравились. Мы собираемся с ним в августе в Англию, и я был бы рад, если бы вы и Аня сопровождали нас.

— Это он всерьез? — спросила я, поворачиваясь к Ане.

— Не знаю, но вроде бы да, — ответила она, пожимая плечами. — А заметь, какой у Ахмеда типичный образ мыслей арабского мужчины. Он не говорит: «Вам бы понравился мой друг». Он говорит: «Вы бы ему понравились». Это очень характерно для арабов. Они и мысли не допускают, что могут не нравиться женщине или не быть ей интересными. Итак, что ты ответишь на предложение Ахмеда?

Я уцепилась за свою привычную отговорку моим замужеством.

— Но я не предлагаю вам роль проститутки, — заметил Ахмед. — Совсем нет. Это роль компаньонки. Вы образованны, привлекательны, с вами приятно общаться. Спросите у Ани, можно ли мне доверять. Однажды она ездила со мной в Швейцарию, и ее муж отпустил нас с легким сердцем.

— Аня, это правда?

— Да, чудесная была поездка. Мы путешествовали с такой помпой и жили в таких великолепных отелях!

— Но как ты все объяснила своему мужу?

— Очень просто. У меня была сильная депрессия, и Ахмед предложил приятный способ развеять мою тоску — съездить в Швейцарию. Муж мне доверяет и полагается на мою порядочность.

— Да, тебе повезло с мужем.

Я сказала Ахмеду, что должна подумать, предложение слишком неожиданное. После ужина мы много разговаривали на политические темы, спорили о Сталине и не на шутку горячились. Аня бросала встревоженные взгляды на Ахмеда, беспокоясь о его здоровье. Она сделала мне знак, что пора уходить. На прощание она нежно попеняла Ахмеду, что он не бережет себя. Меня поразила теплота их отношений — этой странной дружбы, связывавшей молодую красивую женщину и старика.

27 мая. Сумбурный отъезд на родину. Я упустила последний самолет, улетающий в Москву, и теперь рейсов не будет до сентября. Я решила лететь через Арабские Эмираты и купила себе билет до Дубая через Доху, столицу Катара. За что не люблю арабские авиакомпании, так это за отсутствие спиртного. Томясь в вынужденном четырехчасовом безделье перелета, я тщательно перебирала мелочи воспоминаний, раскладывая их по полочкам с надписями «смешно», «грустно», «странно». Картинки с Алексом были отнесены в разряд странных. Он вчера сделал мне два подарка, преподнеся их в свойственной ему раздражающей манере. Алекс подарил мне очки в изящной дорогой оправе, но перед этим настоял, чтобы я прошла осмотр у врача-окулиста, мотивируя это тем, что в России нет хороших врачей и нужной аппаратуры. Его приобретенный еврейско-американский снобизм взбесил меня до крайности. Все эти рассуждения о русской отсталости задевают мое воспаленное чувство патриотизма. Затем он преподнес мне помаду, уверяя, что моя слишком дешевая. Тогда я заявила, что это не мой цвет и я передарю его помаду отельной горничной. Мы разругались. Алекс пробуждает все худшие свойства моей натуры и вызывает у меня сложную гамму симпатии и антипатии. Самолет со свистом пошел на посадку, прервав мои мысли.

В Дубае я просто опешила от невероятного количества русских, сидевших среди множества тюков, мешков и сумок. Это бы совсем напоминало аэропорт в каком-нибудь провинциальном русском городке, если бы не мелькавшие иногда испуганные и совершенно лишние здесь арабские лица и великолепное, современное устройство здания, сверкающего огнями реклам и магазинов, не вяжущееся с таким обилием граждан нашей великой несуразной родины. Здесь царило оживление табора. Люди неустанно что-то жевали — бутерброды, гамбургеры, булочки, пирожные, запивая все это, разумеется, водкой и ледяной колой. Я здесь выглядела до нелепости инородной в своей шляпе с розочками, сарафане в цветочек, а главное, лишь с одной скромной дорожной сумкой в руках. Я тут же попала в какую-то шумную компанию мужиков-челноков, которые пили за столиком ром и закусывали солеными орешками. Они «травили» невероятные истории о челночной жизни. Чем больше я пила ром, тем охотнее верила любой несусветице.

В восемь вечера началась посадка в самолет. Я с ужасом смотрела на этот склад товаров, который должен был загрузиться в старенький, трещащий по швам самолет. Было уже совсем темно, когда мы наконец взлетели. Смутные мысли и внезапно вспыхивавшие воспоминания жужжали вокруг меня, словно пчелы в потревоженном улье, и, убаюканная ими, я вскоре задремала.

Проснулась я внезапно от резкого толчка, какого-то провала. Самолет весь трясся, словно в припадке эпилепсии, и, казалось, стонал от перегрузок. Мы попали в грозу. За окном густела страшная и великолепная ночь, судорожно освещаемая апокалипсическим блеском молний. «Что, страшно?» — спросил меня мой сосед Толик. Я молча кивнула. «А ты не бойся. Что наша жизнь? — с философским видом продолжал он. — Только случай». У меня руки чесались вмазать ему за этот треп, но тут он внес дельное предложение: «Надо выпить. Хочешь водки?» — «Нет, лучше кампари».

Толик купил у стюардессы порционную бутылочку кампари, к которой я немедленно присосалась. Я была самой трезвой в самолете, остальные пассажиры уже пребывали в жидком состоянии. Меня трясло от холода и нервного возбуждения, и даже спиртное не давало привычного тепла. «Надо девчонке что-нибудь подыскать одеться», — решили мужики и начали разбирать свои мешки, извлекая из их бездонных глубин уйму разноцветного тряпья. Салон стал похож на лавку старьевщика, где без разбору свалены безделки и ценные вещи. Я завернулась в длинное платье, похожее на смирительную рубашку, из мягкой ткани, нежной, как материнское молоко. А сверху накрылась теплой курткой коньячного цвета. Согревшись, я с благодарностью подумала, что всю жизнь мужчины подсовывают мне лучшие куски в прямом и переносном смысле, — от курицы мне обычно достается ляжка с сочным мясом, в жареной картошке — кусочки сальца с хрустящей корочкой, раков и крабов мне всегда услужливо чистят умелые мужские руки, а в холодное время мужчины с готовностью снимают теплые пиджаки, чтобы согреть мои хрупкие плечи, а сами дрожат в тоненьких рубашках. Все-таки хорошо, что они есть на свете, сильные и легкомысленные самцы!

Бахрейн остался далеко-далеко, и я думала о нем с нежным чувством сожаления. Маленькая, хорошо организованная страна с населением всего в полмиллиона человек показалась мне по-домашнему уютной. Люди живут там такой размеренной жизнью, что могут позволить себе роскошь интересоваться чужими проблемами.

Я предвкушала, как зимой, в холодной, мятежной России я буду вспоминать воспаленное солнце, восхитительно нежный песок, крабов, которые возмущенно шевелят клешнями, если их вытащить из воды, толстую водяную змею, выброшенную на берег, коктейль под названием «Скользкий сосок», свидание в неурочный час, дымок кальяна, капризы арабских лошадей, — все обаяние далекой страны под названием Бахрейн.

Одни в Париже

24 апреля. «От сумы и от тюрьмы не зарекайся, — думала я, скидывая в чемодан вечерние платья. — Бедность в любой момент может нанести удар. Но на черный день у меня останутся воспоминания о роскошной жизни. Решено, буду жуировать напропалую, пировать всласть в этом чудо-городе».

Мы с сестрой отправляемся завтра в Париж. Сумма, выданная мне мужем Андреем на недельные шалости, просто фантастическая. От этих наглых легких денег идет какой-то жульнический душок, придающий скоропостижному богатству оттенок временности и незаконности. Но я остерегаюсь задавать вопросы в лоб, куда проще, когда ветер гуляет в голове. Все, что с детства мерещилось, таится в волшебном слове «Париж». Я сейчас похожа на пьянчугу-матроса, который готовится сойти на берег и пропить свое жалованье в несколько дней. Хочу унести с собой в тусклую будничную московскую жизнь нечто пряное, дорогое, изысканное, французское. Поэзия материальности удивительно привлекательна для меня. Моя мама твердит, что деньги надо хранить в чулке, про запас. Но дьявол меня побери, если я когда-нибудь буду жить сообразно житейским правилам!

Париж — это город, где собраны все наслаждения лени, где на всякое требование есть свое удовлетворение. Моя сестра Юля помешана на музеях, меня же в дрожь бросает от их пустых, блистательных залов с потускневшими от времени портретами покойников на стенах. Я мечтаю пошататься по кабакам, примерить маску одинокой, независимой и богатой леди, свободной от мужчин.

25 апреля. Мы начали отмечать наш отъезд в кафе аэропорта Шереметьево, затем перебрались в ирландский бар по ту сторону границы. Чудесное место. Однажды я пила там с одним английским студентом, который уже двое суток сидел в нейтральной зоне. Он летел откуда-то из Азии в Лондон через Москву, самолет задержали, а транзитной визы у парня не было. Он все это время просидел в баре, даже спал там на кушетке. Студент прошел все стадии опьянения, от буйства до внутренней тишины, и после ударной дозы виски даже протрезвел, — так бывает, когда бесконечно долго пьешь, в голове внезапно светлеет, и все вещи становятся на свои места, только отношение к ним меняется в сторону иронии.

Мы с Юлей были уже «под шафе», когда внезапно до нас дошло, что самолет уже должен взлетать, а мы все еще за стойкой бара. Мы рассеянно побрели по аэропорту и даже нашли выход на посадку. В зале ожидания сидели еще пяток таких же идиотов, как мы, перекочевавших из ирландского бара. «Странно, — вдруг заметил мужчина, вложенный в монументальное пальто цвета антрацита, — неужели в Париж летит всего семь человек?» Присутствующие выразили свое удивление, каждый в меру выпитого спиртного. «Однако так мы можем долго сидеть», — развил свою мысль антрацитовый мужчина. Все горячо согласились с ним, но с места никто не сдвинулся. Оратор куда-то ушел и вскоре вернулся с раздраженной стюардессой, которая энергично накинулась на нас: «Ну, где же вы, граждане, шляетесь! Ведь самолет уже готовится взлетать, вас даже искать перестали». — «А что нас искать? — резонно возразила я. — Заглянули бы лучше в ирландский бар».

Нас повели по бесконечному лабиринту узких коридоров и лестниц к выходу на летное поле, но к самолету, стоявшему всего в двух шагах от нас, не пустили. По правилам аэропорта пассажиры могут передвигаться по полю только в автобусе. А его-то, родимого, и не было. «Да мы быстрее пешком дойдем», — уверяли мы стюардессу. «Нельзя», — твердила она и вела отчаянные переговоры по рации. В результате всех накладок самолет вылетел с опозданием на два часа.

Париж встретил нас преподлейшей погодой и забастовкой грузчиков в аэропорту. Холодный дождь мигом вымочил мою прелестную весеннюю шляпку, украшенную искусственными цветами. Серый день мокрой тряпкой лег на душу. В огромный грузовой лифт в аэропорту набилось множество народу. Рядом с молоденькой беременной женщиной из нашей группы встал какой-то парень в длинной вязаной «маминой» кофте с безумными, потерянными глазами. На следующей остановке женщина ойкнула и выскочила. Парень перебрался поближе к нам, его лихорадило, он часто дышал, потом затрясся и блаженно обмяк. Мы с сочувствием смотрели на беднягу. На улице нас догнала беременная и, делая круглые от ужаса глаза, спросила: «Знаете, что делал этот придурок в лифте?!» Эффектная пауза и выдох: «Онанировал». — «Так он, наверное, около нас и кончил», — сообразила Юля. «Может, это любовь», — философски заметила я.

Вечером мы нарядились в длинные черные декольтированные платья, делающие нас выше и стройнее. Обе, очаровательные наповал, похожие друг на друга, ясные, тонкие, юные, надменные, нырнули в волнующий холод весенней парижской ночи, сели в такси и покатили на Елисейские поля, к кабаре «Лидо», сверкающему искусственными созвездиями огней.

Наш столик был у самой сцены. Подали легкий, артистически приготовленный ужин и ледяное шампанское в серебряном ведерке. Мы потягивали нежно-колючую сладкую влагу из высоких, тонких, как мыльные пузыри, бокалов и, волнуясь, осматривались по сторонам. Всем вам знакомы, наверное, эти неопределенные, головокружительные чувства, когда вечером в одиночестве оказываешься в ресторане незнакомого большого города. Мы были едва ли не единственными молодыми женщинами в зале. Здесь преобладали уже изрядно побитые молью дамы в мышиного цвета дорогих платьях, отлично скроенных и безукоризненно сшитых, с солидными спутниками, курящими сигары. Бриллианты на женских шеях брызгали огнем. Их сухощавые пальцы, обремененные кольцами, играли ножками бокалов. За соседним столиком сидели два светских хлыща, на мой взгляд, итальянского происхождения, и бросали на нас плотоядные взгляды.

Свет погас, и представление началось. Такое шоу может позволить себе только Париж! Ослепительная игра света, музыка, сладко и больно бьющая по сердцу, роскошь фантастических провоцирующих костюмов, сверкающих золотом и серебром, расточительные декорации. Ядреные девицы, все как одна красавицы с великолепными формами, демонстрировали залу свои налитые обнаженные груди и выпуклые бедра, мужчины с фигурами атлетов заставляли ускоренно биться сердца старых дам. Вся эта феерия буйно и щедро вторгалась в наши широко раскрытые глаза, чуткие уши, трепещущие ноздри. Подстегиваемые искорками шампанского, мы дрожали от какого-то беспредметного вызова, от исступленного восторга молодого тела, подчиняющегося ритму спектакля, у меня пересохло в горле и дивно звенело в голове. Это действительно настоящая Франция, Париж.

Когда я решила выйти в дамскую комнату, дорогу мне преградил один из итальянцев и почтительно спросил разрешения разделить наше одиночество — отправиться после шоу в какой-нибудь кабачок. Его хищная улыбка противоречила изысканности его речи. Я неопределенно кивнула, не говоря ни да ни нет, и вернулась к своему столику. «Юля, нам предлагают «выпивку с постелью». Что ты на это скажешь?» — спросила я сестру. Она со своей робкой улыбкой пожала плечами и ответила вопросом на вопрос: «А ты как думаешь?» — «А я думаю послать их к черту! Впервые в жизни я не нуждаюсь в спонсорах, я богата и свободна и могу позволить себе роскошь сама оплачивать свои счета, не терзая мужские бумажники. Хочу быть одна».

28 апреля. Один из старинных русских писателей утверждал, что язва путешествий — это необходимость все видеть, то есть глупая обязанность, на которую добровольно и мученически обрекаешься ложным понятием о чести. Вот уже четвертый день я добросовестно восхищаюсь наружностью немыслимых кружевных замков, дышащих парадным холодом мрамора, идеально круглыми прудами с дремотной водой, обросшими бархатом тины, зеленой геометрией парков, похожих на правильно решенную школьную задачку, изрытыми временем мраморными львами, у которых из пасти сочится тонкая серебряная нитка воды, с натужной внимательностью рассматриваю окоченевшие в жеманных позах статуи. Над нами светится мягкое парижское серое небо, и, несмотря на холод и дожди, в воздухе чувствуется смутное дыхание неизбежной весны. Мы бродим по громадным залам, увешанным бесценными полотнами, любуемся потолками, блистающими золотой вязью, драгоценной мебелью, отсвечивающей в лаковых полах, восхищаемся бесчисленными сокровищами духа, спрятанными в пыльных библиотеках, где мерцают тусклым золотом десятки тысяч корешков. В этих залах ухо еще улавливает прерванные временем разговоры, глаз еще различает свет и тень прошедшей жизни, а воображение рисует неоконченные драмы и комедии. Юля млеет от всей этой почтительно культивируемой старины, золотой прелестной, мило-условной сказки, вокруг которой тщательно выпалывается трава забвения, замирает перед кроватью под истертым бархатным балдахином, на которой спали пять королев, трепещет, слушая историю пятнадцатилетней жены графа, которую муж, в неурочный час вернувшийся с охоты, застукал с юным пажом. Жену он заставил принять яд, а пажа заколол шпагой. Надо признать, у моей сестры есть вкус к старине и чутье к живописи, то, что у меня отсутствует напрочь.

Зато вечер — моя стихия. Мы ужинаем в дорогих ресторанах, в этих оазисах учтивости и хорошего тона, где вышколенные официанты вытанцовывают вокруг нас, — в отеле «Де Крильон», в «Ритце», на теплоходе, плывущем по Сене, в баре Эйфелевой башни. Вчера ужинали у «Фуке», где Юля впервые попробовала настоящих французских улиток и сказала с тоской: «Зачем я это сделала? Теперь я все время буду мечтать о них». — «Но, дорогая, еще одна мечта — разве это так уж плохо?» Я просто наслаждалась — для меня нет большего удовольствия, чем пробовать что-нибудь новенькое самой или, как в случае с улитками, наблюдать, как это делают другие.

Сегодня мы были в мечте моего детства — в ресторане «Максим», где обожествляют церемонию еды. Это золотой век роскоши. Осанистый метрдотель проводил нас к столу, покрытому белой скатертью, словно тонким слоем свежевыпавшего снега. Ресторан во вкусе новых русских — много золота, блеска, свечей, красно-черные тона, и все в розах, даже туалетные комнаты. Мы пили дивное, холодное старое шабли, похожее в трепетном сиянии свечей на расплавленное золото. Это вино даже не надо глотать, оно словно испаряется во рту. Ели закуски для миллионеров и тающий во рту лобстер. Метрдотель, настоящий ревнитель церемоний, ходил кругами вокруг нашего стола и постоянно осведомлялся, нравится ли нам то или иное блюдо.

Повсюду, как и везде в дорогих местах, одни трухлявые старые грибы, ни одного свежего лица. «Господи, опять эти женщины, от которых несет прелью, — заметила я с безжалостностью молодости. — А ты видела их руки? Кожа обвисла и напоминает перчатку слишком большого размера». Юля смеялась мягким, воркующим, подогретым вином смехом. Журчала вода сердечных излияний, и мы впервые с такой силой ощутили свое родство, свою сестринскую близость. «Мы с тобой одной крови — ты и я», — так говорил Маугли. Мы погрузились в свои детские воспоминания, не замечая никого вокруг, а нас рассматривали, нам удивлялись. В минуты волнения Юля сокращала и гасила свои огромные яркие глаза. И я вспомнила, как в детстве она, желая выразить презрение и мстительный гнев, суживала черные зрачки, и в глубине их вспыхивал, словно драгоценный камень, угрожающий огонек. Глаза пантеры перед прыжком. Никто не выдерживал ее взгляда. Папа обычно в ярости начинал кричать: «Ну чего ты щуришься!» — и замахивался на Юлю тапочкой. Когда я выросла, то часто применяла с мужчинами этот Юлин прием — медленное, холодное погасание глаз, верхнее веко неподвижно, приподнимается только нижнее, создавая иллюзию кошачьих глаз.

На обратном пути в отель за нашим такси увязался красный «Форд» с тремя молодыми мужчинами, элегантными канальями, дерзкими и красивыми. Они высунулись из окна и вопили во все горло: «Эй, девочки! А не поехать ли нам куда-нибудь вместе?» Мы пыжились, изображая из себя важных дам, хотя нас так и распирало от молодого проказливого веселья. Обе машины попали в пробку на Елисейских полях. Прекрасная возможность для допроса через окно, который они устроили нашему таксисту, пожилому негру. «Послушайте, — обратилась я к нему, вклиниваясь в стремительный французский диалог, сопровождаемый раскатами смеха. — О чем они вас спрашивают?» — «Они спросили, откуда вы, я сказал, что вы — русские», — невозмутимо ответил негр. «Почему же вы смеялись?» Он промолчал и дал газу, прорвавшись в свободный ряд. «Эй, надеюсь, вы не сказали им, в какой гостинице мы живем?» — «Что вы, мадемуазель, как можно?!» — оскорбился негр. «Фордик» погнался за нами, перестраиваясь из ряда в ряд, только около «Мулен Ружа» нам удалось от него оторваться.

29 апреля. Сегодня Юля выбирала гостинцы своему сыну Теме, она с материнской придирчивостью разбирала детскую одежду, все время советуясь со мной, а у меня сердце сжималось от тоски. Все эти очаровательные детские вещички в

В постели
с Сергеем Крыловым

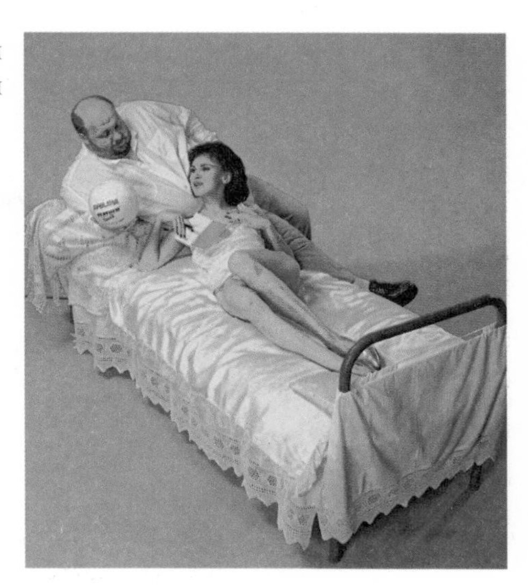

С Александром Абдуловым

С тайской массажисткой

У подножия древних
буддийских храмов
хорошо думается

Знаменитое тайское
дерево пенисов.
В монастыре
Таиланда

С солдатами французского Иностранного легиона

Люблю показывать ножки на Кипре

Обнажить тело гораздо легче, чем обнажить душу

Моя Соня

Иногда мне нравится работать моделью

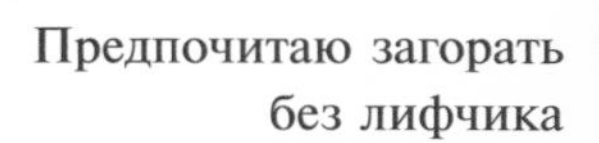

Предпочитаю загорать без лифчика

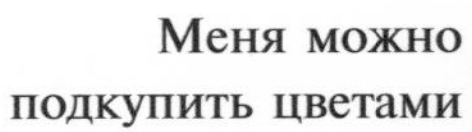

Меня можно
подкупить цветами

Шампанское люблю
даже больше, чем
мужчин

Люксембург

Иерусалим

С главным редактором «Комсомольской правды» Володей Мамонтовым

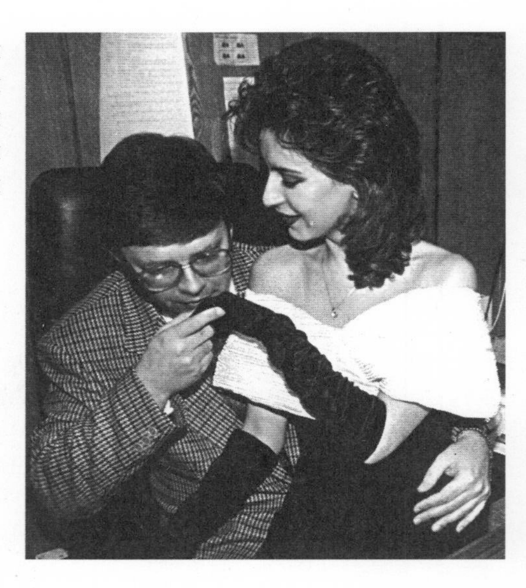

Самое главное на свете — это скорость

кружевах, аппликациях и вышивках, сентиментальные и трогательные, напоминают мне о том, что вот уже восемь месяцев я не могу забеременеть, все попытки договориться с природой напрасны.

При всей своей сомнительной религиозности я даже обратилась к Богу. Сегодня в соборе Парижской Богоматери я поставила свечку Деве Марии со смиренной просьбой помочь мне зачать ребенка. И хотя это католическая церковь, а я по вероисповеданию православная, я не делаю различия между религиозными системами. Иисус, Будда, Магомет, Яхве — все это личины одного Бога, который един и вездесущ. И если для того, чтобы получить ребенка, надо удариться в иудаизм или преклонить колени перед Аллахом, я сделаю это, не колеблясь.

30 апреля. Мы решили позволить себе роскошную прихоть и сняли на одну ночь номер-люкс в старинном отеле «Ла Бристоль», стоящий больше тысячи долларов в сутки. Гостиница построена с подлинной страстью к великолепию. У входа гостей встречает расшитый золотом портье, холл увешан чудесными гобеленами и освещен люстрами «баккара», в маленьком внутреннем дворике бьет фонтан, украшенный позолоченной лепниной. Везде царит изысканная, вдохновляющая атмосфера ненавязчивой роскоши, культура рафинированного наслаждения, доступная немногим.

Обходительный до слащавости распорядитель с легкой искрой недоумения в глазах спросил, где же наши вещи. «Вот», — ответила я без тени смущения, указывая на маленький прозрачный пакетик с зубными щетками, расческами и косметикой. Когда мы вошли в наш лоснящийся от комфорта номер, я, визжа от восторга, бросилась на огромную кровать и забила ногами в воздухе. «Мы здесь хозяйки на одну ночь!» — кричала я во все горло.

Мы жадно рассматривали каждую мелочь, любовались старинными гравюрами на стенах и прелестными, грациозными формами великолепной, хрупкой на вид, но долговечной мебели, наслаждались податливой мягкостью кресел и диванов, выдвигали все ящички в столах и комодах. Ванная комната для кинозвезды, вся в мраморе и зеркалах, заставила меня рычать от удовольствия. Ослепленные всем этим великолепием и слегка поглупевшие, мы смеялись от счастья.

Мы решили использовать каждую минуту этих эфемерных суток для радости. После бассейна, где мы целый час плескались в одиночестве, мы отправились в ресторан. Как и повсюду, одинокие красивые женщины в отеле такого класса — предмет любопытства. Красотки появляются здесь только в сопровождении толстосумов. О нас, наверное, думают, что мы — сумасшедшие богатые лесбиянки.

Бургундское пенилось в наших бокалах багрянцем лета и блеском солнца, взрастившего эти волшебные виноградные гроздья. Париж утончил мой вкус к хорошим винам. Через стол я чувствовала дуновение деликатных духов Юли, которые она с таким вниманием выбирала сегодня в «Галерее Лафайет». Она два часа бродила в этом царстве духов среди одуряющих волн благоуханий и наконец нашла свой запах — «Талисман» Баленсиага, прославленной фирмы начала века. Героини Ремарка носили вечерние платья от Баленсиага.

«Вот то, что я люблю, — импозантное окружение и безукоризненный сервис», — сказала я, намазывая маслом хрустящую теплую булочку. В этот момент в зал вошли трое мужчин респектабельного вида и расположились за соседним столом. Опасность пребывания за границей заключается в том, что начинаешь громко говорить на щекотливые темы, не рассчитывая, что кто-нибудь поймет тебя. Мы как раз взахлеб обсуждали животрепещущие проблемы менструации, когда один из наших соседей вдруг воскликнул: «Девчата, да вы русские! А мы-то думали!» (Интересно, что же они думали?) Надо полагать, лица у нас вытянулись, но мы мило поздоровались и пожелали им приятного вечера, всем своим видом давая понять, что желаем остаться в одиночестве. Не тут-то было! Мужчины из породы русских скоробогатеев спуску не дают. Невзирая на церемонную обстановку вокруг и наш неприступный вид, они взяли быка за рога:

— Девчата! Мы вам за ночь заплатим, не сомневайтесь. Деньги есть, копеечка в копеечку. Мы тут до среды остановились, заплатим вам столько, сколько надо, не обидим. Жить будете прямо здесь, номер вам снимем по первому классу!

— Послушайте, — сказала я с кислой миной, — неужели вы не понимаете, раз мы ужинаем в этом ресторане и снимаем здесь номер, то в ваших деньгах мы точно не нуждаемся! Подыщите себе проституток.

— Девчонки, вы от нас так просто не отделаетесь. Деньги всем нужны, отбашляем вам, сколько скажете. Мы тут с тоски помираем без русских девок, француженки — тоска зеленая!

— Черт побери, не будь я леди, я бы выматерилась! Деньги из хама не сделают пана.

Официанты во все глаза следили за нашей перепалкой, пытаясь уловить ее смысл. Прикончив десерт, мы расплатились и величественно направились к выходу.

— В каком вы номере живете? — крикнул толстяк, самый наглый из этой троицы. Я помедлила, обернулась и снисходительно заметила:

— В любом случае, вам его узнать не удастся.

— Это мне-то! — крикнул толстяк и захохотал, как гиена. — Да я позвоню вам через пять минут!

— Это слишком приличный отель, чтобы обделывать такого рода делишки.

Едва мы успели войти в номер, как раздался звонок. Я сняла трубку и услышала: «Ну что, девчата, я был прав — для нас проблем не существует. Ждите нас в гости». — «Если вы попробуете ломиться к нам в номер, я вызову полицию. И не забывайте, здесь надежные замки», — ответила я и бросила трубку. Телефон снова зазвонил. «О нет! — простонала я. — Это невозможно! Снять номер в Париже в одном из самых дорогих отелей и нарваться на типично московскую историю. У меня такое ощущение, что мы стоим на Тверской в полночь. Не хватало еще, чтобы они в лучших русских традициях выламывали нам дверь!»

Под беспрерывный трезвон телефона мы достали из бара бутылочку шампанского «Дом Периньон» и распили ее. Пока мы были в ресторане, невидимые заботливые слуги уже расстелили нам постель, приготовили тапочки и зажгли ночники, приглашая нас ко сну.

1 мая. Утром мы едва разлепили тяжелые от вчерашнего кутежа веки. Встав с постели, я раздвинула шторы, и в окна нам ударили золото, зелень и лазурь парижского весеннего утра. Мы приняли ванну и спустились в ресторан, где нам подали тонкий и дорогой завтрак. Потом мы собрали свои немудреные вещички и с грустью поплелись в свой прежний отель, откуда автобус должен был забрать нас в аэропорт. Контраст между расточительной ночной жизнью и утренней убогостью был так велик, что мы решили похмелиться в гостиничном кафе. За этим занятием нас застали двое проходивших мимо молодых мужчин. Один из них, окинув нас оценивающим взглядом, вполголоса сказал: «Соотечественницы с утра квасят». Боже мой, в Париже никуда не деться от русских!

Записки дрянной мамаши

28 мая. Как резко и быстро все кончилось! Еще вчера утром я летала, прижавшись к Андрею, наслаждаясь гладкостью его теплой кожи. Я гладила ежик его жестких волос, на ощупь совсем как шкурка зверька, и думала, что счастлива. А сегодня мы лежим рядом как чужие, и тишина, будто грозовое облако, заполняет комнату. Все из-за моей новой книги. Я принесла вчера домой ее первый экземпляр, еще волнующе пахнущий типографской краской, сверкающий глянцевыми, неправдоподобно яркими фотографиями. Поздно вечером Андрей взял бутылку водки и сел читать мои мемуары, время от времени опрокидывая стопочку. У него был вид бухгалтера, производящего инвентаризацию. Я посмеялась над его деловитостью и легла спать.

Ночью я проснулась оттого, что меня трясли, словно куклу. Андрей нависал надо мной, разгневанный и страшный, и в глазах его было убийство. «Ты-ы! — выдохнул он. — Ты шлюха! Ты мне изменяла, как последняя проститутка!» Он дышал на меня перегаром, раскачивался из стороны в сторону, словно маятник, не сводя с меня бессмысленных глаз. Мне стало страшно.

— Разве мои измены для тебя новость? — спросила я, стараясь говорить будничным, спокойным голосом. Андрей весь как-то обмяк.

— Нет, я догадывался, даже шутил на эту тему. Но втайне надеялся, что все это ерунда, просто бравада с твоей стороны.

— Не мели чепухи. Я ведь даже не отпиралась, когда ты обвинял меня!

— Одно дело подозревать, другое — знать. Это разные вещи.

То, что было для Андрея лишь гипотезой, теперь кристаллизовалось в твердую уверенность. По его блуждающим черт-те где глазам я поняла, что он ищет выход своей ярости. «Я же люблю тебя!» — выкрикнул он с бессильной злобой. Казалось, мимо пробуксовал пьяный ангел, перегруженный ревнивыми упреками. Я с опаской наблюдала, как муж сжимает кулаки. В воздухе запахло войной. Наконец, Андрей нашел способ вылить свой гнев — он выкинул с балкона мою любимую розоволосую куклу, подаренную мне одним поклонником. Кукла сверкнула на прощание яркими локонами, и у меня мелькнула мысль, не придется ли мне разделить участь попавшей в немилость игрушки. Будь здесь психоаналитик, он непременно истолковал бы этот жест Андрея как попытку убийства изменницы-жены. Я как могла перевязала раненое самолюбие Андрея нежными словами, наложила примочки из страстных признаний на его воспаленную гордость, поцелуями попыталась стереть с его лица выражение ненависти. Гнев его сменился яростным желанием мазохиста узнать подробности. «Рассказывай, как тебя мужики трахали! — орал Андрей, нависая надо мной, как скала, готовая раздавить. — Небось повизгивала от удовольствия, когда они тебе вдували под хвост». — «О Господи! Ну, и выражения у тебя, милый». Андрей выкрикивал непечатные вещи, и я минут пять наслаждалась этой музыкой непристойностей. Я не испытывала и признаков раскаяния, ничего, кроме шалости, смешанной с отвращением. Неужели не ясно, что я со всеми потрохами принадлежу только ему? Но если не спускать меня время от времени с поводка, я совсем озверею. Вся эта мелодрама длилась до рассвета. К утру Андрей наконец угомонился, и я получила долгожданный отдых.

Проснулась я со скверным вкусом в душе и долго валялась в постели, размышляя над тем, как переломить ситуацию в свою пользу. Андрей собирался на работу, не глядя в мою сторону, мрачный, как ворон, с недоговоренными мыслями. В нем глухо горел огонь медленного гнева. Кто знает, какие тайны скрываются за дверью его гладкого упрямого лба! Ключ от них спрятан на самом дне его душевного сундука.

31 мая. Суеверное чувство давно нашептывало мне, что лучший способ получить желаемое — это перестать его ждать. Восемь месяцев мы безуспешно пытались зачать ребенка, и вот, когда я уже потеряла надежду и решила пуститься во все тяжкие, путешествуя и развлекаясь, мы наконец забили гол. Жизнь, не считаясь с моими остроумными планами, преподнесла мне долгожданный подарок тогда, когда я менее всего его ожидала.

Вот как я узнала об этой внезапной причуде судьбы. Вчера утром я отправилась сдаваться к своему супермодному врачу, пророчившему мне три недели назад операцию кисты. Заплатив непомерную сумму за визит и выпив положенный литр воды, я легла на кушетку на ультразвуковое обследование. Врач с минуту любовался на экране моими внутренностями и после вынес свой вердикт: «Вы беременны уже полтора месяца». Яркую вспышку радости тут же заглушил приступ бешенства по поводу врачебной некомпетентности.

— Послушайте, я была у вас на приеме полмесяца назад, и вы заверили меня, что я не беременна.

— Вы ошибаетесь. Я сказал вам, что в данный момент вы не беременны.

— Как же это могло быть, когда у меня срок уже шесть недель! Я даже переспросила вас, есть ли шанс, что я беременна, — ведь срок очень маленький, на ультразвуке может быть не видно. Вы сказали, что у меня киста и мне предстоит операция. Потом я уехала в командировку, где пила, как сапожник, курила по пачке в день и даже баловалась кальяном — чудесный режим для будущего ребенка!

— Вы вполне можете сделать аборт.

— Превосходный совет! Послушайте, доктор, я мечтаю о ребенке уже больше года, неужели вы думаете, что я упущу свой шанс! Если бы я не платила семьдесят долларов за бездарный осмотр, а пошла бы в обычную поликлинику, мне наверняка поставили бы там точный диагноз. Вы просто профан.

Я вышла на улицу, в розовое росистое утро, счастливая, несмотря ни на что. Последние денечки весны — воздух, отяжелевший от запаха сирени, яркая белизна берез, нежная, как шелк, майская зелень, словно нарисованная пастелью. Я шла, прислушиваясь к себе боязливо и робко, надеясь уловить еле слышное трепетание жизни внутри. Господи, какой чудесный подарок я получила от неба, неслыханный в своей щедрости. И главное, очень кстати. Теперь все недоразумения между мной и Андреем улягутся. Представляю, как он будет рад!

Придя домой, я немедленно позвонила мужу и тут же выложила ему великую новость:

— Представляешь, у нас будет ребенок!

По-театральному долгая пауза.

— Вот как? Интересно.

Он выразил эмоций не больше, чем египетский сфинкс.

— Я смотрю, ты не слишком рад.

— Отчего же? Рад.

Голос холоден как никогда. Я вдруг почувствовала себя в роли рекламного агента, который стучится в чужой дом, навязывая никому не нужный товар. Моя моральная атака захлебнулась. «Ну и черт с ним! — подумала я и швырнула трубку. — К вечеру одумается».

Целый день я неприкаянно слонялась по квартире, потом решила устроить маленькое торжество. Сбегала за бутылкой вина, приняла душ, намазалась кремами и облачилась в невесомое, прозрачно-розовое американское белье. Андрей запаздывал, и я не находила себе места. Наконец в девять вечера раздался звонок, и я бросилась открывать дверь с улыбкой мадонны на устах. Но улыбка моментально замерзла, когда я увидела непотребно пьяного мужа с налитыми кровью глазами. Он ввалился в дом со словами: «От кого у тебя ребенок, сука?! Отвечай! Откуда ты его привезла — из Парижа или из Бахрейна?!» Я раздумывала, безопасно ли будет дать ему пощечину или лучше удариться в слезы? Нет, пожалуй, истерика предпочтительнее. Сейчас водка говорит его устами, и провоцировать невменяемого мужа на драку не стоит. Все равно он объективно сильнее.

Утром он отделался от меня вонючим букетиком дохлых розочек. Сбегал за ними, похмельный и злой. Итак, у моего ребенка есть отец.

2 января. Бог мой, я невозможно брюхата! Я похожа на гигантский перезрелый арбуз, который вот-вот лопнет. Каждое утро я твержу себе, что в природе нет неуместных процессов, что мое тело — «священный сосуд, в котором зарождается новая жизнь», как уверяют нежнейшие лицемеры, писатели-мужчины. Меня тошнит от всей этой высокопарной брехни про одухотворенную красоту беременных женщин. Все, что я вижу в зеркале, — это Его Величество Живот, туго натягивающий платье. Мне уже не удается скрывать под складками одежды признаки скорого материнства. По ночам, когда большой шар внутри меня не дает уснуть, я перебираю безделушки мыслей и вяло негодую на мужчин, так удачно избегнувших обязательств, налагаемых природой. Я испытываю страх перед маленьким существом, которое должно скоро выйти, внезапно прорвав меня. Оно танцует в моем чреве, радостно колотит ручками и ножками о стенки своего гнезда, уже слишком тесного для такого крупного птенца.

Мое тело разбухло и обезобразилось, при ходьбе я переваливаюсь с боку на бок, точно уточка. Все чувственное меня сейчас только раздражает. Исчез аромат греховности, и близость мужа вызывает лишь неприязнь. Миновало то время, когда я горела по ночам в постели, когда мужские пальцы жгли меня со всех концов. Теперь я как сырое дерево — шиплю, но не вспыхиваю. То ли дело первые месяцы беременности — тогда, вся под обаянием своего нового счастья, гордясь внезапно появившейся грудью и мягко намеченным животом — этим обещанием материнства, я излучала сексуальность. Я ощущала себя почти богом, распаханной нивой, на которой мужское семя дало всходы.

Сейчас я погружена в духовную летаргию, зябко ежусь от любопытствующих взглядов на улице, нацеленных на мое бесформенное тело, и уже смирилась с тем, что общество вычеркнуло меня из списков социально полезных элементов и дисквалифицировало как личность. Мне осточертели звонки друзей, которые сострадательным тоном задают неизменный вопрос: «Как ты себя чувствуешь?» или не менее популярный: «Что ты кушаешь?», как будто другие темы меня уже не интересуют. Врачи с нескрываемым удовольствием твердят мне, что у беременных происходит отек мозга и понижение интеллекта у будущих матерей — это естественное явление.

Ранней осенью я видела в зоопарке беременную обезьяну. Она сидела неподвижно, греясь в лучах последнего, еще ласкового солнышка, погруженная в странное, блаженное оцепенение. Вокруг нее с бешеным визгом скакали ее сородичи, она ни на кого не обращала внимания, сладко жмурилась и изредка почесывала огромный живот. Это была жизнь, обращенная внутрь. Я сейчас похожа на ту самочку, так же прислушиваюсь к своей внутренней песне, провожу время в праздности, неуязвимая для скуки. В эти дни мне охотно дремлется. Неужели я со всеми своими демонами скоро найду успокоение?

15 января. Ты не сделаешь мне больно, малышка? Осталось недолго, скоро нам обеим придется пройти через пытку деторождения. Ты храбрая девочка, ты плещешься в своей ванночке, словно рыбка в пруду. Я кладу ладонь на живот и чувствую, как там что-то тихонько копошится, и это трепетание жизни внутри вызывает у меня улыбку умиления. Я нахожу пальцами твою круглую головку, а иногда нащупываю крохотную пяточку или энергичный кулачок. Сказать по правде, сначала я была немножко разочарована, что ты девочка. Быть игрушкой мужчин — незавидная участь. Твой папаша при этом радостном известии уныло заметил: «Она нам в пятнадцать лет в подоле принесет». Да, дети — сфера, не подлежащая мужскому разумению.

Увидев тебя на экране ультразвукового прибора, я первым делом спросила: «Доктор, какой длины у нее ноги?» — «С ногами все в порядке, — удовлетворенно заметила врач и добавила, указывая на крохотную белую косточку: — Голень просто сказочная». Ножки у девочек, моя душенька, это не просто подпорка, как у мужчин, это почти философия. Так что отращивай их подлинней — вот тебе мой первый материнский наказ. В сущности, я не знаю, чему тебя учить. Профессии укротительницы? Я и сама не слишком преуспела на этом поприще, разве что сносно щелкаю хлыстом. Но эти проворные хищники-мужчины только и ждут момента, чтобы укусить.

Я боюсь, что, как большинство родителей, перенесу на тебя все свои неудовлетворенные честолюбивые желания и возложу надежды, груз которых ты не захочешь нести. Будь такой, какой хочешь быть, моя маленькая вселенная. Спи спокойно в своей колыбельке из мышц и связок в ожидании встречи.

23 января. Я лежу в третьем родильном доме города Запорожья в ожидании родов. Все здесь чистенько, опрятно, строго размеренно и наводит нестерпимую тоску. По коридору унылыми косяками бродят беременные. Они качают бедрами, словно тяжело нагруженные шхуны, и часто вздыхают на ходу. Большинство мимо текущих женщин обладает мощными задами и сильными чреслами, им родить — раз плюнуть. Не то что мне, с моим безнадежно хрупким сложением и тонкими костями. Из чувства мазохизма я пристаю с расспросами к опытным матерям, и те с почти сладострастным блеском в глазах рассказывают мне, какие ужасные муки ожидают меня в скором времени.

Я вся охвачена нетерпением. Скорей бы уж роковое событие свершилось. Сегодня мы долго препирались с главврачом, милейшим Сергеем Прокофьевичем. Он хотел назначить роды на четверг, мне же симпатичнее среда. «Ну какая разница! — горячилась я. — Днем раньше, днем позже. Девочка уже созрела, я тоже. Мне каждый час ожидания невыносим». — «Но в среду у меня в два часа совещание», — возразил Сергей Прокофьевич. «Мы поспеем», — клятвенно заверила я. Главврач посмотрел на меня с иронией и заметил: «Ты как будто не рожать собралась, а на поезд торопишься». Это верно, я уже на перроне, и жизнь обратных билетов не выдает.

Итак, я рожаю завтра. Честно говоря, я не чувствую прилива того бестрепетного, ясного мужества, которым якобы обладают роженицы. Сегодня врачи проводили со мной долгие подготовительные беседы, пытаясь убедить меня с честью исполнить свой долг женщины. Они твердили, что роды — это естественный процесс, что боль неизбежна, когда даешь жизнь ребенку, что именно через страдания женщина в полной мере может ощутить счастье материнства. Все во мне рычит от негодования. Неужели в конце второго тысячелетия я буду рожать, словно мученицы первых лет христианства?! Я где-то читала, что родовая боль является самым сильным болевым ощущением в жизни человека. И узаконенность этих страданий кажется мне несправедливой. Почему, чтобы подарить жизнь, нужно дойти до порога смерти?

Больше всего меня раздражает легкомысленная самоуверенность мужчин, которые воспринимают родовые муки как нечто само собой разумеющееся. Они великодушно позволяют женщинам болью оплачивать славу материнства и говорят с эгоистичной беспечностью: «Все рожали — и ты родишь. От этого не умирают». В виде успокоительных капель приводятся примеры: «Ты представь себе, как раньше рожали крестьянки в поле или в хлеву, как мучились женщины в войну, как рожают бродяжки под забором и т. д.», в качестве доказательства аморальности намерения рожать без боли цитируется Библия: «В болезни будешь рождать детей». Все эти разговоры заражают меня вирусом бешенства. Не хочу быть овцой, ведомой на заклание, не желаю платить за Евины грехи, выцветшие от времени и уже замоленные родовыми муками миллионов женщин. Завтра настанет мой черед принести дитя в мир, и я хочу сделать это с улыбкой.

24 января, четыре часа утра. У моего изголовья сидит страх. Через два часа за мной придут, и я ощущаю, как по спине бегут холодные, щекочущие струйки пота. Вчера вечером у меня так кровоточили нервы от напряжения, что мне вкололи снотворного. Я проспала всего четыре часа и теперь блуждаю в потемках внутреннего «я», не в силах укротить мысли, столпившиеся в голове. Главное, пережить эту ночь, длинную, как столетие. Я в полном одиночестве стою на пороге великой перемены и страшусь обнажить свою слабость перед лицом природной стихии. Еще немного, и занавес поднимется. Я как набухшая весенняя почка, готовая лопнуть. Девочка затихла в животе, и мне немного грустно, что скоро неумолимая сила вытолкнет ее, голую и пронзительно беззащитную, из уютного материнского лона на жесткий яркий свет. Первый ребенок для женщины — это прыжок в неизвестность. Как выглядит моя девочка? Какой у нее характер? Смогу ли я любить ее? Сразу ли во мне проснется чувство материнства?

Мне не хочется включать свет, и я делаю записи на подоконнике, где лежат желтые пятна от фонарей. Я смотрю на яркие разноцветные звезды в небе и гадаю, не изменила ли я гороскоп своей дочери, сама выбрав ей день рождения, не спутала ли я ненароком звездные нити, из которых плетется ткань ее судьбы. Какая ясная хрустальная ночь за окном! Только в январе бывают такие прозрачные ледяные ночи. Воздух полон снежных, переливающихся игл. Сегодня будет отличный денек для появления на свет.

24 января, вечер. Сонечка пришла в мир в два часа дня, и Сергей Прокофьевич не успел на совещание. Мы рассчитывали, что она вылупится в половине второго, но моя дочь, как все женщины, сочла нужным опоздать. Я же принадлежу теперь к числу тех немногих счастливиц, что рожали в полном сознании и, благодаря усилиям врачей, почти не испытывая боли. То, что в развитых странах давно стало нормой, у нас (я имею в виду территорию бывшего Союза) пока является редчайшим исключением. Я таки осуществила вековую мечту женщин родить ребенка без криков и стонов.

Но все по порядку. В восемь часов утра меня, всю чистенькую, в ночной сорочке, дрожащую от страха, привели в родильное отделение. Пока акушерка готовила мне постель, я от нечего делать читала объявления на стенде.

Одна бумажка привлекла мое внимание: «Заявление роженицы такой-то-ся-кой-то гинекологу такому-то. Прошу считать мою просьбу о зашивании недействительной. Подпись, число». «Что за бред!» — подумала я. Позже мне рассказали, что несколько дней назад одна леди, рожая в муках, призывала на головы мужчин всевозможные проклятия и орала приблизительно следующее: «Зашейте меня к чертовой матери! Чтоб ни одна сволочь не могла в меня залезть! Чтоб этим ё...рям не обломилось!» Она так донимала врача-гинеколога, что он, приняв ребенка, с самым серьезным видом начал готовить инструменты для зашивания. На панический вопрос роженицы, что с ней собираются делать, он весело ответил, что, вняв ее слезным просьбам, решил зашить ее на скорую руку. Дама пришла в ужас, после перенесенных мук плотские утехи показались ей вдвойне привлекательными, и она тут же написала официальное заявление об отмене ее опрометчивого решения.

Я уже тоже подумывала, не зашиться ли мне, когда меня пригласили на гинекологическое кресло. Нет ничего вульгарнее позы, которую женщина вынуждена принимать во время осмотра. Мне прокололи околоплодный пузырь, и ванночка, где плавала моя девочка, дала течь. Рыбка будет выбираться сухопутным путем.

В книжках, написанных преимущественно мужчинами, я читала описания начала родов как резкой адской боли, нападающей на роженицу, словно убийца на жертву. Я легла и стала ждать мучений. Первая схватка пришла как волна, легонько потянула низ живота и отпустила. Вторая последовала через несколько минут, причинив нежную, почти вкрадчивую боль. Это было похоже на прилив и отлив. Через полчаса схватки участились, разыгрывалась легкая буря, — так в музыке идет постепенное нарастание звуков крещендо. К тому времени, когда я начала постанывать, мне сделали укол в поясницу, между третьим и четвертым позвонком. Этот особый вид наркоза называется эпидуральной анестезией. Наркотическое вещество смешивается со спинномозговой жидкостью и анестезирует спинномозговые нервы. Происходит странная вещь: сначала в ноги идет приятное тепло, потом тело ниже ребер холодеет и полностью теряет чувствительность. Я даже не могла пошевелить пальцами ног. Голова работала ясно, и я испытывала пугающее ощущение, как будто у меня отрезали половину тела. От холода меня била дрожь, и как я ни пыталась сжимать челюсти, зубы все равно отплясывали чечетку. Анестезиолог объяснил мне, что холод вполне естествен при наркозе.

Вокруг шла успокаивающая медицинская суета — меня подсоединили к электромонитору и капельнице. Обмотанная странными металлическими ленточками, с катетером в позвоночнике и иглой в вене, я походила на космонавта, отправляющегося в полет. Монитор рисовал на экране кривую схваток и регистрировал удары сердца ребенка. Я слушала этот ритмичный стук и все время боялась, что он вот-вот прервется. Схватки усиливались. Положив руку на живот, я чувствовала, как каменеет и расслабляется матка. Я боялась, что неосторожная природа может раздавить вместе со скорлупой и сам орех. Девочка пустилась в опасное, изнурительное путешествие — протискивание через узкий, твердый туннель, образованный костями таза. Ей сейчас не позавидуешь — каждая схватка сжимает ее мягкую головку и вгоняет в костное кольцо. Врач обследовал меня и заявил, что пора переходить в родильный зал. Меня пришлось везти на каталке — я не чувствовала ног.

В полдень наркоз стал отходить, и я столкнулась с болью на самом пике спазм. Я взвыла, как попавший в капкан зверек, и принялась извиваться на кресле. При каждой схватке мне казалось, что я слышу треск собственных костей. Природа, этот безжалостный палач, выдавливала из меня ребенка с суровой методичностью. Раздвигающая боль опоясала таз, и я взмолилась: «Дайте мне еще наркоза! Я не выдержу!» Сергей Прокофьевич попытался меня убедить: «Даша, осталось немного. Если снова сделать анестезию, ты не сможешь тужиться». — «Смогу, — уверяла я, чуть не плача. — Вы дайте мне небольшую порцию». Надо мной сжалились, и через некоторое время я почувствовала блаженный холод, растекающийся в низу живота. Господи, какое варварство, что наши женщины рожают без анестезии! Не больше получаса боль разливалась по моему телу, а мне казалось, что я сотру собственные зубы в порошок. Что же тогда говорить о страдалицах, рожающих по трое суток!

Под действием анестезии я задремала, и сквозь неплотный сон вскоре ощутила схватки совсем иного рода. Близился конец. Боль уже была не противницей, а союзницей. Где-то я читала, что надо принимать судороги, как боксер на ринге принимает удар, — он расслабляется и словно пропускает его через себя, не противится болевому шоку. Я попробовала применить тот же метод, и когда следующая волна схватки накрыла меня, поддалась ей и позволила нести себя. Боль как бы скользнула поверх тела, не затронув глубинных слоев. Когда понимаешь суть физического страдания, легче его вынести.

«Вот уже черные волосы показались. Даша, тужься!» — велел Сергей Прокофьевич голосом генерала, командующего сражением. В припадке вдохновения я взялась за дело. Я надулась, словно воздушный шар, и попыталась вытолкнуть девочку с максимальным усилием, щадя ее слабость. Труд потуг — это грубая, грязная, кровавая работа, лишенная признаков изящества. В ней нет ничего возвышенного. Я удивляюсь, как мужчины-гинекологи, не раз принимавшие роды, могут после этого спать с женщинами.

Вот он, момент освобождения. Что-то выскользнуло из меня, и раздался отчаянный крик. «Девочка», — сказала акушерка, показывая мне красный, еще мокрый живой комочек. Крайняя острота этой минуты сдавила мне горло. Господи, неужели эта маленькая пищащая обезьянка с крошечными скрюченными ручками и ножками моя дочь? Девочку замотали в кучу тряпок и одеял и положили на стол. Я забеспокоилась: «Ей закрыли носик. Она не может дышать». Вокруг засмеялись: «Не бойся, с ней все в порядке». Я не испытывала ровно никаких чувств к этому тщедушному существу, кроме внезапно навалившегося чувства долга, которое придется волочить за собой всю жизнь.

Меня стали готовить к общему наркозу, чтобы зашить разрез промежности. Девочка шла, прижав ручку к голове, словно солдат, рапортуя о своем появлении на свет. Пришлось сделать разрезы, чтобы помочь ей выбраться. Вскоре я почувствовала странный привкус во рту, у меня закружилась голова, и я полетела вниз по длинному-длинному коридору. Лететь было скучно, пока я не добралась до квадратной желтой комнаты с грубыми деревянными скамейками по периметру. Это было нечто вроде комнаты ожидания. Я почувствовала тоску смерти и уселась ждать, когда меня позовут. Вокруг деловито сновали какие-то люди с бумагами в руках, не обращая на меня внимания. «У них, наверное, неразбериха, — подумала я. — Слишком много покойников». Наконец меня позвали чьи-то резкие голоса: «Даша, просыпайся!» Я удивилась: они просто не знают, что меня уже нет. «Я вижу смерть», — отчетливо услышала я свой собственный голос. В моем мозгу извивались и скрещивались чрезвычайно изысканные мысли, они вспыхивали, словно острые, болезненно яркие лучи. «Даша, открывай глаза», — настаивали голоса. «Я умерла», — возразила я, не желая выходить из желтой комнаты. Вместо реальности у меня был богатый выбор призраков — их шествие я, как Макбет, наблюдала в одиночестве. «У тебя родилась дочь. Ты знаешь об этом?» — спрашивали голоса. «Нет. А она жива?» — «Тьфу ты, Господи, жива!» — «А я умерла», — упрямо заявила я, наблюдая, как медленно раскалывается зеркало моего сна. Вынырнув из-под его обломков, я увидела потолок с множеством ламп. «Наконец-то, — облегченно заметил кто-то. — Ты пришла в себя?» — «Да, я могу даже посчитать лампы на потолке», — сказала я и насчитала, кажется, в два раза больше. Люди вокруг улыбались мне и что-то разом говорили. Я разочарованно вздохнула: у меня украли мою смерть.

Одурманенное сознание медленно возвращалось к действительности. Мне поднесли девочку. Она вежливенько приняла мою грудь и сонно пожевала сосок, не открывая глаз. После путешествия вне времени и пространства все вокруг казалось нереальным. Единственной реальностью был холод — на животе лежал пузырь со льдом.

25 января. Сегодня познакомилась с дочерью. В шесть часов утра медсестра всучила мне белый кокон из тряпок. Я к встрече не подготовилась и смутилась, как девушка на первом свидании. Нас оставили один на один, я положила сверток на кровати и стала рассматривать крохотное личико багрового цвета, единственное, что можно было увидеть в ворохе пеленок. Девочка открыла глаза и уставилась на меня с полнейшим безразличием. Я вглядывалась в сонную темноту зрачков этого маленького сфинкса, пытаясь разобраться в собственных ощущениях. Вот я и снесла яичко, но прилива материнских чувств пока не ощущаю. Весь день под окнами надрывались от крика мужья: «Мань, покажи дочку! Ой, ну вылитая бабушка!» «Оля, у мальчика отцовский нос, поверь мне!» Ума не приложу, как можно с улицы рассмотреть в окне четвертого этажа носик ребенка, закутанного в кучу тряпок и одеял.

Наш этаж напоминает богадельню или инвалидный дом — по коридору осторожно передвигаются, держась за стенки, женщины-полутрупы. У большинства из нас адским огнем горят швы на промежности. Поскольку трусы в роддоме запрещено носить, женщины умудряются удерживать между ног свернутые тряпки, от чего походка приобретает странный утиный характер, у таких нерасторопных, как я, тряпки вечно вываливаются на пол. Кормят неплохо, но поесть можно только стоя: садиться запрещено, так как швы могут разойтись. Ноющая боль в промежности способна доконать самых терпеливых, я даже не рискнула еще помочиться. Сегодня, когда пожилая нянечка выдавала мне положенный сверток тряпок, мне стало так плохо, что я прислонилась к стене и застонала. «Что ж вы, девки, все стонете! — изумилась няня. — Терпите, родить — это вам не посрать сходить».

Соню приносили шесть раз, и, по правде сказать, я даже заскучала. Она все время спала. Я рассматривала ее еще не затуманенными любовью глазами и нашла, что она совершенно на меня не похожа. Ее тельце вылеплено из того же теста, что и мое, но неведомый пекарь положил туда иные дрожжи. Кроме гордости, что я произвела на свет такое крупное дитя, я пока ничего не испытываю.

26 января. Утром переполошила все отделение. Я лежала и ждала, что мне принесут ребенка. Приехала каталка с младенцами, медсестры торопливо хватали вопящие свертки и разносили по палатам. Я скучливо зевала и вдруг заметила, что прошло уже десять минут, а девочки все нет. Собственная реакция изумила меня до крайности. Я подскочила, кое-как натянула халат и выбежала в коридор, крича, что у меня пропал ребенок. Растрепанная, в распахнутом халате, вся в слезах и соплях, я напоминала фурию. Акушерки уставились на меня, как на привидение. Заведующий отделением прочел мне лекцию на тему, что негоже молодой матери впадать в истерику только потому, что ребенка задержали для врачебного осмотра. «А вы что, не знаете, что у женщин бывает послеродовая депрессия?!» — парировала я. «Возьмите себя в руки, — сурово велел он. — Наденьте косынку, вымойте руки и грудь, выпейте успокоительного».

Когда Соню принесли, я замучила ее ласками и так тормошила, что она приоткрыла голубые бусинки глаз и возмущенно запищала. Что это со мной? Пресловутый материнский инстинкт?

27 января. У меня развивается паранойя. Сегодня ночью добрейшего вида нянечка забирала Соню из моей палаты. Она так мило сюсюкала с девочкой, что вызвала у меня подозрение. «С какой стати, — думала я, — няне, через руки которой прошли тысячи детей, так ласкаться с Сонечкой?» У меня возникла сумасшедшая мысль, что мою дочь хотят украсть. Я вышла в коридор и тайком проследила за добродушной пожилой женщиной, убедившись, что она отвезла каталку с младенцами в детское отделение. Одно предположение, что кто-то может посягнуть на мою кроткую, толстощекую Соню, вызывает у меня ужас. Во всем, что касается дочери, я, кажется, теряю чувство юмора.

28 января. Снился безумный сон. Молодой мужчина разительной внешности с совершенно белыми волосами и бледным, луноватым лицом, ярко отмеченным блестящими синими глазами, приговорил меня к смерти. Он долго гоняется за мной и наконец ловит меня в огромном зале, полном множества людей. На мне нет ничего, кроме алой ночной сорочки. «Вот и хорошо, — смеется мой враг, — на алом не видна кровь». Он достает острый длинный нож, вводит его в меня и протыкает насквозь мою матку. Я почти задыхаюсь от сладкой боли, похожей на оргазм, убийца оставляет меня истекать кровью на холодном каменном полу и говорит на прощание: «На миру и смерть красна». Вокруг ходят люди, небрежно переступают через мое неподвижное тело, я пытаюсь кричать, но голос мой сипит и рвется.

Проснулась в обостренном состоянии неукротимого вожделения с обильной испариной на лбу. Белые струйки стекали с сосков, простыня подо мной вымокла насквозь. Груди разрывались от прибывающего молока, резко подскочила температура, и меня бил озноб. Пришел врач и после осмотра велел немедленно сцеживаться. До трех часов ночи я, плача от боли, неловкими пальцами выдавливала из каменных грудей желто-белые капли.

7 февраля. Сонечка — препотешное создание. Сегодня мы принесли ее домой, развернули, и я наконец-то рассмотрела своего ребенка. У нее средневековая внешность, как на портретах шестнадцатого века, — круглый, упрямый, как у козочки, лобик, тяжелые веки и двусмысленные углубления в уголках рта. Голова словно на нитке держится, темные волосики стоят дыбом. Она молчалива и погружена в себя. Детский врач в роддоме говорила про нее: «Рассудительная девочка. Кричит только по делу».

Я не вижу в дочери ни одной своей черты. Вылитый отец. Моя сущность, но отлитая в иную форму. Обидно — мое тело трудилось девять месяцев, создавая человечка из своих лучших материалов, а муж обстряпал только плевое дельце зачатия, и на тебе — дочь похожа на него, а не на меня.

Я еще не знаю, люблю ли я свою дочь, но она нуждается во мне — это меня обезоруживает. Я по десять раз за ночь встаю, чтобы убедиться, что Соня существует и дышит. Девочка так невинна, что ее можно причастить без исповеди, — у нее душа просвечивает сквозь кожу. Я для Сони сейчас — только теплая, полная молока грудь. Она, как жадная пиявка, припадает ко мне прожорливым ротиком, и я узнаю новый кайф — удовольствие служить пищей для другого существа, быть съеденной. Любовь движется путаными тропами, и никогда не знаешь, где и когда она возьмет тебя за горло.

6 мая. «Кто сказал, что мадонна не может быть блядью? Может», — уверенно думала я, разглядывая в музее портреты мадонн с толстенькими младенцами на руках, — их лица в тихом жару, святой блеск в глазах и лукавые губы. Жизнь подтвердила мою догадку. Когда меня выпустили из роддома после двухнедельного заточения с пищащим свертком в руках, первая моя мысль была простой, как правда, — неплохо бы потрахаться. А что вы хотите? Лишите здоровую, сексуально озабоченную женщину согревающего мужского внимания, оставьте ее вызревать в покое, словно овощ на грядке, и через девять месяцев вы получите законченную нимфоманку с беспокойным зудом между ног, опасную, как граната с выдернутой чекой.

Осуществить столь простое желание, как секс, оказалось крайне трудным делом. При первом же любовном натиске все мои интимные места, заштопанные на скорую руку после родовых разрывов, затрещали по швам в буквальном смысле. Мои груди, выросшие до размеров гигантских сочных тыкв (впервые в жизни!), от возбуждения переполнились молоком и брызнули обильными белыми фонтанчиками. Молочные реки неудержимо разливались в течение всего эротического процесса. Все вокруг было мокреньким и липким — простыни, супруг, ну и я, разумеется. Но самым разочаровывающим оказался тот факт, что мой любовный тоннель, прежде такой приветливый и узенький, после родов расширился до невероятных размеров. Про такой в народе грубо и точно говорят: «Ведро со свистом пролетает». Эта торричеллиева пустота требовала немедленного заполнения мужским жезлом, сходным размером с хорошей палкой докторской колбасы. А поскольку в природе такого не имелось, чувство физической неудовлетворенности росло как на дрожжах. Желание скользило по мне, как огонек по бикфордову шнуру, и нервный взрыв был неминуем.

Общество обычно рисует себе положительный образ молодой матери, как две капли воды схожий с Наташей Ростовой, которая «растрепанная, в халате, могла выйти большими шагами из детской с радостным лицом и показать пеленку с желтым вместо зеленого пятном, и выслушать утешения о том, что теперь ребенку гораздо лучше». Этот образ опустившейся Наташи, забросившей все свои очарования ради семьи, почему-то считается идеалом, почти иконой для начинающих матерей. Помню, каким шоком было для моих родственников, когда я, сидя у кроватки новорожденной, полировала себе ногти и красила их в вызывающий черный цвет. Это сочли вопиющим нарушением приличий.

Все истерики, слезы, взрывы кормящих матерей обычно приписывают естественным трудностям ухода за младенцем. И мало кто придает значение такой «мелочи», как пробуждение самки в рожавшей женщине. От недавней роженицы начинает исходить бешеное электрическое напряжение, она становится сверхчувствительна к случайным прикосновениям, точно старая дева. Невинность ее новой роли, сопровождаемой умильным агуканьем младенца, и сексуальная одержимость тела создают пикантный эротический контраст.

Молодая женщина встает на кровавый путь желания — с могущественным ядом в сердце, с греховным блеском в глазах. Большая ошибка мужей — пытаться препятствовать неизбежному.

На женском языке этот новый процесс называется «вторично перебеситься». Женщина готовиться вновь лишиться чести — на этот раз чести замужней женщины. И смысл не в том, чтобы заткнуть вечно алчущую «дырку» доступным способом. Смысл заключается в желании женщины вновь ощутить уверенность своего тела, перестать быть просто машиной для человекопроизводства, хоть на время избавиться от вопросов окружающих: «Как чувствует себя малыш? Прибавил ли он в весе? Почем вы покупаете памперсы?» Я помню, как я сбегала из дому и кружила по улицам с алой помадой на губах, в прозрачном до дерзости платье, в поисках случайного флирта.

По американской статистике каждая вторая женщина испытывает послеродовую депрессию и болезненное ощущение сексуальной неудовлетворенности в течение года. Что делать мужьям, замечающим признаки сексуального «бешенства» в своих половинах (обычно женщины бросаются покупать в сумасшедших количествах нижнее белье, чулочки, эротические тряпочки и прочую возбуждающую дребедень)? Главное, не мешать. Любое действие рождает противодействие. Измена, исполненная лишь в воображении женщины, может стать реальностью, если ее спровоцирует ревность мужа. Как правило, перевозбужденные женщины ограничиваются флиртом, уличными знакомствами, игрой в поцелуи, атмосферой маленькой тайны. Своеобразное бегство из страны добропорядочности. Через год-полтора, когда влагалище сократится до нормальных размеров, когда материнский долг войдет в привычку, когда женщина снова начнет полноценную жизнь, запретный плод потеряет часть своей привлекательности. Ждите, и поможет вам в этом бог матерей и любовников.

Арабские записки

13 августа. Существует легенда. Когда Бог второй раз пришел на землю, он взялся за ревизию своих владений. Пролетая над Америкой, Господь подивился необратимым переменам — понастроили небоскребов, мостов и «Макдоналдсов». Европа разочаровала его Эйфелевой башней, автомобильными пробками, сосисками с пивом и ночными созвездиями кабаре. Добравшись до Йемена, Господь обрел наконец тихое пристанище. «Вот, — облегченно заметил он, — вот место, где за две тысячи лет ничего не изменилось».

Положа руку на сердце, могу заверить, что легенда недалека от правды. В Йемене, действительно, можно услышать тысячелетний скрип планеты, которая трется о свою изношенную ось. Ступая на желтую библейскую землю Саны, города, основанного еще сыном Ноя Симом, и чуя вкрадчивый запах канализации, можно смело переводить часы на несколько веков назад. Эту древнюю, усталую страну с нетронутой культурой населяет столько воспоминаний, что она предпочитает держаться за прошлое, когда античные географы называли Йемен «Счастливой Аравией», чем строить настоящее.

Скидывая вчера в чемодан вещи, я похвасталась мужу: «Вообрази! Там живет плащеносный павиан!» — «А пальтоносного коня там нету?» — рассеянно осведомился он, не отрываясь от газеты. «Нет, коня в пальто нету, — с сожалением ответила я. — Зато водится зебувидная корова, горбатая, как верблюд».

Этикет путешествий по арабским странам давно разработан русскими. В качестве любимого «наркотика» для йеменских друзей, учившихся в бывшем Советском Союзе, хорошо захватить с собой сало, — несмотря на скверное отношение мусульман к свинине, салом дорожат как первой русской любовью. Памятуя о сухом законе, необходимо затариться водкой. Правда, в количестве двух бутылок, на таможне все равно отберут излишек. Есть еще проверенный способ — переливать спиртное в пластиковые бутылки из-под кока-колы. Вкус к нелегальщине сидит у русских в крови. Меня выловили в самолете йеменской компании, когда я чересчур часто прикладывалась к невинной на первый взгляд бутылке пепси. Полагаю, у меня подозрительно блестели глаза. «Что это у вас?» — строго спросил стюард. Я с детства не умею врать и честно ответила: «Водка». — «Немедленно спрячьте, вы оскорбляете чувства мусульман». — «Интересно, с каких это пор пепси оскорбляет ваши чувства? В конце концов, мы находимся в воздухе». — «Не забывайтесь, вы на борту йеменского самолета. Стыдитесь, мы пролетаем Мекку», — заметил он, указывая на иллюминатор. В самом деле, внизу сверкала звезда великого города.

Первое, что удивляет новичка в Сане, столице Йемена, — это хроническая одышка. Трудно подняться даже на второй этаж, не запыхавшись. Город расположен на высоте 2100 метров, и нехватка кислорода составляет 25%. Вода здесь кипит при 80 градусах, что затрудняет, например, обычную варку картошки. Ворота старого города запирались ночью на ключ, словно в сказке, еще каких-нибудь тридцать лет назад. За толстой глинобитной стеной начинается своеобразный музей йеменской архитектуры: скопище средневековых восьмиэтажных каменных домов, источающих прохладу. Хитроумная комбинация узких, как щели, улочек заполнена ярмарочной суетой. Здесь можно купить все дары земли и плоды рук человеческих. Старый город испускает сложное благоухание — волнующий запах пряностей, ароматы йеменского чая с кардамоном и корицей и кишра (отвар кофейной шелухи, по вкусу напоминающий смесь кофе и чая), запахи свежего хлеба, жаренных в масле сладостей и запах гнили, исходящий от мусорных куч. Здесь продается свежее масло, которое сбивает верблюд, двигаясь вокруг маслобойки. В ряду специй от перца першит в горле. Ввинчиваясь в пеструю толпу, бродят западные туристы, выпытывая у старых стен их тайны в надежде услышать тот самый шепот веков, который им посулили туристические фирмы. Они толкутся у лавок, где продается серебро и оружие VIII—XIX веков — мушкеты и карабины за какие-нибудь 30—50 долларов. Некоторые делают на этом бизнес — скупая в Сане за бесценок оружие и продавая его европейским коллекционерам за сумасшедшие деньги. В старом городе узнаются последние сплетни, а в харчевнях заключаются торговые сделки. Изредка на воротах вывешивают отрубленные за воровство руки в назидание остальным. Последний раз, когда семь отрубленных рук, гниющих под солнцем, украсили вход в старый город, изумленный шепот зевак вызвал массивный золотой перстень, оставленный на толстом мужском мизинце.

Йеменцы обычно не выходят на улицу без джамбии — кривого, с широким лезвием кинжала в зеленых ножнах. Его форма и отделка часто зависят от социального положения владельца. Кинжалы украшают серебром, старинными золотыми монетами, а рукоятку делают из рога носорога, привозимого из Африки. Есть джамбии ценой в сто тысяч долларов, передающиеся из поколения в поколение, их одевают в торжественных случаях. Иногда, чтобы выйти из дома на ответственный прием, хозяин драгоценной джамбии вынужден брать с собой охрану. Но эти кинжалы имеют ценность только в пределах Йемена.

Первое время я думала, что большинство мужчин здесь страдает хронической зубной болью — у всех раздута одна щека, в виде флюса. Выяснилось, что местные жители обожают часами жевать кат (наркотическое растение). Этим балуются даже дети. В обиходе есть такой термин — «обжеванный».

Цивилизация довольно энергично вторгается в жизнь йеменцев — любому бедуину понятно, что кочевать по пустыне гораздо удобнее на джипах, чем на верблюдах. К машинам относятся разумно, как к средству передвижения, — их не принято чинить. Вот и ездят они, битые-перебитые, хлопая бамперами на ветру и демонстрируя отсутствие дверей. Поскольку правил дорожного движения фактически не существует, аварии — дело обыденное. Несмотря на непотребный внешний вид машин, тяга к прекрасному их владельцев выливается в весьма причудливые формы — на фарах рисуют томные глазки с длинными ресницами, капот украшают павлиньими перьями (или крашеными петушиными) и бумажными цветами. По периметру автомобилей крепят металлические решетки с разноцветными птичками, рыбками, зверюшками и плеточками. Собак, перебегающих дорогу, водители безжалостно давят. Нет хуже ругательства для мусульманина, чем «собака». В их представлении это нечистое животное, они искренне недоумевают, почему белые держат этих тварей у себя дома. Собаки платят арабам той же монетой ненависти.

14 августа. Сегодня наконец-то попробовала кат. Для йеменцев это великолепный способ наслаждаться временем и губить его. Ката не пожевал, день пропал. В любом доме есть специальная катовая комната. Кат — это невысокое зеленое деревце, для жевания используются только верхние, молодые и нежные листочки. Жуют обычно после обеда в течение трех-пяти часов каждый день. Как говорят йеменцы, для жевания нужен сытый желудок и тепло.

Мы начали процесс жевания с трех часов дня. Народ разлегся на подушках, разбросанных на мягких, похожих на цветочные клумбы коврах. Посреди комнаты навалили копну ката, как сена коровам, и расставили термосы с ледяной водой (листья вызывают небольшую сухость во рту). За один раз полагается сжевать пять-шесть деревьев на человека. Вся хитрость в том, чтобы не глотать листья, а прятать их языком за щеку, как хомяк. Для европейца это нелегкая задача — с непривычки глотаешь. По моему глубокому убеждению, у йеменцев особое устройство щек — с перегородкой, за которую удобно складывать кат. Поскольку я новичок, мне выделили плевательницу. Но опытные жевальщики никогда не опустятся до плевков — пережеванный комок держится как минимум три часа. Горьковатый сок поступает в кровеносные сосуды щеки и вызывает легкую иллюзорную эйфорию, прилив энергии, обманчивую жажду действия. Кажется, будто вспыхивает свет, и все предметы становятся ярче. Дальнобойщики без ката не выезжают в дорогу — ночью им будто спички в глаза вставляют. Западные бизнесмены утверждают, что с йеменцами трудно иметь дело. Обжевавшись кату, они горят желанием свернуть горы, начать сразу десять дел, им кажется, что весь мир у них в кармане. Они могут сегодня обсуждать смелые проекты и выдвигать оригинальные решения, а завтра утром уже позабыть вчерашние планы или просто утратить к ним интерес. Мой переводчик Ахмед говорит: «Если утром я могу рассердиться на сына за шалость и отшлепать его, то вечером, после ката, я все прощу». По его словам, это нечто вроде мудрого, всевидящего опьянения.

Йеменцы утверждают, что кат — это не наркотик, хотя, например, в соседней Саудовской Аравии за его употребление рубят голову. Исследования врачей показали, что катофагия — это хроническая интоксикация организма, угрожающая нации вымиранием. К примеру, врачи утверждают, что низкий рост йеменцев обусловлен отчасти жеванием ката.

Существуют разные виды ката — одни возбуждают физическую энергию, другие — умственную. Это зависит от места их произрастания. После жевания определенных сортов хорошо заниматься любовью. И цена на кат разнится от 2 до 50 долларов за пучок. Говорят, это наркотическое растение обостряет ощущения от спиртного. «Ваш русский кат (так йеменцы называют водку) усыпляет и расслабляет, а наш будит к жизни», — сказал Ахмед.

Кат располагает к неторопливым беседам. Его хорошо сочетать с яблочным или клубничным кальяном (табак, перетертый с яблоками или клубникой). В доме, где нас принимали, у кальяна был длинный и толстый, как у пылесоса, шланг, уходящий через отверстие в стене в соседнюю комнату. Когда стемнело, зажегся нежный свет, льющийся через витражи. Мужчины откровенничали о семейных делах, открывали тайны браков и разводов.

Развод здесь — дело обыкновенное и частое, в отличие от других арабских стран. Достаточно мужу в присутствии свидетелей сказать жене: «Талак, талак, талак», и формально они уже разведены. Если дело касается имущества, денег или детей, то обиженная сторона обращается в суд. Мужчина может развестись по той простой причине, что просто не хочет жену, — ведь в большинстве случаев он не видит свою невесту до свадьбы. Обычно отец или брат выбирают жениха девушке, а мать устраивает невесте сына смотрины. Но ведь вкусы у всех разные. «Это все равно что выбирать арбуз, — заметил один из гостей, Абдулла. — Никогда не знаешь, плохой он или хороший, все с виду зеленые и круглые. Моему приятелю недавно подсунули сухорукую, так он теперь кучу денег на докторов изводит. Вот я, например, женился первый раз, как снял с невесты чадру, так мне плохо стало. Кое-как выполнил супружеский долг, а потом не смог. Бывало, если пересплю с ней, после так тошно, что в одной комнате с ней находиться не могу». Абдулла заплатил за жену 4000 долларов и решил выкрутить хотя бы часть денег обратно. Существует ряд хитростей — если жена подает на развод, тогда муж может стрясти с нее половину выкупа, если муж желает развестись, он должен заплатить отступного. Абдулла просто игнорировал жену в течение полугода, пренебрегал ее постелью до тех пор, пока она не побежала жаловаться родителям. Те посоветовали подать на развод. Абдулла вернул свои 2000 долларов.

Женщина в Йемене — это фабрика производства детей. Она рожает каждый год, начиная с 15 лет (средний возраст невесты), и к 30 годам превращается в старуху, а муж берет в жены молоденькую. Популярны браки между двоюродными братьями и сестрами, по этой причине рождается много детей с наследственными уродствами.

Дети по шариату принадлежат отцу. Это часто является откровением для русских женщин, вышедших замуж за йеменцев. Не так давно разгорелся крупный скандал, касающийся развода русской и жителя Саны. Марина Н. жила в Петербурге вместе с мужем и дочерью, родившейся там же. Отношения между супругами ухудшались. Когда Марина попала в больницу, муж, воспользовавшись тяжелой ситуацией, подделал нотариальное согласие матери на вывоз ребенка, похитил девочку и увез ее к себе на родину. Выйдя из больницы, Марина бросилась на поиски дочери. Приехав в Йемен, она выяснила, что у нее нет возможности вывезти дочку, поскольку по местным законам девочка является йеменской гражданкой, хотя родилась в России, и принадлежит отцу. Более того, суровый папа дал на границу в аэропорту все сведения о своей жене и ребенке во избежание его похищения. Отчаявшись чего-то добиться законным путем, Марина решилась на хитрость — она помирилась с мужем, и некоторое время все шло тихо и гладко. Тут в семейной драме появляется новый персонаж — в дело вступает русский консул. Он выписывает Марине поддельный паспорт на другую фамилию, и в один прекрасный день женщина с ребенком бежит из страны от одной судьбы к другой. Тем же самолетом улетает в отпуск русский консул.

Люди всегда ищут нечистую подкладку чужой самоотверженности, и досужие сплетники стали утверждать, что за благородством консула кроются якобы корыстные мотивы — деньги или постель. Но как говорит один мой знакомый: «Даже если и так, отчего не переспать с хорошим человеком?» Как бы там ни было, доброта на том свете вознаграждается. Однако теперь русское посольство завалено нотами протеста, арабские газеты подняли крик, что мусульманское дитя похищено с одобрения официальных лиц. Наши дипломаты справедливо возражают, что йеменский папа первым нарушил закон, тайно вывезя ребенка из России и подделав на нее документы, тем более что девочка является российской гражданкой. Сердитый папа время от времени приходит в наше посольство с угрозами о неизбежной мести.

Не всем так везет, как Марине Н. Одна русская гражданка (назовем ее Наташа К.) поселилась в Сане с мужем и двумя сыновьями — пяти лет и семи месяцев. Любовь постепенно сошла на нет. Наташа поехала в Москву с грудным младенцем навестить родственников. По возвращении в аэропорту муж встретил ее еще на границе и сказал: «Милая, давай я возьму у тебя сыночка и дам подержать бабушке, пока ты получаешь вещи». Он взял мальчика и отнес его своей матери. Затем вернулся и со словами «талак, талак, талак» сунул ей бумажку с решением суда о разводе. И добавил: «А теперь катись обратно в Россию». Женщина упала в обморок. Даже арабы, бывшие свидетелями этой сцены, сказали, качая головами: «Ну ты, мужик, дал маху» (общий смысл их высказываний). Наташа обратилась в суд, мотивируя свой протест тем, что мать по местным законам имеет право воспитывать своего ребенка до семи лет. В результате трех судебных процессов было вынесено решение: мать остается воспитывать детей, но на условиях мужа. Тот поселил ее в горах, в своем племени, в хорошем доме со всеми удобствами и с... охраной, чтобы не сбежала с детьми. Изредка Наташа может выехать в Сану, но только в сопровождении двух охранников с автоматами. То, что наши русские дамы, уезжая за чужеземным счастьем, даже не удосуживаются ознакомиться с законами страны, где они собираются жить, — это меня не удивляет. Но когда в подобные ситуации попадают западные женщины, обычно практичные и осторожные, — тут можно только руками развести. Одна английская Мери вышла замуж за йеменца, поселилась с ним в Лондоне, и вскоре у них родились две девочки. Прошло 15 лет, дочери подросли, а папа внезапно заскучал по родине. Тайком он распродал свое имущество, потом сказал своей жене: «Дорогая Мери, давай я отвезу наших девочек в Йемен показать их дедушке и бабушке. Они так давно не видели внучек». Мери с легким сердцем отпустила дочек с мужем в поездку. Папа, приехав в Сану, тут же продал девочек замуж (думаю, за немалые деньги, поскольку они являются британскими подданными, а по английским законам их мужья через несколько лет смогут претендовать на гражданство) и отослал в Лондон жене бумажку о разводе. Мери бьется вот уже два года, пытаясь вызволить девочек. Она добралась даже до королевы, которая послала письмо президенту Йемена с просьбой помочь несчастной матери. Президент ответил в таком духе: «Дорогая королева, мы живем в свободной стране и строго следуем законам. А по нашим законам девочки являются йеменскими гражданками, к тому же они вышли замуж» и т. д. Теперь бедная Мери борется за права женщин и участвует в многочисленных международных женских конференциях.

15 августа. Чудесный вечер в компании русского врача-офтальмолога по имени Валерий. Он явился ко мне, словно чертик из табакерки, с букетиком цветов, и сразу шумно заполнил собой пространство. Высокий, дьявольски красивый, из той породы мужчин, которые нравятся всем женщинам без исключения, — этакий самец-победитель. Бездна обаяния, глаза соблазнителя, особый тон вкрадчивого голоса с собственнической, интимной ноткой. Под внешне пристойными манерами чувствуется что-то вольное. В первые минуты знакомства его глаза сузились, оценивая мою внешность, и я вся подобралась, кожей ощущая, как меня бесцеремонно раздевают взглядом. По-видимому, я показалась ему вполне удовлетворительным объектом, и он тут же включил на всю катушку свое обаяние, к чему я сразу отнеслась с легким скепсисом. Донжуаны — порода вполне предсказуемая.

Мы отправились в маленький, изысканный ресторан, где оказались единственными посетителями. Электричество в очередной раз отключили, и официант поставил на стол свечи. Теплое золото огня сразу растопило ледок предварительного знакомства. Кухня оказалась превосходной. Обилие южных кушаний, острый аромат которых способен расшевелить камни, мясные блюда, добротные, основательные, с густыми соусами и душистыми кореньями и травами, множество маленьких переперченных пирожков и водка, которую мы предусмотрительно захватили с собой (спиртное в здешних ресторанах не подают даже иностранцам). И повсюду головокружительный запах кардамона, который здесь добавляют во что ни попадя.

Я ела, пила водку и слушала, слушала, слушала красочные истории из жизни предприимчивого русского врача в дикой арабской стране. Я невольно втянулась в ту ауру жизнелюбия, которая исходила от этого крепкого тридцатипятилетнего мужчины. Такие люди всегда оказываются в центре событий в любой точке земного шара, куда бы их ни забросила судьба. Они сразу обрастают друзьями, деловыми связями и женщинами и умеют из любой ситуации извлекать максимум удовольствия. Они не идут на поводу у обстоятельств, они сами их создают.

Из ресторана мы перебрались в мой отель, уже изрядно отяжелевшие от водки и еды. Мы сели пить чай с молоком и кардамоном в летнем кафе в маленьком внутреннем дворике гостиницы. Потолком здесь служило бархатистое, как восточный ковер, ночное небо. Валера рассыпал передо мной блестки своего очарования, а я молчала и лениво плыла по волнам моих грез.

— Почему ты все время прищуриваешься, когда хочешь что-нибудь рассмотреть? — вдруг спросил Валера. — У тебя плохое зрение?

— Да, — честно призналась я.

— Так давай я тебе сделаю операцию, — тут же предложил он. — Будешь видеть, как сокол.

— Когда?

— Да хоть завтра. Чего тянуть?

Я с дрожью представила, как Валера будет завтра с похмелья ковыряться в моих глазках, и решительно отказалась. Нельзя вечером «квасить» с человеком, а утром ложиться к нему под нож. К врачу-хирургу надо испытывать трепет почтения, даже обожествления, как к жрецу чудесного, к почти Богу, в руках которого тоненькие ниточки жизни и смерти.

В час ночи я поднялась и сказала, что у меня раскалывается голова и мне пора в постель. «Я могу подняться в номер вместе с тобой и сделать тебе массаж головы», — не моргнув глазом предложил Валера. «О нет», — подумала я, а вслух отказалась, сославшись на позднее время. Почему я так не доверяю красивым женатым мужчинам?

17 августа. Сегодня ездили в Мариб, на родину царицы Савской, в гости к бедуинам. Там начинается великая аравийская пустыня Руб-эль-Хали. Мариб прославился безраздельным владычеством племен и регулярным захватом заложников. По дороге туда на многочисленных постах нашу машину останавливали и, указывая на меня, задавали неизменный вопрос: «Откуда гость?» Это на тот случай, если белая женщина пропадет, будут знать, между какими постами она исчезла. Заложников берут по разным причинам — например, племя хочет заставить правительство построить дороги, колодцы, школы или выпустить на свободу каких-нибудь влиятельных людей, попавших в тюрьму за различные провинности. Поскольку в восьмидесятых годах в Йемене нашли нефть и газ, то теперь племена ведут жестокую борьбу, чтобы трубопровод проходил через их территории. Ведь трубопровод — это прекрасное средство манипулирования президентом. Всегда можно будет в ответственный момент закрутить гайки.

В заложники берут как простых смертных, так и важных птиц, таких, как первый секретарь американского посольства. В январе взяли туристическую группу французов. Найти людей в горах —

практически невыполнимая задача. Проще сдаться и согласиться на требования террористов.

Заложников принимают с почетом и даже роскошью. Ведь они — гости, пусть и не по своей воле. Для них закалывают жирных баранов, их селят в богатых домах и возят на охоту, мужчинам дают женщин. Один канадец, взятый в плен, просидел в далекой горной деревеньке три месяца. С ним обращались самым достойным образом — дали ему джип и даже автомат. Возникает резонный вопрос — почему же он не убежал? «Далеко не убежишь, — возражали мне, — каждая тропка охраняется, вокруг посты. Да и сама подумай — куда бежать, если дороги в горах не знаешь». Когда канадца выпустили, он вернулся в Йемен через несколько месяцев и в благодарность за теплый прием выстроил в деревне за свои деньги школу и вырыл колодцы. Когда его спросили о причинах такого благородства, он ответил, что провел три потрясающих месяца в заброшенном краю, что видел такие места, каких ни один турист никогда не видел. Он был наслышан об ужасах арабского терроризма и ожидал самого бесчеловечного обращения, а его принимали как лучшего друга.

Мы ехали в Мариб с двумя ребятами из племени, вооруженными автоматами Калашникова и пистолетом. Вдоль узкой извилистой ленты горной дороги кое-где были расставлены чучела полицейских — для устрашения. Мой переводчик Ахмед предавался сентиментальным воспоминаниям о Киеве — как они жили в общежитии и протаскивали мимо строгих вахтеров маленькую девушку в огромном чемодане с дырками для воздуха. Девушка была одна на двоих — для Ахмеда и его друга. Иногда они ее подтягивали на связанных простынях из окна общей кухни.

Мы долго тряслись по пустыне на джипе в поисках кочевников. Наконец добрались до временной стоянки одного из племен. Рядом с небольшим стадом побитых джипов стояли несколько переносных шатров. Вокруг валялись бараньи ноги и паслись овечки. Шатер — это натянутые на деревянные колья пестрые шерстяные полотнища. Боковые стенки его не закреплены, чтобы не мешать циркуляции воздуха.

Под беспощадным солнцем у меня мгновенно обгорела кожа. Вечный яркий свет, ни малейшей тени. Горячий ветер поднимал тучи песка, который вмиг облепил нас. Песок скрипел на зубах, набивался в туфли, терся об потную кожу. И не было спасения от его вездесущего проникновения.

Поселок был почти пуст — все племя ушло пасти верблюдов. Нас принял один почтенный патриарх со своими четырьмя женами, младшая из которых пребывала в нежном возрасте 12 лет. Мы вошли в шатер, куда нас пригласили.

На полу лежал совершенно голый четырехмесячный младенец мужского пола со вздутым животом, весь облепленный песком и мухами. Он писал прямо на ковер, и раскаленный воздух мгновенно высушивал влагу. «Да, тут в памперсах нет нужды», — подумала я и сделала ребенку козу. Он заулыбался во весь свой беззубый рот. Мужчины вышли из шатра, и двенадцатилетняя женщина рискнула снять черное покрывало. У нее оказались карие ланьи глаза и раздутые ребячьи губы. Длинные волосы змеились по плечам. Эта девочка-женщина протянула мне миску кислого молока. Я жестом выказала признательность. Жены жадно рассматривали меня, время от времени протягивая тонкие темные руки и трогая мою одежду. Пользуясь импровизированной азбукой глухонемых, они выяснили, есть ли у меня дети и какого возраста.

Позже я присоединилась к мужчинам, которые в соседнем шатре уже начали жевать кат. На лице старика-кочевника, как на гадальных картах, было написано все его прошлое: долгие дороги в пустыне, в беспредельности жестокого солнца, болезни, потеря близких. Он явился сюда из глубины веков. Старик пытливо рассматривал меня, ожидая чего-то необычного. В воздухе повисло молчание, все ждали какого-то спектакля, может быть, странной выходки белой женщины, о которой потом можно будет долго рассказывать. Ведь здесь так мало пищи для воображения. У меня мозги плавились от солнца и саднила обожженная кожа, я лихорадочно пыталась что-нибудь придумать, чтобы разрядить атмосферу. В углу тридцатилетняя дочь старика гладила маленького серого кролика. «Этот кролик — мальчик или девочка?» —спросила я. Кролика подвергли осмотру и установили — девочка. «Тогда почему она без паранджи?» Несколько секунд стояла тишина, а потом разразился хохот. Эта примитивная шутка развеселила всех до крайности. Кролика поймали, обмотали ему мордочку женским черным платочком и пустили бегать по шатру. Я перевела дух. «Мы закрываем лица женщин, чтобы не смущаться их красотой, — заявил старец. — Больше красоты, больше грехов». — «В таком случае, некоторым мужчинам тоже стоит закрывать лица, — возразила я. — Чтобы не вводить в соблазн женщин». Старик удовлетворенно захихикал, приняв мои слова за комплимент. Его, оказалось, легко подкупить пустячной лестью. Он рассказал, что всего у него было 26 жен, с большинством из них он развелся, некоторые умерли, но единственной его страстью была вторая жена, умершая от тяжелой болезни. Не пойдет ли белая женщина к нему 27 женой, спросил он через переводчика. «Только если он согласен уехать со мной в Россию пятым мужем», — ответила я с улыбкой. Старик захихикал, хлопая себя по ляжкам. Положительно, с этой белой можно повеселиться. «Сколько ему лет?» — спросила я через Ахмеда. «Тридцать два», — с важностью заявил бедуин. Мужчины иронично переглянулись. Обидевшись на всеобщее недоверие, патриарх взял автомат и пересел ко мне. Указывая на цифры, выгравированные на металле, он заговорил по-арабски. «Что он хочет?» — спросила я у Ахмеда. Видя, что я отвлекаюсь, старик пребольно ткнул меня пальцем в плечо и снова что-то залопотал. «Он хочет доказать тебе, что он грамотный человек и даже умеет читать цифры», — сообразил Ахмед. Я сделала восторженное лицо.

Бедуин рассказал, что кочуют они с целью найти корм для верблюдов. Ведь верблюд обеспечивает их почти всем необходимым. Его мясо и молоко идут в пищу, из шкуры изготавливают кожу для бурдюков и различные хозяйственные предметы, из шерсти делают ткани и веревки, даже навоз используют как топливо. При отсутствии воды можно умываться его мочой.

Погостив у бедуинов, мы отправились посмотреть на знаменитую в древности плотину, которая была построена еще в седьмом веке до новой эры. Раньше здесь проходил знаменитый «путь благовоний» — караваны верблюдов везли ладан и мирру, которые получали из растущих в Йемене басвеллии и комифорры. Кстати, Йемен по-прежнему снабжает мир (даже христианские страны) религиозными благовониями.

От Марибской плотины остались одни развалины, зато выстроена новая. Более всего поражает неожиданность этой большой воды в пустыне, синей, точно оброненная кем-то бирюза. Я спустилась к воде охладить сожженные ноги. Неподалеку плескались люди — женщины, не снимая одежды. Я совсем спеклась на ветру и солнце и тоже хотела окунуться прямо в брюках и футболке, но парень из нашей компании остановил меня: «Не стоит. У этой плотины свои тайны». Наступил час молитвы. Мои спутники, побросав автоматы, упали на песок. Лучи немилосердного солнца, освещавшего эту сцену, падали почти отвесно. Картина утратила свою объемность и стала плоской, как бумага. Все это показалось мне галлюцинацией, порождением воспаленного ума. Только внезапный тоненький крик, пробудивший тревогу, сделал реальными эти декорации.

На обратном пути мы увидели толпу мужчин

и одну плачущую женщину с ребенком на руках. Они объяснили причину крика. Ребенок случайно упал в воду, молодая женщина, не умевшая плавать, бросилась его спасать, — она успела его бросить людям, а сама камнем пошла ко дну. Она утонула на глазах у десятка мужиков, в метре от берега. Мужчины некоторое время поискали ее, потом оставили все на волю Аллаха. «Сколько лет было женщине?» — взволнованно спросила я. «13 лет», — последовал ответ. Даже моих видавших виды спутников взбесил равнодушный, спокойный вид мужчин, которым утонувшая девочка приходилась, по-видимому, близкой родственницей.

Какой фаталистический, жертвенный склад ума у этих людей! Они говорят о смерти так, как будто она ничего не меняет. Они с опаской относятся к такому мощному человеческому оружию, как сила воли, способному изменять законы судьбы, и во всем доверяются руке провидения. Их любимая присказка — «иншала» (если захочет Аллах). «Полетит ли этот самолет?» — «Полетит, конечно, иншала». «Мы встречаемся завтра?» — «Встречаемся, иншала». Это выражение придает любым словам оттенок несбыточности, невозможности.

Наметилась еще одна интрижка. С работником русского посольства, разумеется, женатым (жену он благополучно «сплавил» отдохнуть на родину).

18 августа. По забавному стечению обстоятельств Дима (так зовут моего возможного любовника) — лучший друг Валеры, врача-офтальмолога. В момент пьяного вдохновения они умудрились даже побрататься кровью. (По обычаю «кровные братья» рассекают кожу на запястьях и жмут друг другу руки так, чтобы их ранки соприкасались и кровь смешивалась с кровью.)

В отличие от Валеры Дима не блещет красотой. Невысок, крепок, неплохо сложен, с заурядными чертами лица. Мне нравится зрелость его манер и ощущение внутренней силы, исходящее от него. Может быть, это объясняется неким ореолом героического прошлого, — в свое время он воевал в Афганистане.

Когда мы встретились первый раз, я пожалела, что надела каблуки. «В качестве партнера для танцев он явно не годится, но в остальном сойдет», — подумала я. Дима привез меня на виллу, которую он снимает со своей семьей, временно уехавшей в Москву. В холодильнике нашлась бутылка виски и колбаса — холостяцкий набор. Мы пили неразбавленное виски (с кока-колой в этой стране «напряженка») и закусывали ломтиками пахучей колбасы.

Мы быстро сошлись, с той легкостью, с которой обычно сходятся русские на далекой чужбине. Дима — настоящий кладезь прелестных историй. Как многие мужчины, он любит говорить загадками и играть в таинственность, намекая на свою осведомленность в самых важных государственных делах. Мужчин хлебом не корми, дай только поиграть в шпионов. Дима хвастался своими связями с крупными чинами местного КГБ и за любой своей историей оставлял шлейф недомолвок и многозначительных намеков. Мол, знаю, в чем тут дело, да не скажу, из соображений высшей государственной безопасности.

Как бы там ни было, мы премило проводили время и все крепче вязали наше знакомство. Меня заинтриговала Димина недоступность, льдинка в его сердце, не тающая от женского тепла. При внешней коммуникабельности и разговорчивости — холодноватая отстраненность, некий барьер, который горячит меня, как горячит препятствие породистую лошадь. Этот мужчина не будет как ошалевший от страсти кобель бегать за сукой. Он будет, осторожно принюхиваясь, выжидать удобного случая. И если выбирать между темпераментным красавцем Валерой и выдержанным некрасивым Димой, я бы предпочла последнего.

19 августа. Для меня загадка, как йеменские мужчины безошибочно определяют возраст и внешность женщины, когда она с ног до головы закутана в черное. Даже на ногах — черные носки, а руки затянуты в черные перчатки. Вот вам пример. Сижу я в офисе одного своего друга, большого начальника. Заходит секретарша подписывать бумаги, безусловно, вся в черном. Али подмахнул бумажки, дама взяла их и вышла. Через десять минут заходит, на мой взгляд, та же дама, снова с бумажками. Тот же процесс, и леди в черном удаляется. «Али, это одна и та же женщина, или их две?» — спрашиваю я.

«Конечно, две, — удивился Али. — Разве ты не видишь? Первая была красивая, тоненькая и стройная. Вторая старая и толстая». — «Господи, как же ты их различаешь?! — воскликнула я. —

По мне, так обе похожи на два мешка черных тряпок».

Йеменцы объясняли мне: «Ты не понимаешь, вся прелесть в том, что женщина закрыта. Ты можешь придумать ее, твое воображение работает на полную катушку. Достаточно женщине открыть только щиколотку, чтобы мужчина безумно возбудился». По каким-то таинственным признакам мужчины угадывают женскую ауру. Может быть, они ждут порыва ветра, внезапно и с бесстыдной откровенностью обнимающего соблазнительные формы, или особенности женской походки обещают им таинственные наслаждения. Думаю, это флюиды, электрические разряды, пробивающие даже жесткую черную ткань.

Трудно отделаться от эстетических представлений белого человека — эти черные, бесформенные одежды оскорбляют европейское чувство изящного. Йеменские женщины похожи на дивные скрипки в черных футлярах, которые редко достают на свет божий, и часто их единственный владелец, бездарный шарлатан, один имеет право на них играть. Редко рука виртуоза может коснуться их струн.

Я имела возможность рассмотреть йеменских женщин на свадьбе, на женской половине. Вдоль узкого коридора, застеленного клеенкой, расставили тарелки с жирными мясными кушаньями. Сорок женщин с детьми, шумных, хлопотливых, разговаривающих на предельно высоких нотах, уселись на пол, поджав под себя ноги. Женщина на кухне готовила хлеб — она расплющивала пресное тесто до тонких лепешек, с силой ударяя его о деревянный полукруг. Потом наклеивала куски теста на стенки огромной круглой раскаленной печи. Тесто пузырилось, и через несколько минут запах хлеба уже щекотал ноздри. Готовые лепешки женщина швыряла в конец обеденного коридора, точно летающие тарелки.

Все ели руками, рвали на части куски баранины, обмакивали овощной салат в зеленую густую жидкость под названием шафут (хлеб, размоченный до однородной массы в кислом молоке с травами). Запивали ледяной водой и взбитым соком из маленьких зеленых лимонов. Я жевала острые пирожки с сыром и рассматривала фантастические узоры на руках и ногах женщин. Даже у маленьких девочек тела были расписаны прихотливой вязью из листьев и цветов, а ногти выкрашены хной. Один мой приятель, большой ценитель такой нательной живописи, доказывал мне, что это очень сексуально: «Когда женщина двигается в постели, все ее рисунки шевелятся, точно живые, — это здорово заводит».

Жениха в соседней комнате одевали его братья и отец — обматывали его куском белой ткани, украшали голову листьями мяты и цветами. Дети в углу играли с огромными золотыми саблями. Когда жених вышел, женщины, уже закрывшие лица покрывалами, восторженно заулюлюкали.

На мужскую половину меня провели, предварительно обмотав мне бедра шалью. Свадьба здесь праздновалась куда как просто — во всех комнатах огромного дома на подушках, разбросанных на коврах, сидели мужчины и жевали кат. Каждый приходил со своей травой. Жевание и курение кальяна на свадьбе обычно длится около семи часов. По комнатам носили курительницы с благовониями. Людей набилось, как сельдей в бочке. Окна были закрыты, от дыма благовоний, кальяна и сигарет нечем стало дышать. От страшной духоты у меня закружилась голова. По выражению лица моего переводчика я поняла, что мужчины вокруг говорят не слишком пристойные вещи. Я уже не чувствовала себя под защитой условного уважения. Хозяин дома подсел ко мне и спросил, не подарю ли я его своей дружбой. «Что вы имеете в виду?» — прикидываясь дурочкой, удивилась я. «Оставайтесь сегодня ночевать у нас», — предложил он, сладко улыбаясь. «Получишь ты меня, когда рак на горе свистнет», — подумала я. Ахмед дернул меня за рукав и сказал, что надо уходить. Наш поспешный уход скорее напоминал бегство.

Вечером русские женщины, живущие в Йемене, привели меня на богатую, по местным понятиям, свадьбу. В самой престижной гостинице «Шератон» для гостей сняли два зала — мужской и женский, где собралась вся несметная родня хозяев празднества. На таких сборищах угощение не подается, только сладкая вода. Чтобы я не заскучала, мои друзья налили мне в бутылку из-под минеральной воды джин с тоником.

В женский зал прибыло около пятисот женщин разных возрастов. Все они скинули свои черные коконы и оказались внезапно в откровенных вечерних туалетах, великодушно открывающих ноги и грудь. Здесь были и поблекшие женщины, и спелые девицы в самой поре, разодетые в пух и прах, — среди них я насчитала с десяток истинных красавиц. Арабских женщин природа наградила угольно-черными волосами, богатыми, словно грива молодой кобылицы. Базарная роскошь их нарядов, сплошь расшитых блестками, показалась бы нелепой европейцам, но удивительно шла к их восточной красоте. Все они явились сюда погордиться обновой перед товарками.

Русская женщина из нашей компании по имени Светлана захватила с собой фотоаппарат. К нам сразу же подошла дама-распорядительница и вежливо спросила, кого мы собираемся снимать — только себя, или в кадр случайно могут попасть другие гостьи. Когда мы заверили ее, что фотографируем только своих, она успокоилась и отошла. Ее беспокойство объяснялось тем, что в зале все женщины были с открытыми лицами, и кто-нибудь из мужчин (!) мог впоследствии разглядеть их на фотографиях.

Музыкантов из оркестра закрыли ширмой. И начался танец живота. Женщины встали в круг, отбивая ладонями прихотливый ритм и напевая пронзительными голосами мелодию. Они по очереди, одна за другой, выходили в центр, обвязывали бедра черным платком и показывали чудеса пластики, извиваясь, точно кобры. Они напрягали все пружины своих гибких, как у кошек, тел. Я любовалась ими с точки зрения чувственности, наэлектризованная животным магнетизмом этого танца. Это было первобытное женское начало, несказанный соблазн, искусное, настойчивое прельщение, но, Боже мой, ради кого, кто из мужчин мог оценить дикую, беспокойную прелесть этих женщин?! Какой смысл

Еве наряжаться и плясать, когда нет ее главного зрителя — Адама?

Атмосфера в зале все более накалялась — женщины все неистовее крутили бедрами, визжали все пронзительнее, доводя себя этими криками до исступления, опьяняясь собственным возбуждением. Моя кровь была полна адреналина, и я заливала джином чувство своей непричастности к захватывающему действию. Наконец свет в зале погас, зажегся только один прожектор, освещающий подиум, наступила тишина. Заработали видеокамеры, и все женщины в зале закрыли лица. Под звуки музыки на подиум ступила невеста в роскошном свадебном платье, осыпаемая лепестками роз. Она шла, слегка пошатываясь от волнения, к трону на возвышении, ни кровинки в лице, красивая, как бывают красивы женщины единственный раз в своей жизни. Шла, не чуя под собой ног, таинственно готовясь к тому, чего слаще нет на свете.

20 августа. Что можно делать в стране с сухим законом? Разумеется, пить на сломную голову. Любимый вид спорта белых — гонять по Сане на джипах, одной рукой вцепившись в руль, в другой держа бутылку джина. Все спиртное доставляется сюда контрабандой из Джибути (местную водку, на которую вполне можно положиться, так и зовут «джибутовка»). Джин и виски обычно привозят в мешках с мукой, поэтому никого не удивляет белый налет на бутылках. Водку можно купить в определенных точках города у проворных, жуликоватых парней, которые продают ее в пакетах, набитых бумагой или тряпками. И только засунув внутрь руку, можно ощутить многообещающий холодок округлой бутылки. Водка является предметом взятки во всех государственных учреждениях.

Сегодня накачалась виски в баре гостиницы «Шератон» вместе с англичанином Тони, которого там же и подцепила. Этот бар — единственное место в Сане, где белые могут официально выпить. Правда, бутылка вина, например, стоит здесь 55 долларов. Тони рассказывал мне, как он покупал контрабандное спиртное по дороге в город Ходейду. Делается это так. Едешь себе в горах, ни о чем не думаешь, вдруг видишь у очередной верблюжьей колючки подозрительных личностей, торгующих всякой дребеденью, вроде фанты и колы. Поскольку ты белый, то ясно, что в местную полицию стучать не будешь. Подходишь к торговцам и говоришь: «Ребята, нужно виски». Далее происходит такой диалог: «Абдула, где у нас виски закопано?» — «Да вон под тем кустиком». И точно, каждый вид спиртного закопан в песок в определенном месте, чтоб не повязали с поличным. Как рассказал мне Ахмед, несмотря на все предосторожности, полиция недавно поймала контрабандистов с 700 бутылками водки и якобы все спиртное вылила. Мы с Тони просидели в баре до самого закрытия, пока официанты не начали демонстративно греметь стаканами и убирать столы, выгнав еще двух мрачных итальянцев, хлещущих виски. Тони проводил меня до такси и там, уже покачиваясь и трогательно заглядывая мне в глаза, сказал: «Детка, не уходи. А то случится что-то ужасное». — «Конечно, Тони, — засмеялась я. —Звезды собьются с пути, тучи закроют горизонт, море выйдет из берегов, если женщина не останется на ночь. Все это я знаю». И, повинуясь внезапному чувству нежности, чмокнула своего случайного собутыльника в щеку на прощание.

Позже, зайдя в свой гостиничный номер, я обнаружила на полу сердце, искусно сделанное из желтых роз. А сверху, словно две капельки крови, лежали две алых розы. Кто-то подкупил портье и послал его с цветами в мой номер. Значит, у меня появился таинственный обожатель.

21 августа. С Димой дело не двигается. Сегодня в полночь он повез меня в гости к сынку какого-то местного крупного «штуцера», в богатейший дом. Нас провели на второй этаж, в огромную залу, залитую ослепительным светом вычурных хрустальных люстр. На низких комодах стояли бесчисленные вазочки, канделябры, статуэтки — предметы хрупкой, изысканной восточной старины. Все дышало утонченным изяществом.

Мы сели на бархатные подушки, разбросанные на богатом ковре. Вопреки законам страны нам подали коньяк. Пока мужчины вели деловую беседу на арабском, я, раскинувшись на подушках, курила кальян и пила маленькими глотками жгучий коньяк. Голова у меня кружилась от запаха вдыхаемой травы, и все тело ныло в какой-то сладкой истоме. Я бессознательно приняла сексуальную позу, и хозяин дома Али просто пожирал меня глазами. Он постоянно поправлял мне подушки, стараясь ненароком коснуться моих голых ног. Дима не проявлял никаких эмоций, от чего я тихо злилась. Любые отношения нуждаются в развитии, а тут ничего не происходит. Не любя ничего длительного, я всегда тороплю развязку. Мне не нравятся долгие увертюры, занавес должен подниматься сразу.

В два часа ночи мы простились с Али, и Дима повез меня к отелю. В это таинственное время, созданное для порочных удовольствий, я была беспокойна и напряжена. Мне мучительно хотелось мужского прикосновения. Когда мы прощались, я подалась к нему всем телом, но он лишь небрежно коснулся моей руки и бросил снисходительное: «Пока!»

25 августа. Ну и денек был, доложу я вам! Вчера мы с Димой начали пить с двух часов дня в как всегда пустом и элегантном ресторанчике, уже привычно разливая под столом контрабандную водку. Официанты из любезности отворачивались. Одной бутылки нам показалось мало. Мы вышли из заведения и купили еще одну в темном, вонючем переулке у каких-то подозрительных личностей. Распить водку поехали к Диме на виллу.

К пяти часам вечера мне уже было так хорошо, что пришлось прилечь в гостиной на диван. Дима сел рядом, не переставая рассказывать свои байки.

Я лежала, уютно свернувшись, и представляла себе, как это будет. Целую вечность, пока я была беременной и кормила ребенка, меня не касалась рука немужа. Я уже забыла, как это делается с новым мужчиной. Впрочем, говорят, что секс, как езда на велосипеде. Можно много лет не ездить, но стоит сесть на него, тут же вспомнишь, как вертеть педали. Дима склонился надо мной, и мои губы послушно открылись для поцелуя. Его рука осторожно гладила мою грудь, и я прислушалась к своему телу, как-то оно ответит. Оно ответило нежным возбуждением, постепенным просыпанием. Мужчина взял меня на руки и понес в спальню. Там в темноте он споткнулся, и мы упали на кровать.

Потом не осталось ничего, кроме прекрасного поступательного движения тяжелеющего мужского тела. Прижимаясь к нему, я чувствовала, как сердце в чужой груди бьется, точно пойманная птица. Мое дыхание превратилось в глубокие, отрывистые вздохи и разрешилось коротким кошачьим криком. «Для первого раза неплохо», — подумала я, сладко потягиваясь.

Мы лежали в темноте, пили водку и шептались, словно заговорщики, хотя в доме кроме нас никого не было. «Я сразу понял, что нравлюсь тебе», — вдруг сказал Дима, и я почувствовала, что он улыбается. «Почему?» — «Потому что на второй день нашего знакомства ты вместо туфель на каблуках надела летние тапочки. Не хотела быть выше меня ростом». Я рассмеялась. Водка и вполне сносный секс привели меня в приятное расположение духа. В августе на юге ночь наступает стремительно, и слабый свет месяца уже сочился сквозь окна. «Смотри, какой прелестный коктейль — водка пополам с лунным соком», — сказала я, глотнув крепчайшей лунной жидкости.

В семь вечера после еще одной короткой любовной схватки я вдруг вспомнила, что в девять часов я вылетаю в Аден, город на берегу Красного моря. «Господи, самолет!» — крикнула я и подскочила с кровати. Процесс моей доставки в аэропорт с предварительным заездом в гостиницу совсем не запечатлелся у меня в памяти. Очухалась я уже пройдя контроль, в зале ожидания и обнаружила, что забыла переодеться и сижу практически голая (по местным понятиям), в ошеломляюще коротком, яростно желтом платье в аэропорту, набитом арабами. Более того, в спешке я оставила свои трусики на «ложе любви». Так бывает в кошмарном сне, когда оказываешься в приличном обществе совершенно голый. Зато в руке у меня, как полагается, пластиковая бутылка с водкой, предусмотрительно смешанной с апельсиновым соком.

Самолет задерживался на два часа, я медленно пила, постепенно зверея от напора чужих взглядов. Для удобства наблюдения жгучие арабские мужчины расставляли колени, упирались в них локтями и, подавшись вперед, внимательно рассматривали меня с оценочным любопытством. Особенно докучал мне один старик, у которого из открытого рта стекала слюна. Я начала играть с ним в «гляделки», он пасовал и отворачивался. Потом снова, улучив удобный момент, возвращался на исходные позиции. Тогда я раздвинула ноги так, чтоб был виден красиво начесанный темный треугольник. Несколько секунд старик ошалело всматривался в эти «ворота рая», потом что-то залопотал, подскочил и побежал в туалет.

В конце концов я буйно захмелела и пошла выяснять у охранника, где же самолет. Я спрашивала сначала на английском, он не понимал, затем на русском, сопровождая свои слова энергичными ругательствами. Потом охранник куда-то меня повел, и я неожиданно обнаружила, что сижу в «дежурке», а вокруг меня люди в форме с автоматами. «Где у вас тут телефон?» — спросила я и начала названивать всем кому не лень. В частности, дозвонилась до своего недавнего собутыльника и любовника Димы и стала жаловаться на жизнь. «А ты откуда звонишь?» — поинтересовался он. «Из дежурки, — ответила я. — Тут какие-то мужики с автоматами сидят».

Далее рассказываю с чужих слов, поскольку все происходило за кадром. Дима стал наводить справки, напряг полковника местной госбезопасности, который дозвонился до «дежурки» и устроил допрос с пристрастием: «Это вы арестовали девушку в желтом платье?» — «Ну, мы, она тут ходит пьяная и голая, неприлично себя ведет». — «Отпустите немедленно». — «А ты кто такой будешь?» — «Всем стоять по стойке «смирно». Я такой-то-сякой-то. Слыхали?» — «Слыхали. Ладно, проследим, чтобы она на самолет села».

По моей версии, все было совсем не так. Просто милые ребята привели меня в «дежурку» позвонить, угостили сигареткой, выслушали мои пьяные бредни и проводили до зала ожидания. Мне становилось все веселее и веселее. Я шныряла по аэропорту туда-сюда, десятки раз проходя зону контроля, — на меня просто махнули рукой. Арабы подходили ко мне, принюхивались и, откровенно смеясь, говорили единственное русское слово: «Вод-ка, вод-ка».

Объявили посадку, и вся восточная чернь в тапочках на босу ногу с криками, дракой и непонятной бешеной поспешностью кинулась к выходу. Я вдруг увидела Диму, энергично пробивавшегося сквозь толпу с сердитым лицом. Я радостно помахала ему рукой. Он добрался до меня, ворча себе под нос: «Ну что за выходки! Без приключений ты не можешь! Пришлось посулить бутылку водки начальнику таможни, чтоб меня сюда пропустили. Господи, на кого ты сейчас похожа!» Он подтолкнул меня к выходу.

Когда я наконец села в самолет, меня сморил сон. Но только я начинала клевать носом, как мой сосед слева хватал меня за голую ляжку. Я немедленно просыпалась и отмахивалась от него, как от надоедливой мухи. Он говорил «сори» и терпеливо поджидал, когда его добыча задремлет. И снова его рука пускалась в опасное путешествие. Эта комедия длилась до самой посадки, пока я не пнула его ногой.

В аэропорту Адена в час ночи я, уже протрезвевшая, но распространяющая стойкий запах перегара, была встречена молоденьким сотрудником русского консульства по имени Леша. Он отвез меня в гостевую квартиру и любезно предложил выпить у него чаю, поскольку жил он по соседству. Я, как доверчивая овечка, приняла его предложение, и, безусловно, мы выпили не только чаю. Как это всегда бывает между ровесниками, мы быстро перешли на «ты» и сменили официальные темы беседы на дружеские. В три часа ночи я спохватилась, что уже пора спать, и поднялась было с дивана, как Леша, мальчик довольно крупных размеров, буквально напал на меня, к моему безмерному удивлению. Я знакома с этим мужчиной только два часа, а он уже изрядно помял меня в пылу сражения, искусав мои губы и шею. С боем добравшись до своей квартиры, я заявила, что желаю спать одна. Тогда Леша схватил мою подушку и сказал, что будет ночевать под моей дверью. «Да спи ты, где тебе вздумается, только оставь меня в покое!» — в сердцах воскликнула я, видя, как он удобно устраивается на половичке и даже ставит рядом будильник.

В семь часов утра я проснулась от барабанного стука в дверь и попыталась в спешке восстановить собственное «я», но безуспешно. Ничего не соображая спросонок, я обмоталась простыней и поплелась в коридор. «Что случилось?» — спросила я через дверь. «У тебя есть десять минут на сборы», — последовал решительный приказ Леши. Я послушно отправилась в ванную. Глянув на себя в зеркало, я впала в тихий столбняк. Вся моя шея была покрыта синими трупными пятнами от укусов, или, пардон, как говорят в народе, от «засосов». Какой-то сказочный вурдалак оставил свои следы даже на моих губах. Вчера, спьяну, я не почувствовала боли от укусов, но сегодня картина открылась во всей своей красе — никакими тональными кремами и пудрами не замажешь этот беспредел. Разве что я буду ходить, упершись подбородком в грудь. Я грязно выругалась. Вот они, откровенные страсти пещерного человека.

Дрожа с похмелья и недосыпа, мы с Лешей сели в машину и отправились куда глаза глядят. «Чашку чая, иначе я умру», — взмолилась я. Леша затормозил у входа в самый престижный местный отель «Мовенпик», врезавшись в бордюр и

11—197

помяв бампер машины. «Пить надо меньше», — не удержалась я от банальности.

В баре я подумала, что у меня началась белая горячка. С потолка свешивались автомобильные шины, а у входа стояли деревянные козлы с автомобильными красками и растворителями. «У них что, ремонт?» — спросила я Лешу. «Ты что! — возмутился он. — Это крутой авангард, хозяева отеля за него бешеные деньги заплатили. Месяц назад они тут пляж изображали, все песочком посыпали». — «А воду по полу не разливали для полного правдоподобия? — лениво спросила я, оттягиваясь чайком, и, меняя тему, добавила: — Леша, тебя когда-нибудь целоваться учили, или ты просто запамятовал, как это делается? Я с такими следами «безумной страсти» неделю никуда выйти не смогу». — «Сейчас море все смоет», — заверил меня Леша.

Мы долго искали пустынный пляж, наконец затормозили в совершенно безлюдном на вид месте на берегу бутылочно-зеленого моря. Свежий, сильный запах соли и морских водорослей прогнал чувство тошноты. Меня умилила абсурдная табличка, вбитая в песок посреди бескрайней пустыни, с надписью «Паркинг» (полагаю, если запарковать машину в ста метрах от таблички, можно нарваться на штраф). Я разделась, чувствуя прикосновение бриза с моря, и поспешно вошла в воду в чем мать родила. Нежась в банном тепле, я думала, в какое странное место меня занесло. Где-то там наверху в горах, если верить легенде, прячется могила Каина, убившего своего брата Авеля (наверное, родственники ходят на могилку цветочки поливать). Если пойти на восток, можно добраться до Хадрамаута, где выращивается самый лучший в арабском мире табак для кальяна сорта хумми и где построены средневековые 12-этажные «небоскребы». А далеко в море лежит остров Сокотра, где живут люди трех цветов кожи (на побережье — темнокожие негроиды, в долинах — смуглые, низкорослые жители, а в горах — высокие и белокожие), где женщины используют как духи мускус, который выдавливают из желез диких мускусных котов. Вот коты небось орут!

Долго предаваться грезам мне не пришлось. Особенность арабских пляжей заключается в их мнимой пустынности. Но стоит белой женщине раздеться, как из-под каждого камня, из-под каждой верблюжьей колючки начинают выползать мужчины и медленно стекаться в сторону объекта своих вожделений. Корабли меняют свой курс и устраивают давку в заливе, самолеты теряют высоту и кружат над морем. Сенсация — белая женщина входит в воду! Нам пришлось бежать во избежание эксцессов.

Город Аден — бывшая английская колония (на память от тех времен остался Биг Бен), впоследствии шестнадцатая «советская республика». Правда, в отличие от Биг Бена, статую «Рабочего и колхозницы», выполненную в восточном духе (мужик в платье, баба в шароварах), снесли. И госхозов имени Ленина не осталось. Этот город кормится от моря, где водятся сверхобильные стаи рыб: королевская макрель, тунец, окуни, сардины, лангусты, креветки, крабы, омары, ну и акулы, разумеется. Все это рыбное богатство, живое трепетное серебро, продается на местном рынке.

Огромные рыбины, отливающие голубизной стали, с выпученными глазами кажутся ненастоящими из-за своих размеров. Особой любовью пользуются черепахи — их мясо нежно, как молодая телятина. Русские, живущие здесь, даже делают из него пельмени.

В этом гибельном климате жизнь течет неспешно. По улицам бродят верблюды и ослики, стада козлов роются в мусорных кучах. В лагунах кормятся целые тусовки грязных розовых фламинго — их тут много, как воробьев. Влажность воздуха так высока, что мокрое белье, вывешенное под палящим солнцем, с трудом высыхает. В знойный полдень нищие прячутся от солнца в пещерах. Мы бродили днем по воспаленному городу и забрели в «Вонючую лавку» — это магазинчик, торгующий древностями и редкостями. Все, как полагается, покрыто пылью веков. Роясь среди черепашьих панцирей, перламутровых раковин, старинного серебра, я наткнулась на потемневшую от времени чеканку с изображением Родины-матери и надписью «Волгоград — город-герой». Какой-нибудь иностранец наверняка сдуру купит.

Женщины здесь более свободны, чем в северном Йемене. Как считают северяне, их развратило русское и английское влияние. В отличие от Юга Север никогда не был европейской колонией и сохранил все свои традиции и привычки, крепко сцементировавшие общество. А южная жизнь более легкомысленна, да и любой морской порт всегда открыт всем ветрам. Женщины в Адене даже открывают свои красивые, необычные лица — сладострастный продукт смешения двух рас, негроидной и арабской. Под внешним благочестием их жизни бродит грех. Злые языки утверждают, что одна из самых популярных подпольных операций — это восстановление девственной плевы.

В этом городе меня преследует невезение. Все мои попытки разыскать нужных людей по адресам не увенчались успехом. Дело в том, что адрес, по местным понятиям, это название района, далее нужно спрашивать встречных-поперечных, где проживает твой адресат. Занятие не для слабонервных. Мы колесили целый час по одному району, приставая к прохожим, нас посылали в разных направлениях, пока какой-то подозрительный тип не вызвался указать нам нужный дом. (Подозреваю, он просто решил прокатиться.) По дороге он попытался стащить бумажник Леши, лежавший на заднем сиденье.

Леша становится невыносим — он делает попытки прижать меня в любом удобном месте. Последней каплей была его идиотская выходка в машине. Стоя на перекрестке в ожидании сигнала светофора, он спросил: «Знаешь, как можно оскорбить мусульманскую мораль?» — спросил он. «Как?» — «А вот так», — сказал он и впился в мои искусанные губы. Соседние машины засигналили, а некоторые в знак протеста даже рванули на красный свет. Что за ребячество! Завтра же уеду из этого города.

23 августа. Еще одна такая ночка, и я повешусь! Вчера вечером у меня затеплилась надежда, что, протрезвев, Леша стал нормальным человеком. Он извинился за укусы, мы помирились и даже отправились в бар распить бутылочку вина. Все шло хорошо, Леша даже съязвил на свой собственный счет, что у консульства надо повесить табличку «Осторожно, кусачий атташе». Тут в бар занесло пьяного сингапурского матроса. Он бесцеремонно подсел к нам и предложил Леше продать меня по дешевке: «Друг, продай бабу. Ну, что тебе, жалко, что ли?» Да, с такой шеей, как у меня, показываться в общественных местах опасно. Леша сделал знак секьюрити, сингапурца вежливо, но решительно вывели из бара. Он где-то шастал минут десять, потом вернулся, пожал Леше руку и заявил: «Да, чуть не забыл! Я же у тебя бабу хотел купить». — «А ведь и впрямь сейчас продаст со злости пьяной матросне», — со страхом подумала я. Сингапурца снова увели.

Вечером у дверей моей квартиры Леша мило пожелал мне спокойной ночи и удалился с достоинством, как хорошо воспитанный мужчина. Укладываясь в постель, я подумала, что наконец-то как следует высплюсь. Но в три часа ночи я проснулась от неясного чувства опасности. Кто-то тихо, но настойчиво ковырялся в дверном замке. Путаясь в остатках сна, я никак не могла отделить вымысел от реальности и сообразить, в какой стране и в каком городе я нахожусь. Когда в голове прояснилось, я пришла в ярость. Осторожно, на цыпочках я подкралась к двери и рявкнула: «И чем же ты пытаешься открыть замок?» После паузы я услышала Лешин голос: «Очками». Подавив желание рассмеяться, я спросила: «Ну и как, получается?» — «Не очень. Даша, открой, у меня появилась гениальная идея». — «Я все твои гениальные идеи знаю наперечет. Иди проспись». Он стал ломиться с криками: «Открой! Нам нужно поговорить!» А дверь в моей квартире совсем хлипкая, такие были у нас в общежитии, — их можно вышибить хорошим пинком. «Если ты сейчас не уберешься, я открою окно и начну кричать». — «Ты еще пожалеешь!» — крикнул он в бессильной злости.

Наутро пришел мой черед ломиться к Леше в квартиру. Я трезвонила и пинала ногами дверь, пока он не открыл, весь помятый, опухший, раздавленный ночным пьянством. «Чудесно выглядишь», — заметила я, добавив яду в голосе. Моя ирония на него не действовала. В квартире мне ударил в нос застоявшийся запах ночной оргии — бесчисленного количества выкуренных сигарет, неубранных остатков пищи, разлитого джина. «Господи, я вижу эту картину уже третий день! — воскликнула я. — Ты скоро по уши зарастешь дерьмом. Где у тебя тут тряпка? Если мне предстоит торчать у тебя до самолета, я хотя бы вычищу эту дрянь». Леша не слишком сопротивлялся. Видя, как я шурую на кухне, он подобострастно спросил:

— Чего это ты такая сердитая?

— А у тебя, наверное, память отшибло. Может быть, ты пытался взломать мою дверь, чтобы пожелать мне сладких снов?

— У меня были совсем невинные намерения. Я хотел сделать тебе сюрприз — только войти и оставить нежную записку.

— А потом бы ты заглянул ко мне в спальню, где я, по обыкновению, сплю голая, зашел бы просто так, чтобы запечатлеть невинный братский поцелуй на моем лбу и тихо уйти, благословляя мой сон. — Плеснув себе утреннюю порцию джина, я уничтожающе добавила: — Знаешь, ты кто? Типичный мальчик из дипломатической семьи, любящий вспоминать свой особняк в детстве в далекой стране, садовника и горничных. Ты никогда не сталкивался по-настоящему ни с одной серьезной проблемой. Все, что я слышу три дня, — это высокопарные философские разговоры. Я понимаю, все вы тут утомленные солнцем, и у вас крыша едет. Но ты просто зарос жиром от безделья и слюнтяйства. Тебе надо встряхнуться, посольский мальчик. Ты даже целуя женщину думаешь только о собственном удовольствии, а не о тех неприятностях, которые ты можешь доставить ей своими «засосами». Меня целую неделю будут донимать вопросами, не болит ли у меня шея.

Джин сделал меня злой, и всю дорогу до аэропорта я молчала. Приехав, мы обратились в справочную и выяснили, что мой самолет улетел еще в шесть утра. Я заскрипела зубами и спросила Лешу: «Кто из нас говорит по-арабски — ты или я? Кто вчера, покупая билет на самолет, уверял меня, что он летит в шесть часов вечера? Или ты сделал это нарочно? Не потому ли ты уже три дня мне твердишь, что этот город засасывает и я никуда не улечу?» Я задыхалась от бешенства, чем страшно напугала Лешу. «Поверь мне, это ошибка, — залепетал он. — Я просто шутил, когда так говорил». — «Черт бы тебя побрал! Дай мне сигарету! — Я затянулась и немного успокоилась. — Если ты еще раз полезешь ко мне ночью, я разобью тебе голову. Еще один гнусный день в этом городе!»

24 августа. Мне повезло. Один русский, едущий в Сану, согласился захватить меня с собой. В семь утра я смешала в пластиковой бутылке джин с тоником. Не слишком приятно будет пить его днем, нагретым от солнца, зато настоящий тоник — это уже кое-что, лучше, чем разбавлять джин водой из-под крана.

Это была чудесная поездка — семь часов через горы, через всю страну. Я попивала джин, чувствуя, как у меня под ногами перекатывается чужая бутылка виски, на которую я втайне рассчитывала. Нас в машине было трое — русский по имени Володя, араб, ну и я, разумеется. Единственное, что нам отравляло существование, — заграждения на дорогах до полуметра высотой, насыпи из песка и камней едва ли не через каждые два-три километра. Делается это якобы в целях безопасности движения, чтобы водители снижали скорость. Ночью никто не рискнет ехать по такой дороге, можно запросто свалиться в пропасть, врезавшись в темноте в заграждение, что, кстати, уже было не раз. Некоторые хитрые селяне делают такие насыпи около своих магазинчиков, чтобы водители остановились что-нибудь купить. Мы поднимались в горы, из жары к прохладе, а наверху попали в град. Дома там лепятся в морщинах скал, точно ласточкины гнезда. Горы, эта природная естественная крепость, служат им защитой.

В укромном местечке мы остановились перекусить местной жирной курицей, жаренной на вертеле. Джин я уже прикончила и теперь запивала курицу неразбавленным теплым виски. Вокруг стояла могучая, первозданная тишина, какой уже и не бывает на свете. После еды мы вымыли руки минеральной водой и сполоснули духами, как это принято на Востоке.

И снова в путь. Бесконечные желтые тыквенные ряды в деревнях, вымоченных дождем. Мужчины устраивали стриптиз — они шагали через лужи, задирая юбки и высоко поднимая худые длинные ноги. Понятия о теплой одежде здесь престранные. В холодную погоду мужчины надевают шапки-ушанки и шлепанцы на босу ногу. В Сану мы приехали ближе к вечеру, на виллу одного казаха, чудесного человека, который уже лет десять ищет воду прутиком в пустыне и даже получает за это неплохие деньги. Его еще зовут космонавтом, потому что, напившись водки, он любит вспоминать, как летал в космос с Байконура. Ворота на виллу были сломаны предыдущей бурной ночью, о чем предупреждала вежливая записка. Хозяина не было дома, но у Володи имелись ключи. Мы вошли в дом, Володя поставил на огонь кастрюлю с водой и бросил туда целую связку свежих крабов. И вовремя. На запах виски потянулись соседи.

25 августа. Власть мужчин в Йемене, как и в других арабских странах, лишь на первый взгляд очевидна и безоговорочна. Женщины тоже могут держать в своих слабых руках бразды правления, однако делают это с присущей им хитростью незаметно для окружающих, не демонстрируя свое влияние, а прикрывая его флером покорности и послушания. Женщина начинает править после сорока, когда выросли и женились сыновья и в доме появились невестки. Вот на них-то, воспитанных в духе преклонения перед условностями, и перекладывается вся тяжелая домашняя работа. Наша Кабаниха из «Грозы» Островского ни в какое сравнение не идет с местными свекровями! Они часто правят с жестокостью, граничащей с тиранством, желая поквитаться за свое тяжелое прошлое, когда сами, будучи невестками, волокли бесконечную цепь семейных повинностей большого дома. Сыновья боятся им перечить, ибо Коран гласит: «Рай лежит под ногами матери». С приближением старости женщины становятся сварливыми, как будто старость дает право на злобу. Их мучает свобода, которую они получили благодаря утрате своей привлекательности, и они горят желанием отомстить за годы рабства. И молодые невестки, чьи робкие умы не в силах противостоять давлению, мечтают о том дне, когда их сыновья подрастут и они потешатся властью.

Многие наши русские женщины по настоянию родителей мужа принимают мусульманство. «Это очень просто, — сказала мне русская мусульманка Наташа, — ты приходишь в мечеть и говоришь по-арабски одну фразу: «Нет бога кроме Аллаха, и Магомет пророк его». Наташа подписалась под всеми законами родины своего мужа — она ходит в черном, закрывает лицо и посещает мечеть. «А ты общаешься с йеменскими женщинами?» — спросила я Наташу. «В пределах разумного, — ответила она. — Соблюдаю нормы вежливости — привет и как дела. С ними трудно разговаривать — на всех тусовках один вопрос, почему я еще не беременна? Мол, твой муж себе другую жену в дом возьмет. По их понятиям, раз моя дочка уже подросла, я должна срочно плодить других детей. Еще для них загадка, как можно спать с мужем и не беременеть. Моим объяснениям они не верят. А сестры мужа вечно что-нибудь у нас выпрашивают. Здесь так принято у женщин — выпрашивать подарки у отца, мужа, братьев, рыться в шкафах у золовки. Самая большая радость для них — выклянчить денежку и побежать в магазин золото покупать. Если мне муж что-нибудь дарит, так тут же его сестры начинают ныть: «Ты почему, Яхе, нам то же самое не купил?» Здесь каждый завидует маслу на чужом куске хлеба, зависть сочится отовсюду, как будто даруемое одному человеку отнимается у других».

У Наташиного свекра померла жена, и он задумал жениться вторично в 60 лет. Все родственники хором уговаривали его отказаться от этой идеи. «Я ему говорю: «Папа, мы все будем делать — обстирывать вас, кормить, полностью обслуживать, — рассказывает Наташа. — А он мне в ответ: «Но я же мужчина. Я хочу женщину в постель и чтобы меня мыли». Понимаешь, здесь так принято. Одна из сексуальных обязанностей жены — мыть мужа раз в неделю. Ну, вот, нашли ему 28-летнюю женщину, которая один раз была замужем в 9 лет, забеременела, и у нее случился выкидыш. Это не удивительно — в девять-то лет! Потом она развелась с мужем и жила в одиночестве. Наш папа перед свадьбой занервничал, забегал, приходит к моему Яхе (а он в аптеке работает) и говорит: «Сынок, выручай, дай мне каких-нибудь таблеток, чтобы я в первую брачную ночь не опозорился». К Яхе часто приходят мужчины перед свадьбой, даже молодые, за гормональными препаратами. Дело в том, что по обычаям муж после женитьбы должен первую неделю не выходить из спальни жены и беспрерывно заниматься любовью, чтобы доказать свою мужскую силу. Согласись, это не просто.

Папу мы накормили таблетками, он женился и засел в спальне. Только слышали, как двери хлопали, — это они в туалет и за едой бегали. В первый же месяц молодуха забеременела и вскоре говорит нашему папе: «Дорогой, можно я навещу свою маму?» — «Конечно!» — восклицает тот и отпускает ее с легким сердцем. Она ушла к маме и осталась там на полгода. Папа затосковал. Теперь его беременная жена шлет ультиматумы: «Твоя дочь всячески унижала меня. Не вернусь, пока она в доме». Папаша выгнал дочь. Теперь молодуха требует подарков и золота. Папа ходит к нам плакаться и все время твердит: «Да я же и ребенка-то не хотел! Я уже старый!» — «А раз не хотели, — говорю я ему, — так нечего было, папа, дверьми неделю хлопать в спальне!» Как видишь, женщины тут умеют воздействовать на мужчин своими женскими способами».

Весь йеменский быт регулируется нормами шариата, особенно в последнее время, когда усилилось влияние исламистов. Однако при всей своей страстной религиозности йеменцы научились обходить строгие законы. Например, в Рамадан, когда нельзя есть и пить с восхода солнца и до заката, пока глаз различает черную и белую нитку, некоторые хитрецы ловят машину, просят подвезти и, находясь в пути, быстро пьют и едят, поскольку Коран разрешает путнику в дороге перекусить.

В религиозной стране иногда опасно проявлять свою ученость и таланты. Один русский врач-офтальмолог рассказывал мне, как однажды ему привели пятнадцатилетнюю девочку, внезапно ослепшую. Ее фанатик-папа целую ночь бил ее тапочкой по голове, чтобы выгнать чертей, и читал над ней Коран. К утру ее отвели в больницу. «Я осмотрел девочку и обнаружил, что у нее зрачок даже не реагирует на свет, — говорил мне доктор. — Это меня удивило; никакой травмы не было, значит, ничего не повреждено. Я предположил, что скорее всего это реакция на стресс, шок. (Потом выяснилось, что причина крылась в несчастной любви, ее выдавали замуж, а она любила другого.) Я понял: надо ее расслабить. Я просто поговорил с девочкой, убедил ее, что все будет хорошо, сейчас я помассирую ей глазные яблоки, и она будет видеть. Это было нечто вроде гипнотического сеанса. После массажа девочка вдруг говорит: «Папа, мама, я вижу!» Честное слово, я на минуту почувствовал себя Иисусом Христом. Зато ее родители были в шоке, они смотрели на меня, как на духа, дьявола. Ты можешь не поверить, но по закону парных чисел ровно через месяц произошла точно такая же история с другой девочкой. Только на этот раз после гипнотического сеанса я предпочел ей сделать витаминные уколы, чтобы создать видимость помощи от медикаментов. Это обезопасило меня от славы колдуна».

Патриархальность семейных традиций в Йемене обуславливается сложнейшей лестницей общественных отношений. Здесь очень развито чувство социальных расстояний. Существуют классы, и самый презираемый из них — ахда-мы, потомки африканских рабов, члены ремесленных цехов, считающиеся нечистыми. Это банщики, мясники, овощники, цирюльники. Это своего рода «каста неприкасаемых», как в Индии. Даже если эти люди богаты, их права на уважение ничтожны. Они никогда не войдут в парламент, никогда не займут высокий государственный пост, и жениться они могут, не выходя за пределы своего круга. На самом верху находятся сейиды, лица, считающиеся потомками Мухаммеда. Это, как водится, люди голубейшей крови и богатейшей мошны, всего несколько семей, обладающих огромным влиянием. До них не дотянуться, как до неба.

26 августа. Чем занимаются арабы, живущие в моей гостинице, по вечерам? Как они развлекаются? Ума не приложу. Все это состоятельные, уважаемые люди из разных арабских стран, приехавшие в Йемен заключать сделки. Целыми днями они шатаются по отелю, подметая пол своими белыми балахонами. К вечеру постояльцы усаживаются в холле или сбиваются в кучки возле бассейна, попивают лимонный сок и шушукаются, точно женщины. Спиртное им запрещено Кораном, проститутки в городе не водятся, — короче, тоска зеленая. Единственное развлечение — следить за моей персоной, составлять график моих передвижений и звонить ко мне в номер, молча дыша в трубку. Я получаю несказанное удовольствие, всячески поддразнивая их откровенными нарядами. Поскольку я единственная и к тому же белая женщина в отеле (две старушки-немки не в счет), я окружена странным, почти болезненным вниманием.

В первый день, когда я спустилась в ресторан к завтраку в длинном белом полупрозрачном платье, больше похожем на ночную сорочку, арабы в шоке перебили уйму посуды. Ко мне подошел сладко улыбающийся менеджер отеля и в самых изысканных выражениях попросил подобрать более закрытую одежду для визитов в ресторан. «А то наши гости кушать не могут», — так объяснил он причину своей просьбы. «Но позвольте, — запротестовала я. — Это мой самый скромный наряд. Он хотя бы длинный, все остальные платья короткие». Переговоры кончились тем, что делегация работников гостиницы явилась ко мне в номер и перерыла весь мой гардероб в надежде найти что-нибудь приличное. Перед ними встала трудная задача: длинные платья оголяли руки (что, по их мнению, верх неприличия!), короткие платья, соответственно, обнажали ноги. Наконец, выбор пал на темно-синий плотный пиджак и шорты. Голые ноги их не смутили, главное, спина и руки прикрыты. Мне было предписано появляться в ресторане только в этом костюме, иначе меня отказывались кормить.

По законам этой страны, женщина не имеет права приводить мужчину в свой номер в ночные часы. Я обычно обделывала свои делишки на стороне, но сегодня не удержалась, и служащие отеля теперь мучают меня внешне невинными, но провокационными вопросами: «Вы прекрасно выглядите сегодня. Наверное, вы хорошо спали этой ночью?» — «Как вам спалось? Не мешал ли вам шум вечеринки?» и т. д. Я отделываюсь односложными ответами.

Вот как все случилось. Я рассчитывала встретиться с Димой и даже выхолила для этих целей свое тело. Но когда мы созвонились, он холодным, официальным тоном заявил, что у него вечером серьезная деловая встреча, и если он освободится раньше двенадцати, то, может быть (!), мы увидимся. Я бросила трубку и заскрипела зубами от ярости. Подумать только! Говорить со мной таким тоном, как будто не я вчера ночью прижималась к нему со сладострастием кошки. По его сценарию я должна весь вечер, вся из себя прекрасная, покорно сидеть у телефона в ожидании звонка и потенциального свидания, пока он будет жрать водку с арабскими кэгэбэшниками. «Ну и хрен с тобой! — подумала я. — Нет тебя, найдем другого».

Словно в ответ на мои мысли зазвонил телефон. Я сняла трубку, и бархатный голос врача Валеры предложил поехать на дискотеку в американское посольство. «Заезжай за мной через полчаса», — тут же согласилась я. Положив трубку, я натянула узкие, в звездочках дискотечные штаны и короткое боди, наспех замазала засосы на шее и на всякий случай сунула в сумочку пачку презервативов. Мало ли что на свете бывает!

В американском посольстве мы прошли проверку на металлоискателе, а Валеру дополнительно обыскали морские пехотинцы. В маленькой прокуренной зале билось в танцевальных судорогах все иностранное население Саны — работники посольств и международных представительств. Валера тут же расцеловался с обольстительной молодой негритянкой, отчего я почувствовала легкий укол ревности. Вот не нужен мне этот мужик, но красив, сукин сын, как молодой бог. Как тут удержаться! Негритянка вытащила Валеру танцевать, и, невольно залюбовавшись такой яркой парой, я инстинктивно почувствовала, что тут не просто приятное знакомство, а давняя близость, пот и сладость жарких ночей.

Ко мне клеился какой-то мордоворот-пехотинец, и я затосковала. Что за дурацкий вечер! Один «продинамил» меня, сославшись на важную встречу, другой приволок на дискотеку только для того, чтоб весь вечер танцевать со своей старой подружкой. С меня хватит! Я залпом выпила чей-то стакан коньяка, стоявший на стойке бара, взяла свою сумочку и вышла на улицу. На газонах били крохотные фонтанчики воды, и я тут же промочила ноги в густой траве.

Валера догнал меня у выхода. Мы бурно поссорились, тихо помирились и поехали в отель спать. Когда мы приехали в гостиницу, время уже перевалило за полночь. Все постояльцы как всегда ошивались внизу. Наши намерения были столь очевидны, что арабы издали общий глубокий вздох зависти. Но Валера был так хорош собой, что один необъятный господин поднял большой палец вверх в знак одобрения.

В моем номере было душно, и я распахнула окна, выходящие во внутренний дворик. Ночь вошла в комнату, а вместе с ней шум вечеринки под открытым небом. Это была типичная гулянка по-арабски — когда одни мужчины болтают у столиков с пирожными и соком. И ни капли спиртного.

У меня нашлась бутылка кофейного ликера. Мы выпили по рюмочке, и Валера вдруг сказал: «Здесь невыносимо жарко. Ты не возражаешь, если я приму душ?» Я, конечно, не возражала. Когда он вышел из душа совершенно голый, все стало просто. Я покачивалась в кресле-качалке, наблюдая за ним глазами голодной кошки. Он опустился передо мной на колени и бережно раздел меня. Потом губы его пустились в длинное путешествие от моих ступней до темной ложбинки между ног, где мужчина получает паспорт в небеса. Валера взял бутылку ликера и плеснул крепкой, пахучей жидкости на мой живот. Густой ликер медленно стекал вниз, и я почувствовала сильное жжение между ног. В ту же секунду он склонился надо мной, и его язык скользнул горячей улиткой к моему клитору. Он вылизал каждую каплю ликера, заставив меня извиваться от удовольствия. Потом взял меня на руки, всю переполненную болью желания, и понес к кровати. Когда я легла перед ним, вся нагая, как в день рождения, дрожащая от пылкого ликования молодого тела, он встал надо мной так, что его здоровенный пенис коснулся моих губ. Я почувствовала запах томящейся любовью плоти. «Ого! — подумала я. — Вот это размер! На такой член смело можно вешать ведро с водой». Внутренне засмеявшись, я обхватила губами головку его пениса.

Это была запредельная ночь. Мы начали заниматься любовью в час ночи и не останавливались до шести часов утра, когда птицы заголосили вовсю и все уже сверкало чистыми, яркими красками раннего утра. Мы порвали эту ночь в клочья! Валера оказался настоящим художником в смысле плотских радостей. Все мои прихотливые инстинкты, уснувшие было во время беременности и родов, пробудились с новой силой. Мое тело созрело не менее, чем мой характер, — все в нем обогатилось и все окрасилось страстью. Я чувствовала себя как дерево весной, где на каждой ветке лопаются тысячи и тысячи набухших почек. Мне казалось, что я могу принять в себя любого мужчину, что я лишь волна, не имеющая формы, и могу усвоить форму любого сосуда.

Как мы весело не спали! Стены в нашей гостинице картонные. Мои вопли спятившей мартовской кошки перебудили весь отель. Мы производили чертовски много шума, и арабы, веселившиеся на уличной вечеринке, затихли. Стояла фантастическая, что-то знающая тишина, нарушаемая лишь дьявольским скрежетом нашей раздолбанной кровати и моими разнузданными криками. Потом у меня хватило ума дотянуться до влажного полотенца, валявшегося на полу, и вцепиться в него зубами.

Я впала в состояние любовной комы. Время и обстоятельства утратили свое значение. Когда в пять часов утра раздались неистовые крики утренней молитвы, небо уже посветлело и цветом напоминало тонкий фарфор. Сознание того, что вся страна молится, а мы без удержу грешим, только подстегнуло нас. Я лежала, вся пропитанная дикой и чувственной терпкостью, и стонала, словно животное, приготовившееся к смерти. В тот момент мне казалось, что оргазм чем-то схож с умиранием своим бессознательным стремлением уйти в небытие, раствориться в этом мгновении, не существовать больше. Мои стоны смешивались с заунывными криками молящихся, и все вместе звучало как какой-то богохульственный гимн.

Я медленно опускалась в глубинные воды собственных темных желаний, опасных даже для меня самой, и, достигнув дна, резко взмыла вверх, подброшенная мощным потоком острого, как боль, последнего оргазма. В этот момент мне со всей беспощадностью открылась истина обнаженных инстинктов, не подвергшихся никакому воздействию цивилизации. В судорогах боли и радости родилась новая женщина, очищенная жгучей правдивостью наслаждения.

Я лежала, сладко утомленная любовью, вся насквозь светившаяся удовольствием, и наблюдала, как Валера одевается. Он посмотрел на меня сверху вниз, на голую, вольготно раскинувшуюся самку, пахнущую недавним соитием, и спросил с довольной улыбкой: «Ну что, когда тебя в последний раз так оттрахали?»

И у него был такой неприкрыто самодовольный вид, что я не удержалась от ответа: «Вчера». Надо было видеть его лицо в тот момент! Всю его самоуверенность как ветром сдуло. Я начала хохотать. С перекошенным лицом он вцепился в меня: «Кто? Скажи, кто это был?» Он перебрал имена всех наших знакомых, я отрицательно качала головой. Вдруг его осенило: «Димка! Как я не догадался раньше! Димка, сукин сын! Когда же он успел?» — «Дорогой мой, дурное дело — нехитрое. Так что вы с ним теперь не только «кровные братья», но, как бы это выразиться попристойнее, и «молочные братья». Но только умоляю, ничего не рассказывай ему об этом». Я даже приподнялась в испуге для убедительности. Валера заверил меня, что сохранит тайну, но что-то подсказывало мне, что он не удержится от пикантного рассказа.

Когда он ушел, весь кипятясь при мысли, что его обошли, я осталась летать в блаженном усваивании ночного переживания. Все мне казалось чудесным. С какой легкостью я избавилась от комплексов недавно родившей женщины! Какой огненной бабочкой я поднялась из мертвого кокона и расправила крылья! Мне казалось, еще чуть-чуть, и в воздухе повеет благоуханием весенних костров. Но моя радость была не радостью девчонки, хватающей любую игрушку, а удовольствием женщины, знающей толк в наслаждениях и смакующей их после тщательного выбора без всяких угрызений совести.

26 августа, вечер. Весь день я провалялась у бассейна, довольная, словно кошка, наевшаяся золотых рыбок из аквариума. Все улыбались мне, и казалось, весь отель был посвящен в тайну этой ночи. Зеркало утром рассказало мне, как я хороша. Я давно заметила, как меняются женщины после ночи любви, какой томной становится их походка, каким влажным блеском светятся их глаза, окруженные густыми тенями от недосыпания, как распухают их искусанные и зацелованные губы. Во всех движениях — лень и расслабленность. Обольстительное, бессмысленно-веселое и похожее на опьянение состояние души. И как ни странно, мозг работает с дьявольской точностью, отмечая малейшие детали. Одна моя подруга говорила: «После траха так умнеешь».

Моя распухшая роза между ног изодрана в клочья, все ее лепестки растерзаны и смяты. Я не то что ходить нормально не могу, я даже писаю с трудом. Диагноз я поставила правильно: «перетрах». И все же — все мое тело в брожении. Я готова распахнуть окно своей комнаты и раздирать вечер отчаянными самочьими криками: «Мужчину, дайте мне мужчину!» Оказывается, я развратна! Впрочем, нет. Просто у меня на языке то, что у других на уме.

Как назло, Валера сегодня на дежурстве в больнице. А не позвонить ли Диме? Вот будет забавно! Менять мужчин, словно трусики, — в этом что-то есть. Я быстренько набрала Димин номер и страстно замурлыкала в трубку:

— Дорогой, когда мы увидимся? Я так соскучилась!

— Да? — голос его был отстранен и сух. — Странно! Что же тогда ты делала на американской дискотеке вчерашним вечером? Скучала по мне?

О, черт! Откуда он узнал?

— Но, милый, ты ведь был вчера занят. Вот я и пошла повеселиться.

— Отчего же? Я постарался быстро освободиться, чтобы встретиться с тобой. Позвонил тебе в номер, но не застал. Потом мне рассказали, что тебя видели на дискотеке.

Я в большой спешке пустилась плести нежную паутину лжи. В итоге моих путаных объяснений мы договорились о встрече на семь часов вечера.

В назначенное время я выбежала к нему из отеля, вся пылкая и летняя, в прелестном пышном платье, белом в зеленых розах. Мы поехали к нему домой, где немедля прыгнули в постель. Между ног у меня все распухло, и когда он вошел в меня, я застонала от боли и попыталась отстраниться. Но он насадил меня на свой член, как мясо насаживают на вертел. Я стала кричать, но он снова и снова входил в меня с каким-то ожесточением. И теперь уже я рванулась навстречу этой боли, как рвется девственница к блаженной и мучительной пытке. Мы оба стремительно кончили и без сожаления разъяли тела. Если говорить о сексе, Дима не идет ни в какое сравнение с таким истовым служителем культа чувственности, как Валера.

Переспав на скорую руку, мы перебрались на кухню пить кофе. К вечеру похолодало, и я накинула на плечи Димин белый джемпер. От запаха размолотых кофейных зерен и закипающего на огне чайника мне стало уютно. Мне нравятся спокойные минуты после занятий любовью. Но это состояние разнеженности немедленно пропало, как только Дима небрежно спросил:

— Ну, как вчера прошла ночь с Валерой? Хорошо потрахались?

Несмотря на прохладу, меня пот прошиб при мысли, что меня разгадали. Итак, с моим секретом покончено.

— Сукин сын этот Валера! — воскликнула я в сердцах. — Он тебе все рассказал?

— Он разбудил меня звонком в семь часов утра со словами: «Привет, молочный брат!»

Дима выдержал паузу и после драматически вопросил:

— Как ты так можешь?! Ты забыла все свои красивые разговоры о поисках любви?

— Ну, вот, собственно, я ее и ищу таким образом, — брякнула я. Я, действительно, молола что-то про любовь, когда мы первый раз легли с Димой в постель. Просто он из тех мужчин, которые нуждаются хоть в каком-то прикрытии для секса. Глядя в его полное укоризны лицо, я отлично понимала, что ему, в сущности, плевать на мои чувства. Это просто горят язвы мужского самолюбия. Как сестра милосердия, я просто обязана немедленно приготовить словесный бальзам для его ран.

— Видишь ли, Дима, — начала я издалека, — иногда женщину предает ее собственное тело. Я была вчера в такой ярости после телефонного разговора с тобой. Ты был так холоден со мной...

— Но ты позвонила мне, когда у меня шли очень важные переговоры.

— Но я же этого не знала! Мне было обидно и

больно, хотелось отомстить, а я не знала как. Тут подвернулся Валера. А дальше сам знаешь, как это бывает. Много вина, разговоров, обид, и вот ты уже лежишь в постели с мужчиной, хотя вовсе этого не желаешь. (Боже, что я несу!)

Он сидел на стуле, важный, как индюк, и я пожалела, что у меня не припасена луковица в платочке, чтобы срочно заплакать. Я подошла к нему, села на колени и, ластясь, словно кошка, залепетала снова: «Если бы ты знал, милый, как все это было странно. Лежа в постели с ним, я представляла себя в твоих объятиях». Он дернулся, и я поняла, что переборщила. Я так основательно запуталась в любовных сетях, что, пытаясь их распутать, каждым движением лишь крепче затягивала узел. Впрочем, мне все равно. Хватит плутовать с самой собой! Испытываю ли я угрызения совести от того, что сплю с двумя мужчинами? Нет. Кто я? Охапка лжи с хорошеньким личиком? Можно посмотреть на дело и таким образом. Но, по-моему, я просто нормальная женщина, для которой главная из добродетелей — радость.

27 августа. Йеменцы, как и все арабы, питают страсть к оружию. Здесь оно продается совершенно свободно, на специальном рынке в деревеньке Джанаха. Это странное зрелище — скопище грязных лавок в лабиринте узких деревенских улиц, где можно купить все, что угодно, от гранаты до пулемета и ракеты, самое современное оружие, американское, израильское и, конечно же, самое популярное — русское (практически в любом доме есть автомат Калашникова). Изредка слышатся одиночные выстрелы — это мужчины проверяют качество покупки. Продавцов привело в восторг, что я из России и смогла прочитать им надпись на ракете.

Без оружия здесь не обходится ни один праздник. На свадьбу мужчины приходят с автоматами, чтобы выпустить в воздух два магазина патронов из уважения к хозяину. Тот должен ответить гостям тем же. За Саной есть даже специальное место в горах, куда уезжают пострелять. Правда, в последнее время участилось применение гранат, иногда по неосторожности страдают люди, особенно в деревнях. Правительство даже пытается принять меры, чтобы предупредить несчастные случаи.

Я теперь тоже вооружена. Джамбией. Сегодня в номере я нашла национальный кривой кинжал в зеленых ножнах. Опять подарок неизвестного поклонника! Но кто он, не могу узнать. И зачем мне оружие? От кого защищаться? Может быть, мои жуткие засосы на шее навели моего неизвестного друга на мысль, что я нуждаюсь в защите?

28 августа. У любой вещи есть изнанка, а у всякой медали — оборотная сторона. За удовольствие надо платить, и я полностью оправдала эту житейскую истину — расплатилась за удовольствие поездки в Йемен амебной дизентерией. Этой чудной болезнью болеют время от времени фактически все белые, живущие здесь. И хотя я питалась только в приличных ресторанах, подозреваю, что кто-нибудь на кухне, готовя салат, забыл помыть руки после туалета. Подчинить местных жителей гигиене — невозможная задача. Когда все симптомы были налицо (кровавый понос, резкая боль в животе и слабость), я решила сдаться на милость докторов. Но кому позвонить, вот вопрос? Ложиться в местный госпиталь, куда попадаешь с насморком, а выходишь с проказой, у меня нет никакого желания. А может быть, попросить помощи у Валеры? Как-то неромантично — звонить любовнику с такой прозаической вещью, как понос. Ладно, на то он и доктор, чтобы лечить.

Я позвонила Валере в больницу, и он откликнулся неожиданно бодро: «Я сейчас на операции, но через два часа точно буду у тебя. Не отчаивайся, дорогуша. Дизентерией здесь болеют все. Я тоже, как приехал сюда, недельки через две засел в туалете так плотно, что вытащить не могли. Дело житейское».

Я положила трубку и решила, что, учитывая Валерину необязательность, два часа нужно умножить еще на два, а в течение четырех часов я точно отброшу коньки без медицинской помощи. Надо искать выход. И тут я вспомнила одного русского доктора, руководителя какой-то непонятной организации русских врачей Николая Ивановича. Добрейшей души старичок, настоящий Гиппократ.

Один звонок, и через двадцать минут Николай Иванович вместе с сердобольной женой уже сидели у моей постели. Доктор сразу же задал вопрос: «Вы много пили, деточка?» — «Что вы, Николай Иванович, — застенчиво потупясь, отвечала я, — совсем чуть-чуть». — «Вот это очень плохо, — с серьезным видом заметил он. — Каждый день надо выпивать хотя бы двести грамм джина — отличная дезинфекция, профилактика кишечных заболеваний». Я подумала об удивительной способности русских применяться к образу жизни других народов и вносить во все ясный, здравый смысл.

Мне дали лошадиную дозу антибиотиков и отвратительный несоленый вареный рис. Я из вежливости жевала рис и все ждала, когда мои гости отчалят. Но они уселись плотно и надолго. И тут, как назло, ко мне заявился не к месту пунктуальный Валера, весь из себя деловой и улыбающийся. Он мигом оценил обстановку, разздоровался с Николаем Ивановичем и его женой и своим бархатным голосом пророкотал: «Мы с Дарьей друзья. Вот решил навестить больную. Как ты себя чувствуешь, дорогая?» — «Спасибо, хорошо», — кротко ответила я, лежа в постели, вся заваленная подушками и одеялами. Валера запихал в меня свежую порцию антибиотиков и пустился в светскую беседу с моими старичками. Мы оба выжидали, когда гостям хватит сообразительности оставить нас вдвоем. У Валеры был вид ребенка, дожидающегося мороженого, а мороженое между тем таяло в кровати в ожидании, когда его съедят.

Наконец терпение у Валеры лопнуло. Он поднялся с важным видом и сказал, что ему пора, а больной надо бы отдохнуть. Старички тоже засуетились, поднялись, расшаркались, надавали советов, и, прощаясь, Николай Иванович заверил меня, что вскорости он пришлет ко мне своего коллегу, большого специалиста по дизентерии. Я усиленно благодарила и все гадала, какую же вещь Валера якобы забудет у меня для конспирации.

Гости ушли, и я заметила на столике Валерины солнечные очки. Все ясно, сейчас он спустится вниз, хлопнет себя по лбу и кинется наверх за забытыми очками. И точно, ровно через две минуты Валера забарабанил ко мне в дверь. Как только я открыла, он бросился на меня, словно изголодавшийся пес. «Эй, полегче! — крикнула я. — У меня температура, и вообще я умираю». Валера торопливо уложил меня в постель, осыпая такими ласками и поцелуями, что адреналин прибыл в мою кровь на всех парах.

Я сопротивлялась из последних сил, и, когда он лег на меня, большой и голый, я крепко сжала ноги и завопила;

— Нет, у меня дизентерия! Я плохо себя чувствую.

— Сейчас тебе станет лучше. Только расслабься.

— А ты не боишься заразиться?

— Я же доктор!

— А вдруг у меня начнется понос?

— Не начнется. Тебе дали такую дозу антибиотиков, что и речи о поносе быть не может. Ты и в туалет-то в ближайшие четыре дня ходить не будешь.

— О, черт! — воскликнула я и впустила его в себя.

Мы очень весело резвились в течение часа, а потом оба вытянулись на кровати, совершенно мокрые и расслабленные, и долго курили. «Какое чудесное сочетание, — вдруг сказал Валера, разглядывая меня, — тело девочки, а мысли женщины». Он склонился надо мной и поцеловал в сосок, потом спросил: «Ты вчера опять спала с Димкой?» — «Конечно, почему бы и нет, — ответила я, улыбаясь. — Почему я должна делать разницу между вами двумя?»

Тут зазвонил телефон. Я поспешно затушила сигарету и сняла трубку. «Это доктор Абдулатипов, — заговорил густой мужской голос. — Меня прислал Николай Иванович. Я с моим водителем уже в гостинице и сейчас поднимусь к вам для осмотра».

Я с ужасом осмотрела комнату. Два голых тела, перевернутая, всклокоченная кровать, на которой, если судить по ее виду, занималась групповым сексом парочка зеков со старыми шлюхами, разбросанная по всей комнате одежда, пачки презервативов. Черт знает что!

— Нет! — закричала я в ужасе в трубку. — Не поднимайтесь! Я сама к вам спущусь.

— Ну что вы! — возразил доктор твердым голосом. — Вы тяжело больны, лежите в постели, мы сейчас поднимемся.

— Дайте мне хотя бы пять минут! — взмолилась я. — Мне надо одеться.

— Вы не смущайтесь пустяками! Я же доктор. Что я, раздетых женщин не видел? — В трубке раздались гудки, и я подскочила с кровати как ошпаренная.

— Валера, живо! Одевайся! Сейчас придут люди!

— Я не могу вот так сразу одеться. Мне нужно в душ.

— Какой к черту душ! Одевайся сию минуту!

— Я быстро.

Он скрылся в душе. Пока он мылся, я бегала по комнате, пытаясь навести порядок и одеваясь на ходу. Валера выскочил из душа через минуту и стал натягивать прямо на мокрое тело рубашку и брюки. Мы оба громко матерились, проклиная несчастного доктора Абдулатипова.

В этот момент раздался стук в дверь. Я побежала открывать, теряя по пути юбку. На пороге стояли двое мужчин — доктор Абдулатипов и его водитель. По их замороженным лицам было ясно, что через бумажную дверь они отлично слышали весь наш предыдущий диалог. Складывалось ощущение, что они ждали за кулисами, чтобы явиться с комедийной точностью.

— Это вы больная? — холодно спросил Абдулатипов.

— Как видите, доктор. Проходите, пожалуйста.

Тут на первый план выдвинулся дипломат Валера.

— Здравствуйте, коллега, — сказал он и энергично пожал Абдулатипову руку. — Я тоже решил навестить нашу больную и, кстати, прописал ей лекарство.

При этом он был без носков и ботинок. Я кусала губы, чтобы не рассмеяться. Главное лекарство, которое он мне прописал, — это он сам.

Я села на кровать, чтобы прикрыть своей особой постельный беспредел, а ногой попыталась отшвырнуть в угол пачку презервативов. Я чувствовала себя, как уличный фокусник, у которого во время представления полетела вся механика. Валера раскланялся и вместе с водителем поспешно удалился из комнаты, прихватив с собой ботинки.

Доктор с каким-то презрительным выражением выписал мне рецепт и на прощание добавил: «Соблюдайте постельный режим. Впрочем, как я вижу, вы его и так соблюдаете».

Я проводила его, закрыла за ним дверь и начала хохотать до слез, до истерики. Вскоре явился Валера, на этот раз за носками, и добавил комедийных подробностей в описанную сцену. Оказывается, водитель догнал его на лестнице с трогательными извинениями: «Мужик, ты не серчай на нас! Если б мы знали, разве стали бы мешать? Это все Николай Иванович. Езжайте, мол, к ней срочно, а то помирает девка. Вот и приехали. Мы и так пять минут под дверью стояли, слушали, как вы там бегаете, одеваетесь».

Пока Валера ошивался внизу, в холле отеля, его внутренний дьявол посоветовал ему позвонить Диме и сообщить тому о подробностях нашего свидания.

— Какого черта ты это сделал! — рассердилась я. — У него больше самолюбия, чем у тебя. Зачем дразнить человека?

— Я только сказал ему, что лечу тебя от дизентерии.

— Спасибо, дорогой! Скоро в этом городе не останется ни одного человека, который не знал бы, что у меня понос. И что ответил Дима?

— Он сказал: «Понятно, чем вы там занимаетесь».

— Это и дураку ясно. Все, ты сегодня достаточно начудил! Собирай свои трусы и носки и мотай домой.

После его ухода я легла в постель и к вечеру впала в состояние предельной истомы, сладкой слабости, полной невозможности пошевелиться. Звонил телефон, а я не могла протянуть руку и снять трубку. Я куда-то уплывала и снова возвращалась, вещи утратили четкие очертания и стали зыбкими, точно отражение в воде. Мне становилось все хуже и хуже. Температура поднялась, меня бил озноб. Я то скрючивалась от резкой боли в животе, то вдруг вся вытягивалась на постели, без кровинки в лице, с обильной испариной на лбу.

От нечего делать я перебирала свои впечатления от Йемена, словно мусульманин четки. Когда болеешь такой низменной болезнью, как дизентерия, приятно думать о высоких, красивых вещах. Я думала о том, как умело мусульманская религия готовит своих подопечных к встрече с Аллахом. И они учатся ждать смерти без опаски, не пугаясь ее объятий, тогда как христиане бегут от нее, точно девственница, избегающая объятий первого мужчины. И моя душа не избегла влияния ислама. Теперь я живу в вечном раздвоении: пылко стремясь ко всем жизненным удовольствиям, я остро сознаю их тщетность.

По следам Эммануэли

Таиланд всегда представлялся мне большой восточной кроватью, которая, если можно так выразиться, громко скрипит на весь мир, этакой гигантской воронкой для слива спермы. Бог знает почему создаются такие оазисы общественных страстей! Может быть, славу этим местам принесли моряки всех цветов кожи, заходившие в тайские порты побаловаться с тропическими «птичками». А может, избалованность белых женщин утомила западных мужчин, и они рванули на Восток услаждать свои тела нежной покорностью миниатюрных «рабынь» с точеными формами. Как бы там ни было, Таиланд был и остается великолепной легендой секса, пышным цветком, на запах и блеск которого слетаются тучи человеческой мошкары. Насколько легенда соответствует истине, я и решила проверить, отправившись в Таиланд. Я хотела глотнуть запретной свободы и купить маленькую порцию профессионального блуда. Все, что случилось со мной в этой стране СПИДа, бабочек, буддийских храмов, рисовых полей и борделей, описано в моем дневнике.

День первый. Нас трое. Маленькая компания путешественников, получившая от редакции задание снять фильм «Русская Эммануэль в Таиланде». В роли Эммануэли выступаю я, в роли фотографа — молодой человек в очечках по имени Костя, в качестве оператора — некий Сергей, весьма привлекательный парень с вдохновенным взором красивых черных глаз. Нас представили, и несколько минут мы очень внимательно рассматривали друг друга. Наша придирчивость вполне объяснима, ведь нам предстоит провести бок о бок семь дней.

Осмотром своих спутников я осталась довольна. Про Костю я слышала, что, несмотря на свою молодость, он уже прославился как профессиональный путешественник по экзотическим и опасным местам. Это мужская храбрость в чистом виде, без дураков. И хотя у Кости лицо типичного интеллигентного мальчика, крепкие мускулы тренированного тела и особый пружинящий шаг выдают человека бывалого. Про Сергея я знаю только то, что он в прошлом актер, а в настоящем неплохой режиссер клипов. Мои спутники молоды, симпатичны, обаятельны. Путешествие обещает быть приятным.

День второй. В самолет, вылетающий ночным рейсом в Таиланд через Дели, мы сели с хорошим боезапасом — я с литром вина, ребята — с литром виски. Мы славно пили всю ночь и травили байки. Каждый с нетерпением ждал своей очереди, чтобы изобразить что-нибудь похлеще. В шесть утра мы легли поспать, но уже в семь нас разбудили и вытолкали в аэропорт города Дели. Одуревшие, помятые, похмельные, мы бродили по магазинчикам в надежде найти пива. Но пива здесь в принципе не водилось. Пришлось похмеляться виски. Вокруг суетилось, галдело, смердело великое множество всякой смуглой нечисти в белых рубахах и шлепанцах на босу ногу. Перед посадкой в самолет нас обыскали, парней — пожилой офицер, меня — матерая бабища-полицмейстерша с закатанными рукавами. Мощными ручищами она профессионально ловко ощупала меня и вытолкала на посадку.

В самолете мы снова успешно заменили сон выпивкой, и через несколько часов приземлились в Бангкоке, вполне бодрые и готовые к работе. Нас встретил очень нервный молодой таец-переводчик, сносно говорящий по-русски. В респектабельном отеле мы поужинали, выкупались в бассейне и уже в девять вечера отправились на поиски приключений.

Бангкок по вечерам — грязный рынок всех страстей. В бангкокском водовороте, треплющем мужчин и женщин, словно сухие листья, можно найти все лекарства от скуки, все средства проматывать деньги, все способы наслаждаться жизнью и губить ее. На всякий сексуальный запрос есть свой ответ. В полуденные часы изнывающий от жары Бангкок жадно ждет, когда же закончится длинный день и наступит все скрывающая ночь. В знаменитом районе Патпонг, состоящем из двух узких улиц, похоть пронизывает воздух. В полночь ночные клубы, секс-кабаре, гоу-бары зажигают огни. Призывная музыка, лотки с экзотическими фруктами и восточными лакомствами, чьи пряные запахи щекочут ноздри, подмигивающие фонарики вывесок, назойливость несметных сутенеров, расхваливающих живой товар. Сквозь полуприкрытые двери мелькают обнаженные тела, едва прикрытые блестящей мишурой.

Наша компания посетила одно такое многообещающее заведение. Виски с колой нам принесла уже пожилая девушка, которая тут же стала делать нам массаж ног проворными пальцами. Это нечто вроде приветственной любезности. Наша попытка заснять секс-шоу на видеокамеру тут же провалилась. Едва мы достали аппаратуру, как рядом с нами как из-под земли выросли два крепеньких мужичка и недвусмысленно дали понять, что лучше нам спрятать камеру в пакет. Мы предложили деньги, они решительно отказались. Весь этот бизнес официально считается запрещенным, хотя и процветает при явном попустительстве полиции. Предложите хозяину клуба хоть пять тысяч долларов за съемку, он все равно откажется из боязни «засветиться» в прессе.

В Бангкоке можно встретить проституток любого сорта, — существуют дорогие заведения эскорт-услуг, где обитают блестящие первоклассные девочки с ножками, как у феи, способные одарить самыми изощренными ласками, а есть места, где гнездятся самые презираемые. Все эти цветы улицы умело ласкают мужские бумажники, с легкостью распоряжаясь своими тонкими коричневыми телами. Разница лишь в цене. Скажу больше, некоторые порядочные замужние тайки не считают зазорным время от времени подрабатывать на панели, куда их посылают собственные мужья.

Красотка по имени Э (все эти коротенькие тайские имена напоминают мне клички), эскорт-девочка и мастер по эротическому массажу досталась нам за 80 долларов. В наш отель мы поехали на «тук-туке» (что-то вроде мотоцикла с повозкой, в которой перевозят пассажиров). Э объяснила мне, что «тук-тук» — самый удобный и дешевый вид транспорта в бангкокских пробках.

Мы провели Э в свой отель, заплатив при этом еще 50 долларов за ее пребывание. Наш переводчик закатил форменный скандал. Он кричал, что он не нанимался водить нас по притонам и покупать проституток, что в его обязанности входит показать нам древнюю культуру Таиланда, что ему стыдно сопровождать нас в ночные кварталы. Он ушел, маленький и гневный, оставив нас в недоумении.

В номере Э наполнила ванну расслабляюще теплой водой. Мы обе разделись и легли в пенную воду. Сильные, тонкие пальцы взялись за мои ноги, осторожно разминая их от ступней и выше. Маленькие незрелые груди, чуть удлиненные, как груши, покачивались, словно колокольчики, и поглаживали мою грудь. Сергей и Костя снимали эту сладкую картину.

Тихо блаженствуя, я расспрашивала Э о том, что заставляет мужчин со всего света ехать в Таиланд, в чем секрет тайских женщин, в чем их сила. А секрет оказался прост. Все обаяние... во влагалище! «Вы, европейки, не умеете управлять своими влагалищами, — объясняла Э. — Их надо сжимать, чтобы мужчины получали наибольшее удовольствие». Тренировка влагалищ начинается с детства, когда девочки учатся прерывать мочеиспускание, искусственно задерживая мочу. Э с детства увлекалась конным спортом, который особенно популярен в Таиланде среди женщин, поскольку тренирует внутренние мышцы бедер. У особых искусниц дома есть даже специальные тренажеры, имитирующие езду на лошади.

Э работает при отелях средней руки. Она подкладывает под двери номеров, где живут одинокие мужчины, записки подобного содержания:

«Привет, моя любовь! Я видела тебя днем и решила, что ты самый красивый мужчина в этом отеле. Но мне кажется, ты скучаешь. Приезжай сегодня вечером в Дайана-клуб на улице Патпонг. Жду, целую. Твоя Э».

Когда я спросила Э о количестве мужчин в ее жизни, она лишь устало махнула крохотной ручкой, — мол, столько, что и не сосчитать. Э мечтает о другой карьере — профессии высокооплачиваемой респектабельной массажистки, такой, например, как самая дорогая массажистка в Бангкоке по имени Ман-мат. Ее месячный доход равен доходам ее клиентов — министров и крупных бизнесменов. В массажных салонах она не работает, ее вывозят на природу — в тихие загородные дома и виллы на берегу моря.

Помимо эротического массажа, Э оказывает услуги разного рода, — она может быть любовницей, переводчицей, гидом, водителем и даже... русалкой! Иногда она подрабатывает «водяной девочкой» в подсвеченных бассейнах при дорогих бунгало, где резвятся разбухшие от алкоголя владельцы толстых кошельков.

Когда мы закончили съемку в четыре утра и заплатили Э, Костя вызвался ее проводить. На самом деле хитрый Костя решил переспать с ней «на халяву». Но практичная Э тут же потребовала еще сто долларов. «Заплати, и я твоя», — пропела она своим птичьим голоском. «Халява» сорвалась.

День третий. В шесть утра меня разбудил звонок. Матерясь и проклиная все на свете, я сняла трубку и услышала веселый женский голос, говорящий на очень смутном русском языке с фантастическим акцентом. Я соображала с трудом и, не вслушиваясь в невнятное щебетанье, попросила незнакомку перезвонить позднее. Мой совет был принят буквально. Женщина (она оказалась невероятной хохотушкой) стала звонить каждые полчаса. До девяти утра я исправно швыряла трубку, наконец из сумбурной речи моей собеседницы мне удалось понять, что она наша новая переводчица и зовут ее Тенчай. Давешний ночной переводчик выразил фирме протест за то, что его заставляют водить по борделям компанию русских сексуальных маньяков.

Я умоляла Тенчай позвонить хотя бы в полдень, но она расхохоталась крокодильим смехом и заявила, что она уже в отеле и явится немедленно. Через десять минут кто-то забарабанил в мою дверь. Мне пришлось открыть. Маленькое, энергичное существо в белых брючках точно метеор ворвалось в мою комнату и тут же залилось смехом. Тенчай твердила, что у нас есть программа, которая утверждена еще московской фирмой, и нам придется ее выполнять. Под ее невероятным напором я оделась и пошла будить мальчиков.

Весь день Тенчай таскала нас, сладко зевающих от недосыпания, одуревших от жары, по буддистским храмам и садам. В этом бессмысленном состоянии мальчики еще умудрялись что-то снимать. В одном сказочном саду, где на зеленых газонах били фонтаны воды, я встала прямо в центр водяного вихря. Ошеломляюще-прохладные, щекочущие струи в миг вымочили мое длинное белое платье. Почти голая, я стояла хохоча как сумасшедшая, и Сергей бросал на меня пылкие взгляды. Мне начинает это нравиться.

Ночь третьего дня. Его звали Фо. Я чуть не купила его в маленьком бангкокском борделе под названием «Черная маска». Лихорадочной знойной ночью наша маленькая компания шаталась по кабакам в поисках сомнительных удовольствий. Поиски партнера на ночь — любимый вид спорта в Таиланде.

В «Черной маске», куда мы ввалились в полночь, основательно подогретые виски, мы оказались первыми клиентами. Сюда, обычно тайком, приходят таиландские женщины, чьи мужья настолько богаты, что могут испражняться золотом, но не в состоянии выполнять супружеские обязанности. Их жены покупают здесь хорошеньких мальчиков, умеющих красиво любить. Наведываются в мужской бордель, в эту клумбу обсахаренных цветочков, и сумасбродные белые женщины вроде меня, беспощадные во всяческом насыщении похоти.

Среди самцов существует жесткая конкуренция, — едва я вошла, как меня тут же окружили несколько восточных голубков с телячьими глазами и сладкими улыбками. Я села на диванчик в углу, а с двух сторон ко мне пристроились два мальчика. Они поглаживали мои голые ноги тонкими пальцами, пока я пила коктейль за коктейлем. Один из них, по имени Фо, мне приглянулся сразу, — херувимский ротик, ангельское выражение лица, пластика дикой кошки и аромат греха, исходящий от его юного тела. Он сказал, что у него никогда не было русских женщин, зато от своих приятелей, промышляющих любовью в Патайе, он слышал, что русские дамы ненасытны и хороши собой.

Фо совсем мальчик, 23 года. В этом бизнесе он работает больше двух лет, старается выкачать из богатых стерв побольше денег, чтобы иметь возможность лениться. У него есть невеста, которая терпеливо ждет своего часа. Искусству любви его обучила пресыщенная немолодая итальянка, которая откровенно посмеивалась над размерами его гениталий. Фо доставлял ей удовольствие, но только руками. Не только его опыт оказался печальным, его товарищи-куртизаны тоже жаловались на проблемы с удовлетворением капризных белых женщин, нуждающихся в крупных во всех смыслах мужских особях. В таиландцах европеек привлекают только изысканная нежность, которой пренебрегают скорые на похоть белые мужчины, и экзотика.

В «Черной маске» царила почти благопристойная атмосфера, которую два моих пьяных спутника тут же решили разрушить. Они велели хозяину включить погромче музыку и вышли на маленькую сцену танцевать. Боже мой, что они творили! Это было шоу номер один! Костя и Сергей с большой убедительностью исполнили танец двух влюбленных «голубых». Все эти хорошенькие, но скучные тайские куртизаны нервно посмеивались. Они не ожидали конкуренции. Я так хохотала, что от смеха сползла на пол. Милые мои русские мальчики! Вы просто сногсшибательны!

Фо еще не терял надежды, что я его «сниму» на ночь, и заявил, что он считается относительно недорогим экземпляром. Его золотая мечта — работать в салоне «мальчиков-птиц». Это супердорогое закрытое заведение, где для прихотей богатых извращенцев продаются совсем молоденькие мальчики (Фо для подобного бизнеса староват, мальчикам всего от 10 до 15 лет).

Мы попросили Фо сводить нас в таинственное место. Фо долго созванивался, ручался за наше молчание и порядочность. После длительных переговоров мы отправились блуждать по улицам Бангкока, — мишурный, вульгарный блеск веселых «местечек» сменился тихими, респектабельными кварталами. Наконец мы остановились перед солидной дубовой дверью и нажали на звонок. После минутной паузы (нас рассматривали через видеокамеру) дверь отворилась. Фо прочирикал что-то вроде пароля. Двое тайских громил невысокого роста, но угрожающего сложения обыскали нас и провели в большой зал, где нашим глазам открылась удивительная картина. Вдоль стен тянулись два ряда небольших золоченых клеток, где на жердочках раскачивались мальчики, совсем дети необыкновенной красоты с конфетно-сладкими мордашками, холеные дорогостоящие игрушки с наманикюренными ручками и ступнями без малейших признаков мозолей. Из одежды на мальчиках-птицах красовались только набедренные повязки. В зале было совсем пусто, — похотливое богатое зверье приезжает сюда на «Мерседесах» по предварительному звонку, быстро выбирает жертву, платит тысячу долларов и получает золотой ключик от нужной клетки. Здесь не принято долго рассиживаться, клиенты предпочитают не видеть друг друга. Еще бы! Этот страшный, глубоко законспирированный бизнес торговли детьми преследуется по закону. Нам не дали много времени на размышления. Громилы складывают ладони вместе перед грудью и молча склоняются в традиционном тайском приветствии. Несколько стодолларовых купюр, оставленных на столе. Дверь открывается, и мы оказываемся на улице, такой мирной и спокойной, что думаем, — а не приснилось ли нам все это?

День четвертый. Тенчай подняла нас в семь утра и велела собирать вещи.

— Мы едем к морю, в Патайю, — радостно объявила она.

— Почему?

— Таков план.

— А если мы не хотим ехать в Патайю?

— Но это невозможно, — заволновалась Тенчай. — Все запланировано, гостиница заказана, автобус ждет. Уже ничего нельзя изменить.

Пришлось подчиниться. По дороге в Патайю я повздорила с Костей. Он решил купить девочку на два дня и взять ее с собой на море. «Представляешь, — мечтательно говорил он, — еду я себе в автобусе, а у меня на коленях подпрыгивает маленькая круглая попка тайской девочки». — «Не представляю, — отрезала я, — это ведь не котенок и не щенок, это другой человек, за которого надо нести ответственность, а не просто таскать его по стране, из города в город. И потом, в бюджете нашего фильма не запланированы такие расходы». «Я куплю ее за свой счет», — настаивал он. Мы с Сергеем категорически возражали. Костя надулся. Я внутренне дивилась, с какой легкостью он отделывается от эстетических представлений белого человека и меняет для себя стандарты женской красоты. Тенчай, озабоченная репутацией страны, решила показать нам, что Таиланд — не только гнездо порока, но и храм чистой, платонической любви ко всему человечеству. «Мы должны заехать в один знаменитый монастырь», — твердила она. Мы беспечно согласились, не подозревая, что до монастыря пять часов езды, а оттуда до Патайи еще шесть часов тряски по дорогам. Но мы уже затарились виски, которое в сорокапятиградусную жару может пить только сумасшедший, накупили чипсов, шоколадок и прочей дребедени, и жизнь казалась нам сносной.

Мы быстро напились, раскрошили по всему салону чипсы и начали целоваться, причем втроем. Но более всего усердствовал Сергей. Он завалил меня на удобные сиденья, точно деревенский бык, и полез мне под платье. Шалея и пьянея от жары, утренней порции виски и крепкого мужского запаха, я закрыла глаза и ждала только одного, — когда разрешится мой каприз сладострастия. И когда что-то вошло в меня, я не сразу поняла, что это только пальцы, — чувствительные, умные пальцы, и только. Вся эта шумная возня происходила на заднем сиденье. Тенчай и водитель делали вид, что ничего не слышат, но спины их выражали неодобрение.

Только к трем часам дня мы добрались до уединенного деревенского буддийского монастыря, где, как гласит народная молва, живет монахиня, которая может лежать на воде так же спокойно, как на кровати. Нечто вроде местного шоу. Под навесом мы увидели маленький круглый бассейн, глубокий, как колодец, с водой яблочно-зеленого цвета. Явилась знаменитая монахиня — молодая женщина лет двадцати пяти, важная и сосредоточенная, в длинной белой рубашке. Не раздеваясь, она спустилась в бассейн и легла на воду. Публика благоговейно молчала. Все это было довольно скучно, но мы терпеливо ждали. Монахиня-наяда вышла из воды, села перед нами в позе восточного божка, поджав под себя маленькие смуглые ноги, поклонилась и сказала, что готова к нашим расспросам.

Я задыхалась от влажных, удушливых испарений земли и попросила позволения окунуться в бассейн.

— Нет, — решительно ответила монахиня. — Эта вода священна, в ней могут плавать только девственницы. Ты девственница?

— Вряд ли, — ответила я.

— Моя девственность, — торжественно продолжила она, — помогает мне быть невесомой и не тонуть. А людей тянут на дно только пороки.

Затем монахиня подвела нас к коллекции искусственных членов, чудесно вырезанных из красного дерева и покрытых лаком. Шедевром этого собрания было дерево из бодрых пенисов, которое мне так понравилось, что я его купила. Монахиня сразу превратилась в искусную торговку и принялась на все лады расхваливать свой товар. Ничего более странного, чем девственница с букетом членов в руках, я в своей жизни не видела. «Как же твоя невинность согласуется с продажей фаллосов?» — спросила я. «Все очень просто, — охотно объяснила монахиня. — Фаллос символизирует собой плодородие, удачу и процветание. Он дает жизнь, и хороший искусственный член — лучший подарок для людей бизнеса и карьеристов».

В саду при монастыре нищенки продавали клетки с пойманными птицами, которые отчаянно бились грудками о железные прутья. По традиции надо купить клетку и выпустить птичек на волю. Это добрый знак. Ребята решили снять трогательную сценку. Я стояла, слегка покачиваясь, с клеткой в руках. Вид у меня от виски и недосыпания был как у умственно неполноценной. «Да, Эммануэль-то наша второй свежести, — саркастически заметил Костя. — Глазки пьяненькие, платьице все в пятнах от виски и чипсов, помада на губах съедена. Хороша!» — «На себя посмотри», — огрызнулась я.

Покинув монастырь фаллического духа, мы отправились к океану. В Патайе как раз случился месячник борьбы за нравственность. Полиция разогнала все секс-шоу, и проститутки временно перешли на нелегальное положение.

Патайя — это город трансвеститов. Здесь существует знаменитое на весь мир крупнейшее шоу трансвеститов «Альказар-шоу». Город наводнен нереально красивыми девушками, которые в недавнем прошлом были мужчинами. Если приглядеться, можно уловить некую странность в их облике, — может быть, слишком узкие, как у мальчишек, бедра, чересчур низкие голоса, грубоватые черты лица. Сочетание мужского и женского начал создает чудовищно эротический контраст. Купив хорошенькую, игривую бесовку на ночь, можно запросто нарваться в постели на мужской член. Проблема в том, что многие трансвеститы, заработав деньги на пластическую операцию лица и груди, не могут найти средства на более дорогую операцию — по изменению пола (это стоит около шести тысяч долларов). Так и получается — сверху перед вами очаровашка с большой грудью и женственными чертами лица, а внизу у нее между ног болтается член.

В барах, где за стойками работают трансвеститы, полно матерых здоровенных немцев с бычьими затылками. Они объедаются жирной свининой, запивая ее пивом, и щиплют хорошеньких гермафродитов за задницы. Главное ночное развлечение в Патайе — тайский бокс. Ринг устанавливается прямо в баре, здесь же принимаются ставки. В тайском боксе можно драться без правил — и руками, и ногами. Боксеры — весьма эротичные мальчики, миниатюрные и нежные, но под их гладкой кожей видно, как извиваются клубки мускулов. Самое дорогое удовольствие для пресыщенных богатых женщин — купить за космическую сумму победителя и увезти его прямо с ринга в кровать, еще потного, разгоряченного, в мокрой одежде.

День пятый. Прошлявшись всю ночь по заведениям Патайи, мы легли спать только в четыре утра. Но уже в восемь нас разбудила Тенчай и сказала, что мы немедленно выезжаем обратно в Бангкок, чтобы успеть на пятичасовой самолет в Чиангмэй, на север страны.

— Это невозможно, Тенчай, — взмолилась я. — Мы ведь только вчера вечером приехали.

— Таков план, — твердила она. — Так решила московская туристическая фирма, отправившая вас сюда. Нам сказали, что ваша цель — посмотреть всю страну.

— Всю? — ужаснулась я.

— Мы ведь даже моря не видели, — сказал Костя и тут же распорядился: —Так, немедленно на берег, снимаем сценку «Девушка, уходящая вдаль».

И вот я в купальнике бреду по пляжу, ноги обжигает раскаленный песок, глазные яблоки ломит от ослепительного солнечного света. Жаркое марево неподвижно зависает над океаном. Открыточно-синее небо смеется над моей головой. Прибой как пивная пена с шипением разбивается о берег и вылизывает песок, принося секундное охлаждение ногам. Я иду, пошатываясь, и мечтаю о хорошем куске сна. «Сексуальнее, сексуальнее! — орут мне Костя и Сергей. — Что ты как вареная! А ну еще раз!» И так двадцать раз подряд, пока я не посылаю их к черту.

И снова микроавтобус, виски и пакетики с чипсами. Кондиционер почти не работает. Мы, взмокшие от жары и спиртного, неистово целовались с Сергеем. Тенчай нервничала, боясь, что мы опоздаем на самолет. Нам уже было все равно.

К аэропорту мы подъехали за двадцать минут до рейса. Совершенно пьяные и орущие песни, мы вломились в зал ожидания. Мы представляли собой странную процессию. Первой шла я в огромной шляпе и с деревом пенисов в руках, далее нетвердой походкой выступали Костя, увешанный камерами, и Сергей, прижавший к груди бутылку виски, сзади семенила крохотная Тенчай.

В самолете я села рядом с Сережей. Он накрыл меня пледом и стал грязно приставать. «Я хочу, чтобы ты кончила в момент взлета», — шептал он мне на ухо. Англичанин, сидевший слева от меня, не знал, куда глаза девать. «Вы не знаете, в какой город мы летим?» — вежливо спросила я его, чтобы разрядить обстановку. «В Чиангмэй», — несколько удивленно ответил англичанин.

Мы резвились до самой посадки. В Чиангмэе нас, уже протрезвевших, встретила группа тайских товарищей. Нас увешали жасминовыми гирляндами и сопроводили в знаменитый ресторан. Там мы сидели на полу, черпали руками рис и макали его в острые соусы. На сцене замедленно передвигались танцовщицы в фантастических костюмах. Они явно не перенапрягались. Тайский танец — это мелкие шажки по сцене, сопровождаемые ленивыми движениями рук.

После ужина мы заехали в отель бросить вещи, принять душ. Под каким-то гнилым предлогом Сережа вломился ко мне в номер и накинулся на меня, как голодный зек. Я ничего не имела против легкого флирта, но секс с товарищем по работе не входил в мои планы. «Презервативы есть?» — деловитым тоном спросила я. (Нет лучше способа остудить разгоряченного мужчину. Проверено не раз.) «Нет», — виноватым голосом ответил Сергей. «Ну, на нет и суда нет. Ступай».

В девять вечера мы по привычке отправились в бордель. Снова уже набивший оскомину набор трюков. Сигареты во влагалище, высиживание яичек, ожерелья из бритв, вытаскиваемые из половых органов. Первым не выдержал Сергей. Он резко поднялся и сказал: «Еще одна п...а, и меня стошнит. Это не женщины». Мы оставили недопитым виски и покинули заведение. Я семенила рядом с Сережей, искательно заглядывала ему в глаза и щебетала: «Ну, что ж тут такого! Это наша работа. Воспринимай все с юмором».

Мы решили поискать какое-нибудь заведение для души. Но Чиангмэй — это не Бангкок. Север страны живет более размеренной, углубленной жизнью. Порок здесь не так вызывающе бьет в глаза, как в Бангкоке. Ночные развлечения почти вкрадчивы и благопристойны, девочек обычно заказывают по телефону. Но именно Север поставляет в Бангкок и в южные города живой товар. Сюда приезжают сутенеры в поисках привлекательных мальчиков и девочек. Их покупают, как кусок говядины, у родителей и привозят на обучение в столицу, свеженьких и неотесанных. Кто попроще, тот через несколько лет превращается в тряпку, о которую вытирают ноги все кому не лень, и бесславно гибнет от бесчисленных венерических заболеваний и СПИДа. Кто поумнее, тот учит иностранные языки, осваивает искусство массажа, находит себе богатых клиентов и выбивается наверх, заводя свой собственный сутенерский бизнес.

Проститутки в Чиангмэе баснословно дешевы по сравнению с Бангкоком. Костя решил сэкономить и купить себе на ночь северную девочку. Мы звонили в бордели разного класса, где нас тут же спрашивали: «Из какой страны клиент?» Слово «русский» вызывало панический ужас. «Слишком большие члены! — кричали нам в трубку. — Обслуживаем только японцев, азиатов, в крайнем случае, европейцев, но не русских». Наконец, глубокой ночью мы доехали до грязного маленького борделя, глухого и скудного человеческого гнезда, где на полу валялись нечистые матрасы и пахло чем-то затхлым. Хозяин вывел на террасу двух девиц, которые тут же метнулись в тень, показав на мгновение свои змеиные, эластичные тела и воронью черноту прямых волос. «Последние остались, — объяснил хозяин. — Остальных уже разобрали».

Мы разглядывали девиц как скаковых лошадей, а те смотрели на нас с испуганной злостью, даже не удосужившись надеть маску профессионального кокетства, свойственную их профессии. Все человеческие чувства, кроме страха, в них давно атрофировались.

— Которая из них лучше? — зашептал мне на ухо Костя.

— По-моему, обе просто пучки гнилой моркови, — ответила я.

— Зато дешево, — возразил он. — Сто долларов за целую ночь.

— Они же смотрят на нас с ненавистью. Неужели ты предпочитаешь любовь всухую?

Но у Кости уже была простая цель: плоть против плоти. Он наугад выбрал одну из девиц, которая тут же через переводчицу заявила, что в рот она не берет, в губы не целуется и раздевается только в темноте. «Какое убожество!» — простонала я. Но Костя уже вел девушку к машине, разговаривая с ней с помощью импровизированной азбуки глухонемых.

В отеле Серегу отправили ко мне в номер «пересидеть». Я представила, какая комедия без публики разыгрывается сейчас двумя телами в соседнем номере, и меня разобрал смех. Мое веселье покоробило чувствительного Сережу, который был не в духе. «Как же он может? — возмущался Сергей. — Это все равно что трахаться с покойником». Я ударилась в цинизм, что мне несвойственно, и огонь переключился на меня. «Ты тоже такая же, — с ноткой презрения заметил Сергей. — Тебе мужчина нужен только для постели. Ты обращаешь в шутку все самое святое». Несколько ошарашенная таким заявлением, я не нашлась, что ответить. Помилуйте! Это как-то не по-мужски! Обычно женщины предъявляют подобные обвинения мужчинам. Это их защитная роль — профессионально выкручивать руки мужчинам, вымогая у них слова любви после секса. Не успели мы сцепиться, как вдруг кто-то постучал в дверь. Явился Костя с таким несчастным видом, что я невольно начала хохотать.

— Ну, как? — злорадно спросила я.

— Лучше бы я позанимался онанизмом.

В очищенном от непристойностей виде его история выглядела так. Девица, как и большинство проституток, решила, что Костя должен хотеть ее просто так, в силу того, что она женщина. Она забилась в угол и ждала, когда ее возьмут.

Костя решил произвести на нее впечатление размерами своих половых органов, — он разделся и стал прохаживаться перед ней голым, надеясь возбудить в партнерше желание. Девица в ужасе тихонько заскулила, у Кости все упало, и он выгнал свою неслучившуюся любовницу. И последняя смешная деталь: тайские презервативы, которые захватила с собой девица, не подошли по размеру русскому члену!

День шестой. Сегодня нас затащили в джунгли, в какую-то дикую деревню. Мы два часа тряслись на микроавтобусе по узкой дороге, похожей на горную тропу для коз. Выбоин на ней столько же, сколько дырок в швейцарском сыре. В деревне кроме свиней, голых ребятишек и изможденных, беззубых старух никого не было. Все трудоспособное население работало в поле. Основательно сварившись в крутом солнечном кипятке, мы передвигались со скоростью разбуженных мертвецов. Пот проступал под нашими доспехами.

Чтобы спрятаться от палящих лучей солнца, я зашла в чью-то грязную хижину. Там, в люльке из пальмовых листьев, плакал ребеночек. Я покачала колыбель, он потихоньку затих. «Господи, что за жизнь!» — думала я, глядя на засиженного мухами младенца. Прибежала мамаша и знаками выразила свою признательность.

Я достала пудреницу и глянула на себя в зеркальце. Боже мой! И это русская Эммануэль! Тщательно наложенная косметика расплылась от жары, волосы пропылились, глаза от бессонных ночей и неумеренного потребления алкоголя распухли.

Костя позвал меня для съемок. Я села на деревенские качели. Рядом со мной справлял нужду вонючий, но симпатичный поросенок.

— Костя, что мы снимаем?! Это, по-твоему, эротика? — раздраженно сказала я, отпихнув ногой порося. Тот взвизгнул и бросился наутек.

— Да, — задумчиво протянул Костя, — странная у нас Эммануэль получается.

— А может, мы устроим бунт против Тенчай? — с надеждой спросила я.

— Бессмысленно. Она тут ни при чем. Весь маршрут запланирован еще в Москве. Изменить уже ничего нельзя.

Я злилась сложной и запутанной злостью. И дело тут было не только в безумной поездке. Сергей с утра смотрел на меня как на пустое место. «Вчера еще в глаза глядел, а нынче все косится в сторону». И такова ирония судьбы, что как только он потерял ко мне интерес, я тут же воспылала к нему неуемной страстью. Боже мой, где были мои глаза?! Как он мил, очарователен, остроумен! Словно в шекспировской комедии «Сон в летнюю ночь», мне ночью капнули в глаза волшебный сок, и я проснулась влюбленной. Я терлась рядом с Сергеем, всячески стараясь коснуться его, но все было тщетно.

Вечером в отеле я прямо сказала ему, что хочу его. Он высказался в том духе, что я увлеклась им, насколько мне это доступно, то есть довольно низменно. А ему этого мало. Все было кончено.

Я ушла в свой номер готовиться к ужину. Смыла холодным душем весь пот и всю усталость дня, протерла лицо кубиками льда, нанесла вечерний макияж и капельки духов на тело. Короткое облегающее темно-синее платье, и я готова к бою. Из зеркала на меня смотрела красивая, искушенная во всех пороках женщина, от которой исходило беспокойное мерцание. Я должна добиться победы!

Вечер начался неудачно. Я пила шабли и все более приходила в агрессивное настроение. Я нападала как волчица на Сергея, давила его своей иронией, преследовала насмешками. Костя наслаждался своей ролью зрителя. Кончилось дело тем, что Сергей выбежал из-за стола. «Подожди, я сейчас верну его», — шепнула я Косте.

«Осторожно, осторожно!» — так твердила я себе, поднимаясь в лифте. Не делай больше ошибок. Ты лебедушка, пава, беззащитное существо, которое прикрывается иронией, стесняясь показать свою нежность. Сдайся, сними свой панцирь. Зарыдай. Слезы должны прорваться потоком, неожиданно для тебя самой. Только так ты коснешься его сердца.

В номере у Сергея спектакль прошел будто по маслу. Он был растроган, хотя, как профессиональный актер, интуитивно почувствовал нотки фальши. Когда он потянулся ко мне, чтобы утереть мои слезы, я, следуя правилам игры, вырвалась и убежала прочь.

Я выдержала паузу, спрятавшись в своем номере, якобы успокаиваясь после маленькой душевной бури. В зеркале я выглядела точно цветущий сад, сбрызнутый росою слез. Я прошлась пуховкой по лицу. Как я должна вести себя в следующем акте? Как женщина, которая пытается держать себя в руках, несмотря на внутреннее волнение. Эти попытки обуздать себя трогают мужчин своей уязвимостью. Пора. Мой вечер только начинается.

Когда я спустилась в ресторан и увидела покорного Сергея, по его глазам я поняла, что выигрываю в самом начале сражения. Это меня не устраивало. Я снова применила тактику отталкивания. Мои упреки, изложенные в величественных выражениях, имели успех. Я была в ударе, воодушевленная напряженным вниманием двух зрителей (и каких!), а также ударной дозой виски. По ходу действия мы переместились в номер, где жили мальчики. Тенчай, ничего не понимавшая в этом потоке русской речи, тут же легла спать.

Костя, зачарованный блестящими фразами, сыпавшимися из моего накрашенного рта, весьма удачно подавал реплики. Он сознался, что в жизни не видел такого шоу одной женщины. К двум часам ночи Сергей был смят и раздавлен. В качестве последнего жеста я взяла со стола бутылку виски, отпила прямо из горлышка и сказала, что ухожу. Сергей пошел меня проводить. Если б не его поддержка, вряд ли бы я дошла до номера.

В комнате я почувствовала, что пол уходит у меня из-под ног, и упала на кровать. Сергей обрушил на меня лавину поцелуев. Как под наркозом я ощущала его руки на своей груди. Все смешалось в моей бедной голове. Менее всего я сейчас хотела заниматься любовью. Вот поймите после этого женщину!

«Я купил сегодня презервативы в городе», —

преданным голосом сказал мне Сергей. Далее случился конфуз. Он попытался натянуть презерватив на свой член, резинка звонко лопнула. Я начала хохотать самым вульгарным образом. «Они малы! — в отчаянии воскликнул он. — Чертовы тайские презервативы! Я пойду в город за новыми!» — «Иди, милый, с богом!»

Он ушел в непроглядную темноту и тропический ливень. Где он будет искать презервативы в два часа ночи в провинциальном городке? Черт его знает! Я закрыла за ним дверь, легла в постель и головокружительно полетела в бездонную пропасть. Уже сквозь сон я слышала, как трезвонит телефон, как кто-то ломится в мою дверь, но мне уже было все равно.

День седьмой. В семь утра меня заставило подняться только чувство самодисциплины. Я спустилась к завтраку, внешне пристойная. «Я вообще удивляюсь, как ты держишься на ногах, — вместо приветствия заметил Костя. — И это после бутылки виски». У меня не было сил отвечать.

Во время завтрака на нас упал стол со всей посудой и продуктами. Я смеялась до колик. Глядя на бесформенные, проспиртованные лица моих спутников, я думала, что все мы играем в театре абсурда. Днем беспрерывно куда-то едем, ночью шляемся по борделям, спим по два-три часа в сутки, и все это называется съемками фильма. Сегодняшний день не исключение. Мы опять летим в крохотный городок Мэхонгсон.

Приехав в аэропорт, мы выяснили, что наш самолет улетел. Тенчай убежала скандалить и менять билеты, а мы отправились в бар пить пиво.

Мы с Сергеем почти не реагируем друг на друга. Вчера мы дошли до точки кипения, и теперь спад неминуем. Даже пиво не в силах пробудить наши эмоции.

В Мэхонгсон мы вылетели только через пять часов на крохотном, фырчащем самолетике, который разве что крыльями не махал. Городок — занюханная дыра, зато отель великолепен. Здесь тихо и серьезно, как в заброшенной церкви. Бродит пара таких же, как мы, идиотов-постояльцев, закинутых сюда шутками причудницы-судьбы. В большом бассейне никто не плавает, в саду бьют фонтаны, а в искусственных водоемах плавают золотые рыбки. Здесь работает армия садовников в больших соломенных шляпах. Они разбирают веселую мешанину цветов на клумбах и гоняют ящериц с чистых дорожек.

Ребята уехали в очередную деревню снимать женщин с самыми длинными шеями на свете. Они с детства вытягивают их специальными кольцами длиной до метра. Я наотрез отказалась от поездки. Коротаю время около бассейна с книжкой в руках, ожидая мою маленькую командировочную семью.

Мысли разбегаются, книжка выскользнула из рук. Что за пустой, лишенный эмоций день! Вот вчера я жила по-настоящему, на грани внутреннего срыва. А сегодня от иллюзий одни кровоподтеки.

День восьмой. Вчера вечером я купила мальчика по имени Ра с мечтательными карими глазами, 25 лет, специалиста по массажу. В номере гостиницы я разделась до трусиков и приготовилась к наслаждению, а ребята к съемке.

Тайский массаж хорош тем, что его можно делать любыми частями тела. Ра предпочел его делать губами. Под его сверхчувствительными поцелуями я разогрелась на медленном огне желания, и когда он кисточкой от пудры принялся ласкать мои сокровенные места, я замурлыкала в чувственном экстазе. Разгоряченный Ра побежал в ванную подставить голову под холодный душ. Охлажденный, весь в капельках воды, он тем не менее заявил, что не хочет от меня денег, он желает, чтобы я расплатилась сексом. Услышать такое непрофессиональное заявление от профессионала — маленькая женская победа! Оказывается, и на таком навозе иногда расцветает любовь. Но спать с этим мальчиком не входило в мои планы. Я обратилась за помощью к моим приятелям, они всучили Ра деньги и вытолкали его из номера. Но мальчик не угомонился! Он заявил, что не уйдет из гостиницы и будет ночевать прямо здесь. Всю ночь меня будили его суматошные звонки. Его вкрадчивый голос вторгался в мои сны: «Могу я прийти к тебе в номер?» Я в панике бросала трубку.

Утром в аэропорту лицо Ра с тоскующими глазами казалось живым упреком. Ледяная белая женщина оставила у него в сердце ссадинку, ранку, которая будет ныть. Я поднималась в самолет с привкусом пепла во рту и чувством легкого сожаления. Легенда о тайском сексе рассыпалась в прах. Таиланд с его узеньким влагалищем, маленьким членом, профессиональным равнодушием к сексу, давно уже ставшему только видом туризма, превратился в туалетную бумагу, которой пользуются в минуту нужды. Сказочный храм любви оказался на поверку скотным двором. Здесь действует хорошо отлаженная и смазанная машина секса, бесстрастная и беспощадная, а среди ярких декораций пляшут пресные люди-марионетки, которых дергает за ниточки один великий хозяин — деньги.

Армия любовников

На свете немного осталось легенд, сохранившихся во всей своей безусловной подлинности. Одна из них — французский иностранный легион. Орден авантюристов, отважная раса, не желающая буржуазно скоротать свой век, пираты без флага и родины. Легенда, гремучая, как сапоги со шпорами, — о братстве настоящих бывалых солдат, делающих настоящую мужскую работу.

С 1831 года в легионе оседали головорезы со всего мира. Их называли «псами войны». Легион имел особый статус и всегда был удобным средством для достижения политических целей. Франция снимала намордники со своих «псов» в минуту нужды и посылала их в далекие, по-звериному жгучие и жаркие земли — в Индокитай, Мадагаскар, Тунис, Марокко, Алжир, Чад, Заир. В пересохших, воспаленных, свербящих городах это самое колоритное сборище бандитов на свете сметало все на своем пути, резало и убивало, плюя на мораль и закон и повинуясь только одному — Приказу. Мальчики-солдаты с разбойничьей кровью в жилах силой брали смуглых и черных женщин и ошивались по кабакам, увязая в распутстве. Настоящая сага грабежей, разбоев и убийств. Молва гласила, что легионер даже в пустом доме найдет, с кем подраться.

Париж любит и ненавидит своих легионеров. Каждый год 14 июля, в день взятия Бастилии, парижанки взасос целуют в барах солдат в белых кепи и отдаются им в честь праздника совершенно бесплатно. «Мой легионер», — пела своим сексуальнейшим голосом Эдит Пиаф, а за ней эти слова нежно твердили тысячи женщин, заводя романы с легионерами и начисто забывая о том, что вот уже второе столетие легион вбирает в себя худшее отребье со всего света. Как осадок со дна стакана, если его сильно встряхнуть, мутит воду, так и две мировые войны, бесконечные революции поднимали со дна общества наемников всех стран, готовых за деньги пристроиться в любом теплом местечке.

Иностранный Легион — это перекресток на пути разных наций. Здесь сходятся представители 120 национальностей, и русских с каждым годом прибывает все больше и больше. Строго говоря, это не первая русская волна. После революции легион пополнился белыми офицерами-эмигрантами, оставшимися без куска хлеба, и казаками, из которых сформировали нечто вроде полка. До чина генерала дослужился приемный сын Максима Горького Зиновий Пешков, чье имя теперь занесено в «золотой» список легиона. После Второй мировой войны в легион прибыли бывшие полицаи всех национальностей из СССР. Их принимали вместе с немцами-эсэсовцами и солдатами и офицерами национальных дивизий СС «Литва», «Латвия», «Эстония». Легион не брезговал никем.

После развала Союза уроженцы СССР хлынули в иностранный легион в погоне за миражем удачи. Чем больше на территории бывшей советской империи возникало локальных конфликтов и войн, тем больше забубенных головушек из России, стран СНГ и Прибалтики сдавалось в призывные пункты во Франции.

Кто они, эти русские мальчики? Каким ветром их занесло в иностранный легион? Чтобы познакомиться с «новыми русскими» легионерами, я отправилась в крохотную африканскую страну Джибути, где находятся военные базы Франции.

Знакомство

Джибути иногда называют «государством одного города» (небольшие полудикие поселения, разбросанные в пустыне вокруг столицы не в счет). Эту бывшую колонию Франции, одно из самых жарких мест на земле, где температура летом достигает 50 градусов при 100% влажности, моряки метко окрестили «сучий угол». Неплохое местечко для жестких и тертых.

Еще в самолете я познакомилась с молодым французским офицером по имени Эрик, который посоветовал мне искать легионеров в барах. «Помочь я тебе не могу, — объяснил он. — Между французской армией и французским легионом — вражда не на жизнь, а на смерть. Видишь эти шрамы? — Эрик закатал рукава, обнажая загорелые руки, исчерченные белыми полосками недавних шрамов. — Это февральская драка в «Кафе де Пари» в Джибути между 25 легионерами и 10 французами. Дрались бутылками, я весь был в порезах от стекол». (Позже отчет об этой драке я услышала в несколько иной версии — 10 легионеров против 25 французов.)

Первую порцию виски в Джибути я выпила именно в «Кафе де Пари» с русским легионером, капрал-шефом Сергеем, очень выдержанным молодым мужчиной, постоянно путающим французские и русские слова. Если б не военная выправка и великолепная фигура, я бы приняла его за классического петербургского интеллигента, только очки на нос осталось нацепить. «Я не типичный легионер, — оправдывался он, прихлебывая «бурбон». — Бордели, девицы, пьянки — все в прошлом. Не хочу вспоминать. Теперь я женат на француженке и сам гражданин Франции. Я зарабатываю в легионе деньги — и точка. Я писарь по своей природе, мое дело — бумажки заполнять. Хочешь посмотреть настоящих легионеров, поехали в казармы. Только особо не высовывайся из машины, а то мне «нагорит». (Забегая вперед, скажу, что Сергею таки «нагорело», — нас застукал какой-то шустрый офицер.)

Военный городок больше походил на образцовый пионерский лагерь — все чистенько, прилизано, фонарики горят, травка на газонах подстрижена, в буфете продают гамбургеры. И солдаты все чистенькие — в шортах, белых гольфиках и кепках, похожих на белые кастрюли. И в кондиционированных казармах все куда как благопристойно, исключая туалеты, обклеенные «порнухой».

Я была в скромном белом платье, но если бы с неба спустился белый ангел, говорящий по-русски, он имел бы меньший успех. В казармах русские легионеры быстро «сообразили» несколько бутылок вина. А «полировать» вино «Джеком Дэниэлсом» поехали в бары, которые к ночи были битком набиты легионерами и черными проститутками, красивыми зверьками с пуговичными глазами, как у плюшевых мишек. В барах стоял легкий запах того чистого пота, которым потеют только здоровые чистые мужские тела после работы под солнцем. Мальчишки оказались хоть куда! Натренированы до пика физической формы, сложены как гладиаторы, пьяны в дымину. Сил не было смотреть на их загорелые гигантские ляжки с узлами мощных мускулов, обтянутые короткими шортами. Попадались, правда, чистые гориллы, в основном польского происхождения, — с гипертрофированными грудными клетками, огромными, словно вздутыми, бицепсами и мощными, как бревна, руками. Такими руками запросто можно порвать пасть крокодилу. Стань у такого молодца на пути — и он расшибет тебе голову бронированным кулаком.

«Ну что, пора пыхнуть. Как ты относишься к травке?» — «Отлично, хорошо, замечательно!» Что я могла еще ответить? Марихуана здесь — символ хорошего знакомства, а, видит Бог, я нуждалась в хороших знакомствах. С «травкой» дело обстоит просто, ее покупают у таксистов, которые рискуют за это тремя годами тюрьмы. Потом нанимается такси, и курильщики катаются вдоль берега Красного моря, «давя косяк» и медленно приходя в приятное расположение духа. «Теперь контрольная сигарета», — поучал меня мой новый знакомый-легионер. «Что это значит?» — «Если после обычной сигареты тебя «вставит», значит, «трава» была качественной». «Вставило» так, что до гостиницы меня тащили почти волоком.

Через день русские легионеры вынесли мне вотум недоверия. Версий моего появления в Джибути было три, одна другой хлеще. Люди осторожные предположили, что я действую по заданию ФСБ — под видом журналистки собираю информацию о французской армии и русских наемниках. Бывшие «братки» решили, что я агент русской мафии — ищу людей, задолжавших «братве» огромные деньги, или киллеров, которые прячутся в легионе. Но самой популярной оказалась версия, что я — проститутка, исследующая новый район для русских путан. Приятно, черт побери, быть шпионкой, проституткой и мафиози в одном лице! Если бы в казармах ретивые поклонники «СПИД-ИНФО» случайно не нашли бы зачитанную до дыр (в буквальном смысле!) старую газету с моей статьей и фотографией, плохи были бы мои дела. И все равно, нежное, как шепот, недоверие сопровождало меня до конца поездки.

Как попадают в легион

Во Франции существует 18 призывных пунктов, куда могут сдаться молодые мужчины в возрасте от 18 до 35 лет, иногда, в виде исключения, до 40 лет. И битые волки, и совсем юные волчата. Как только человек переступает порог призывного пункта, у него первым делом отбирают паспорт и гражданскую одежду, потом его кормят и одевают в форму. Если он болен венерическими заболеваниями, его вылечат. С этого момента ему начинает капать пусть небольшое, но жалованье. Если у человека нет никаких документов, его фотографируют, берут отпечатки его пальцев и делают запрос в Интерпол. Главное, чтобы будущий легионер не засветился в Интерполе, от остальных мелочей легион отмажет.

Далее к работе приступает местное «гестапо», — вполне доброжелательные, спокойные люди ведут многодневные допросы через переводчика (большинство наемников не говорит по-французски). Эта система психологических опросов ставит целью выявить наиболее слабые места в «легенде» наемников и их способность лгать. Никто не питает иллюзий насчет того, что будущие легионеры — мальчики из церковного хора. У каждого за спиной прошлое, иногда такое, что земля горит под ногами. Человек спасается бегством и приходит в иностранный легион, выкладывая первую попавшуюся историю, часто такую же далекую от реальности, как солнце от земли. Ему верят или делают вид, что верят, но каждый день задают одни и те же вопросы. Человек расслабляется и рано или поздно, если он лжет, он допустит ошибку.

Бывают идиоты, патологические лжецы или люди, настолько запуганные прошлым, что на элементарный вопрос: «Болел ли у вас когда-нибудь живот?» — категорически отвечают «нет». Это задача военных психологов решать, что кроется за попыткой солгать и какие пробелы есть в официальной истории наемника. Чем руководствуются кадровики при отборе легионеров, не знает никто, но конкурс составляет приблизительно четыре человека на место. Те, кто не прошел, получают небольшую зарплату за истекшее время, которой обычно хватает на обратный билет домой.

После медицинского осмотра, проверки умственных способностей и трех-четырех месяцев испытательного срока новичка могут зачислить в легион. С этого момента ему прощаются все его прежние грехи. Человек попросту исчезает, становится анонимом. В компьютер вводят его новое имя («погоняло» — на языке русских легионеров), новую дату рождения, иногда изменяют национальность. Например, французы не имеют права вступить в иностранный легион, им, как правило, пишут другую национальность — канадец, бельгиец или швейцарец. Французские бомжи («клошары») иногда приходят в легион перезимовать, подкормиться, потом они успешно дезертируют. Люди, которым нечего скрывать, те, кого привел в легион природный авантюризм или нищета, обычно сохраняют свое прежнее имя из какого-то странного суеверия.

Но кем бы ни был в прошлой жизни иностранный наемник — бомжем, убийцей, насильником или мошенником, легион никогда его не выдаст. Никто не может вычислить бывшего преступника. Его прежняя родина, делая запрос во

Францию, скорей всего получит благопристойный ответ, что такой человек на французской территории не числится.

Свой первый контракт легионер заключает сроком на пять лет, дальше по желанию. Во Франции денег платят немного — не больше тысячи долларов в месяц, поэтому все рвутся в далекие края, где стоит французская армия и где зарплата гораздо выше, — на Корсику (там еще шатается тень Наполеона), на Таити, в Гвиану. Самая высокая оплата в Джибути — около 4000 долларов в месяц. Жилье и питание практически бесплатно. На каждого солдата заводится счет в банке.

Три года легионер не имеет ни имени, ни паспорта, ни гражданства. Позже он может подать на так называемую «ратификацию» и получить обратно свой старый паспорт и вид на жительство во Франции. После пяти лет службы ему «светит» французский паспорт (в лучшем случае!). Собственно, ради нового гражданства в легион и ринулось множество русских. Кстати, при его получении можно поменять три буквы в своей фамилии, или если фамилия значимая (типа Петухов, Зайцев, Баранов), просто перевести ее на французский.

В течение пяти лет легионер не имеет права жениться и владеть собственной машиной. После пяти лет различные послабления. Если солдат решает вернуться к мирной жизни, легион оплачивает ему год учебы по выбранной специальности. После восьми лет службы особо отличившимся легионерам полагается премия в размере 24 месячных окладов. Это нечто вроде большого спасибо. На пенсию легионер может выйти после 15 лет службы. В какой бы стране мира он ни находился, ему будет «капать» на специальный счет ежемесячно тысяча долларов.

Идеологи иностранного легиона выдвинули лозунг: «Легион — это большая семья», который должен исцеляющим бальзамом лечь на опаленную душу солдата. И подарки на рождество, и совместные праздники, и бесплатные дома отдыха для солдат на берегу Средиземного моря, — все это должно создавать иллюзию защищенности от остального мира. Есть даже дом для престарелых легионеров и инвалидов. Те, кто не хочет провести остаток своих дней, шатаясь из кабака в кабак, отправляются туда, на юг Франции, в одно из винограднейших мест на земле. Там, в тишине, бывшие товарищи по оружию рассказывают друг другу были и небылицы из легионерской жизни, давят виноград и делают знаменитое легкое легионерское вино.

Кто они?

Стричь всех солдат под одну гребенку по меньшей мере глупо. В выплавку легионерской расы брошены как попало самые разнообразные элементы хорошего и плохого качества. Общество весьма пестрое — есть закоренелые убийцы с идеалами свиней, людоедов и беглых каторжников, есть чистенькие университетские мальчики, из чьих голов еще не выветрилась книжная пыль, есть подлинные авантюристы, которым в обычной жизни нечем дышать, и незаурядные мошенники, временно сменившие слишком яркую окраску на защитный легионерский цвет, есть просто молодые мужчины, все в синяках от ударов судьбы, предпочитающие молчание и действие словам. У многих наемников за спиной жизнь, разгромленная тысячью случайностей, поэтому между собой солдаты говорят только о настоящем.

Николай Н., харьковский хлопец, с тоской вспоминает о своей веселой жизни типичного «братка из бригады». Коля был первым парнем на деревне — рэкетиром, выбивающим деньги из незадачливых коммерсантов, должников братвы. Все было его — золотые цепи, рестораны, девки. Однажды, «вышибая» деньги из очередной жертвы при помощи утюга, он переусердствовал, а жертва возьми да и подай на него в суд за нанесение тяжких телесных повреждений. Коле пришлось в спешном порядке покинуть родину, поскольку на него завели уголовное дело. «Да не жег я его сильно, — оправдывается он. — Так, припугнул немножко утюгом. Ну, голову, правда, мы ему разбили и руку, кажется, сломали. Но я же был только исполнителем, мое дело сторона, «бригада» приказ дала — надо исполнять».

— А ты что, ловишь кайф, когда мучаешь кого-нибудь?

— Если честно, ловлю. Все мы садисты в душе. Вот ты, например, любишь давить тараканов?

— А то как же! Они мне жить мешают.

— Ни хрена они тебе не мешают. Просто тебе нравится их по стенке тапочкой размазывать.

А чем таракан виноват? Тоже жить хочет. Просто у тебя размаху не хватает людей давить.

— А у тебя хватает?

— Помучить всегда приятно, даже когда любишь. Вот у меня кошка жила, я ее так любил, что схвачу бывало и начну душить, а потом всю заласкиваю.

— А что ты сказал в легионе, когда приехал?

— Сказал, что задолжал денег и спасаюсь от кредиторов. И вот что интересно. Следом за мной в легион приехал мой дружок, тоже «браток». Так его не взяли. Он назвал тот же город, что и я. Видать, начальство в легионе решило, что он за мной гонится. Вот и не приняли парня, меня прикрывали.

Коле скучно в легионе, здесь он не крутой, а просто один из многих. Негде развернуться. Здесь, если на кого наедешь, мигом голову отвернут.

— Ты думаешь, я в легионе задержусь? Не-а. Подожду пару лет, пока все на родине утихнет, и дезертирую. Я как только свои первые семь тысяч долларов заработал, сразу отослал их тому мужику, который на меня «заяву» накатал. Чтобы он дело прикрыл. И потом — у меня дома невеста. Я к ней в отпуск поеду.

— Сомневаюсь, что она тебя ждет. Впрочем, если ты ей утюгом пригрозил...

— Что ты! Я женщин никогда не бил. Правда, один раз было. (При этом воспоминании Колино лицо мрачнеет.) Но все, с этим покончено. Посмотри, что я везу невесте в подарок.

Коля открывает небольшой футляр — на черном бархате переливается золотое колье и браслет изумительно тонкой работы.

— Пять тысяч долларов, — хвастается Коля. — Как ты думаешь, ей понравится?

— Конечно. Только я не пойму, как ты собираешься ехать в отпуск. У тебя же нет документов.

— Проще пареной репы. Приеду во Францию, выясню, кто из хохлов поступил в легион недавно, приду в украинское посольство и назовусь его фамилией. Скажу, что потерял паспорт. Мне выдадут справку, и я махну на родину. Обратно границу можно перейти нелегально.

Вкус к нелегальщине у легионеров в крови. Бывший военный Вася Н. добирался из Владивостока до самой Франции автостопом без денег и документов, по дороге добывая себе пропитание плутовством. Он умудрился нелегально перейти три границы! За такой подвиг его приняли в легионе с распростертыми объятиями.

Наемники — люди столь деликатной профессии, что фальшивый паспорт или переход границы без документов входят в нормальные правила игры. Закон о наемничестве, принятый в России, странах СНГ и Прибалтики, грозит легионерам семью годами тюрьмы. Женя С., гражданин Белоруссии, когда-то закончивший русское военное училище, переходил немецко-польскую границу глубокой ночью, лесом. «А какие тут проблемы! — рассказывает он. — Взял бутылку водки и пошел себе не спеша. К утру вышел из леса». — «А как ты определил, что это Польша? Там что, специально написано для таких, как ты?» — «Не знаю. На глазок определил. Вроде Польша. Там я прямиком в посольство за справкой о потере паспорта и домой в Белоруссию, в отпуск». — «А почему не в Германии?» — «Там порядки строже».

Женя награжден Крестом иностранного легиона за храбрость. «А, ерунда! — отмахивается он. — В 1997 году в республике Чад была очередная революция, Франция поддерживала законное правительство. На гражданский митинг приехали два француза утихомирить народ. И кто-то из толпы расстрелял их в упор. Они упали в двухстах метрах от меня». — «И что ты сделал?» — «Как что? Выполнил приказ. Взял автомат и стал стрелять по толпе». — «Но ведь там были мирные граждане!» — «Какие к черту мирные?! Ты что, в такой ситуации будешь выяснять, кто есть кто? Ты испытываешь шок и мочишь куда придется. Это же не боевик, а реальная жизнь. В состоянии шока даже снайпера рука подводит. Честно говоря, я бы не хотел вновь оказаться там».

В отличие от Жени, двадцатитрехлетний Славик из Рязани рвется в бой. У Славы открытые и ясные, как у ребенка, глаза, улыбка ангела и внешность переодетой девочки. Но у этого хорошенького щенка с волчьим оскалом за плечами Чечня и служба в войсках ООН в Югославии (куда он попал за то, что накопал комбату два мешка картошки на даче в качестве взятки). «Знаешь, мне все равно, в кого стрелять, платили бы деньги. Я рожден быть солдатом удачи, — говорит он. — Если мне в России в отпуске кто-нибудь предложит «хлопковое дело», возьмусь не глядя». — «Что это значит?» — «Ну, «хлопнуть» кого-нибудь за деньги. Многим легионерам, приехавшим в отпуск домой, братва делает заказы. А что? Удобно. Приехал человек, сделал свое дело и укатил обратно в легион. Главное, остерегаться крупных денежных заказов. Чем больше денег тебе предлагают за убийство, тем больше вероятность, что тебя самого уберут после исполнения заказа. Что ты смотришь на меня такими глазами? Здесь все не цветочки.

Знаешь, в университете я проходил курс по психологии и теперь часто ловлю кайф, срывая с людей маски. Был тут один мужик из Латвии, уверял меня, что по специальности он пекарь. «Ну, ладно, — думаю, — пекарь так пекарь». Только взгляд у него был такой добрый, ну впрямь как у булочника, и руки такие, знаешь, только хлеб выпекать. Первый месяц он был пекарем, второй — пекарем, на третий месяц сказался мастером спорта по гребле. Я его ловил на мелких проколах и крутил, пока он не раскололся. Выяснилось, что человек был профессиональным убийцей на службе КГБ с 85-го по 90-й год, рубил людей саперной лопаткой в местах конфликтов — в Ашхабаде, Баку, Тбилиси. В легионе чуть не насмерть забил нескольких капралов, пытавшихся его поставить на место. Его сразу зауважали».

Слава — парень с хорошей кровью, пустившийся в жизнь, как охотник за дичью. Он из тех, кто предпочитает преступление дрянному бессилию и все время ищет случая сорваться с невидимой цепи. «Мне нужно ощущение командира в жизни, иначе я наделаю глупостей, — говорит он. — Если бы я делал себе татуировку, то выбрал бы кленовый лист, что значит «оторванный от семьи». Я рад, что я в легионе. Не могу сидеть в России. Там ты сегодня король и ездишь на «Мерседесе», а завтра случайный «отморозок» пырнет тебя ножом в подъезде. Ты даже «мама» сказать не успеешь.

Легион учит тебя защищаться. Я люблю выматывающие условия, я рвался в самое трудное место — в парашютный полк на Корсике. Жестокая школа для волков. Но попал в Джибути. Мне плевать на смерть, главное, что я испытываю сейчас. Поверь мне, что когда ты проходишь труднейшую полосу препятствий и бросаешься в изнеможении на раскаленный песок, ты говоришь себе: «Я сделал это!», и это больше, чем оргазм».

О схожих ощущениях мне рассказывал парень из Прибалтики по имени Кэстэс. О дикой и вечной пустыне, где все мертво и голо, слепит зноем и песками. Там царит могильное спокойствие и адская духота. О легионерах, которые бредут по ней в одежде, облепившей потное тело, с раскаленным оружием в руках, и в костях у них от усталости словно толченое стекло. Так проходят марш-броски иногда под сто километров, когда солдаты идут три дня по пескам и чистой соли вдоль соляных озер. Температура такая, что лопаются стекла у дешевых часов, а люди выдерживают, практически без еды, воды и сна. Так вырабатываются навыки выживания в экстремальных условиях. «Знаешь, когда ты в пустыне, — говорит Кэстэс, — ты между жизнью и смертью.

Жизнь ведет тебя за одну руку, смерть за другую. И в этот момент полной усталости ты вдруг начинаешь ловить удивительный кайф от того, что ты мужчина и делаешь свое мужское дело».

Кэстэс, бывший солдат, не любит убивать. «Об убийстве говорят только сопляки да больные люди, — говорит он. — Я только один раз стрелял в человека в упор, на поражение, во время боевой операции, и хочу тебе сказать, ничего приятного нет в том, когда видишь, как корчится перед тобой твоя жертва. Если ты нормальный человек, глаза убитого тобой еще не раз тебе приснятся».

Александр П. из России, напротив, специально подался в легион на «зачистку черных», как он выразился. «Какого черта мы сидим тут без дела, — горячится он. — Когда я смотрел документальные фильмы о легионе, где солдаты в Чаде и Заире «мочили» черных, я думал: «Вот это работа! Есть на свете организация, которая беспокоится о сохранении власти белых». Ты пойми, если черных не резать, они через несколько лет нас просто задавят». — «А как быть со смешанными браками?» — «Таких людей надо сажать в тюрьму, а детенышей убивать».

Саша удрал в легион потому, что ему грозило от 8 до 15 лет тюрьмы за хищение государственного имущества в особо крупных размерах. Лед под ним был до жути тонким, а вода под ним до жути холодной. «Скажем так, я успел проскользнуть в закрывающуюся дверь, так что меня лишь чуть-чуть прищемило». — «Что же ты украл?» — «Вот тебе образ: у всех на виду летали никому не нужные камни, а я их взял. Через некоторое время государство спохватилось: а где же камни?» — «То есть ты взял то, что плохо лежит?» — «Можно сказать и так».

Саша П. надеется дождаться хорошей заварушки, когда можно будет расстреливать «бубуков» (так белые называют местных жителей). Ему вторит Юрий, проработавший три года вышибалой в испанском ресторане. «Черных надо бить, пока не побелеют, — цинично говорит он. — Белый человек выбился из черной массы, потому что работал». Слава из Рязани недавно забил «бубука» ногами. «Ничуть об этом не жалею, — говорит он. — Я ехал в такси, а он бросил бутылку в машину. Я велел таксисту догнать его, вышел из машины и «мочил» его до тех пор, пока не выбился из сил. Это ж падаль».

Тайная война между черными и белыми не прекращается ни на день, но изредка вспышки насилия освещают всю глубину пропасти между двумя расами. Недавно кто-то из «бубуков» бросил гранату в баре, убив одного француза и ранив нескольких белых, тут же приехали легионеры и посносили к чертовой матери несколько баров. Теперь легион выплачивает денежные компенсации хозяевам этих ночных заведений. Затем кто-то из легионеров ради «прикола» пристрелил черного, роющегося в мусорной куче. Убийцу быстро переправили военным самолетом во Францию.

Вообще легион всеми правдами и неправдами прикрывает своих преступников. Однажды местные власти задержали на границе дезертира-легионера без документов и бросили его в местную джибутийскую тюрьму. Черные зеки насиловали белого в течение нескольких дней, доведя его до помешательства. После этого случая руководство легиона предпочитает держать преступников в собственной военной тюрьме. «Ты будь с нами поосторожнее, — говорили мне ребята. — Не встречайся с легионерами один на один». — «Почему?» — «Да потому, что если ты с кем-то поздоришь или кому-то откажешь в сексе, человек легко может убить тебя, и ничего ему за это не будет. Отправят во Францию и посадят на месяц в военную тюрьму. И все дела». — «Но я же белая!» — «Ты иностранка. Убивать нельзя только французов».

«Чему ты удивляешься? — говорит Сергей Т. из Петербурга, бывший чемпион Европы по современному пятиборью, штурмовик-десантник, прошедший Чечню. — Легион — это помойка мира, отбросы общества. Ненавижу это место. Здесь никому не нужен твой ум, желательно иметь квадратную голову. Ты просто вскрываешь себе череп и на пять лет контракта вынимаешь свои мозги». — «В таком случае, что тебя занесло сюда?» — «Долгая история. В Чечне из двадцати человек моего взвода в живых осталось только девять. И не зеленых пацанов, а профессионалов-десантников. Я получил контузию при взрыве и несколько месяцев провалялся в госпитале. После войны мой комбат создал частную фирму в Петербурге, ворочавшую большими деньгами. Я пошел к нему телохранителем, у меня было все — деньги, машина, друзья, но я ненавижу «быков», этих наглых, безмозглых скотин в золотых цепях, а в любом русском бизнесе без них не обойтись. Потом моего комбата пристрелили. Жена меня бросила давно, еще до Чечни. Настоящая красотка-танцовщица, моя первая любовь, не захотела делить со мной все тягости военного быта. Заявила, что я ничтожество, не умею зарабатывать деньги, забрала дочку и ушла. Потом захотела вернуться, как только у меня появились деньги, но я ее не принял. В общем, мне нечего было терять, и я ушел в легион.

Здесь есть ребята, настоящие русские профессионалы. Один все время врал мне, что он просто спортсмен, пока я у него не нашел жетон смертника.

— Что это такое?

— Это нечто вроде металлического значка с твоим личным номером, он не плавится в огне. Такой выдают десантникам в «горячих точках», чтобы можно было потом опознать тело.

Есть тут бывший русский спецназовец, прошедший Афганистан, который поспорил однажды на общей пьянке с французом-легионером. Француз заявил, что русский спецназ — полное дерьмо по сравнению с французской армией. Тогда наш парень взял нож и молча всадил его себе в ногу. Потом так же спокойно вытащил нож, взял иголку с ниткой и зашил себе рану наживую.

— Неужели в легионе нет просто романтиков?

— Почему же, есть. Один мой приятель-швед, сынок очень богатых родителей, знает четыре языка, в один прекрасный день почувствовал, что ему не хватает свежего воздуха и жизнь проходит мимо. Он питался больше книгами, чем солнцем. Он сказал рыдающей богатой маме: «Прощай!», хлопнул дверью и ушел в легион».

Случайных персонажей в легионе хоть отбавляй. Взять хотя бы бывшего управляющего одним крупным российским банком. Он бежал во Францию, прихватив с собой крупную сумму денег, достаточную для безбедного существования до конца своих дней. Теперь он терпеливо отбывает пятилетний срок в легионе недалеко от Парижа, дожидаясь получения французского паспорта. Выходные этот легионер проводит в Париже в собственном доме или раскатывая по городу на своем пятисотом «Мерседесе».

Игорь К., большой любитель моря, купил себе яхту и мотался на ней по миру, пока яхта не затонула у берегов Бельгии в сильный шторм. Сам Игорь был слишком пьян, чтобы спасти свое судно. Он четыре месяца просидел в бельгийской тюрьме, поскольку у него не было паспорта. Наконец пластиковый мешок с документами выловили у берегов Англии и переправили в Бельгию. Выйдя на свободу, Игорь сдался во французский легион, чтобы заработать денег на новую яхту. В армии этот бывший нейрохирург работал фельдшером и успешно воровал спирт из госпиталя. Французы просто диву давались, куда девается спирт в таких количествах. Им и в голову не могло прийти, что кто-нибудь может пить спирт при таком обилии вокруг прекрасного сухого вина, дайна и виски. Игорь заработал денег на новую яхту и тут же дезертировал.

Помимо банкира и яхтсмена, в легионе объявился даже русский дрессировщик медведей. Он был на гастролях во Франции вместе с цирком, пока не повстречал на пляже в Марселе двух русских легионеров. Они вскружили ему голову рассказами о легкомысленной, полной приключений жизни профессионального ловца удачи. Сейчас, став легионером, он уверяет, что с медведями было легче.

Легионеры похожи на молодых мустангов — такие же крепкие и жилистые. (Беспощадные тренировки не дают завязаться даже небольшому жирку.) Их обучают всем известным премудростям уничтожения. Джибути считается центром подготовки «коммандос», профессионалов по борьбе с терроризмом и специалистов по разведывательно-диверсионным акциям. Пловцы-разведчики, например, с легкостью проплывают восемь километров в Красном море во время шторма. «Представь себе, ты плывешь, а по соседству прогуливаются акулы, — рассказывает Сергей К., бывший бизнесмен из Костромы. — Ты не имеешь права испугаться, ведь рядом плывут твои товарищи. Однажды ночью, во время учений, когда нам пришлось взрывать корабль, меня смыло волной с лодки. Жуткое чувство, когда ты один в кромешной тьме в море, во время шторма. Но у каждого из нас есть на груди специальная палочка. В критический момент ее надо сломать, и она будет светиться 24 часа. Так меня и выловили, как светлячка по огоньку».

Два года назад легионеры отправились на остров Дьявола, что неподалеку от Джибути, отпраздновать окончание очередного стажа (четырехмесячный срок обучения по одной из военных специальностей). Остров Дьявола знаменит тем, что там погиб сын Жака Кусто (его сожрали акулы). Перепившие легионеры, которым уже море было по колено, решили вплавь добраться до большой земли. Славный был ужин у акул — из тридцати молодых мужчин до берега добрались только девятнадцать.

Мир в миниатюре

Джибути — это маленький Вавилон, кого тут только не встретишь. Легиону плевать на национальные различия. Его солдаты поют песни на немецком языке, доставшиеся от нацистов, и это никого не коробит. Все эти ребята, говорящие между собой по-французски, в бою выступают единым монолитом. Они словно монеты разных стран, которые со временем переплавили и оттиснули на них один и тот же чекан.

Но у всех свои особенности. Французы великолепно щедры с женщинами, предпочитают заказывать шампанское и жестоко влюбляются в местных красоток. Англичане плотно сидят на наркотиках, ненавидят французов, обзывая их педиками, и дружат с русскими. Кстати, выходцы из Западной Европы редко попадают в легион за серьезные преступления. Например, англичанин Майкл — профессиональный хакер (взломщик компьютерных программ). Он работал в банке и аккуратно воровал каждый месяц через компьютер не больше тысячи фунтов стерлингов.

Но однажды дрогнула неверная рука компьютерного программиста, и он спер 10 000 фунтов. Через неделю, когда началось расследование, ему пришлось в спешном порядке покинуть Англию. «Что же ты сказал в легионе?» — спрашиваю я. «Я сказал, что я романтик, — смеется Майкл. — Мечтаю посмотреть новые страны. Не беспокойся, я и здесь потихоньку таскаю деньги через компьютерную сеть, ведь я работаю в легионе программистом».

Француз Жан сдался в легион, потому что за него взялась налоговая полиция. Он задолжал ни много ни мало 50 000 долларов. Пустячок, но пришлось срочно прятаться в легионе, записавшись канадцем из Торонто.

Поляки славятся природной забиячливостью. В этом гибельном климате легко закипает кровь, и зачинщиками драк обычно выступают поляки. Говорят, в пьяном виде они напоминают грузовики, спускающиеся с горы без тормозов. Не знаю, как там насчет драк, но танцевать с этими отборными самцами небезопасно, — у них в штанах, по меньшей мере, арбузы.

Литовцы бьют тихо, без шума — ставят русских на «шухере», заводят обидчиков в туалет и «мочат» без долгих разговоров.

Как они делают любовь?

В первую неделю пребывания в Джибути я чувствовала себя ребенком, которого родители привели в магазин мороженого. Перед ним тысячи сортов — хочется попробовать шоколадное, потом лизнуть клубничного, заесть фисташковым, но все сразу нельзя, заболеешь ангиной. Так и я встала перед проблемой выбора, очутившись в таком плотном кольце голодных жеребцов. Вообразите: крохотная раскаленная страна, больше тысячи здоровых, молодых, не обремененных комплексами и женами, скучающих мужчин и я, единственная свободная привлекательная белая женщина. Я себя ощущала султаншей с большим мужским гаремом. Просто руки чесались дотянуться, доскрестись до каждого красивого доступного мужского тела. Мне даже приходилось сжимать ноги в барах, чтобы унять желание в низу живота.

Первый тревожный звонок прозвучал уже на третий день, когда кто-то из легионеров пытался ночью вышибить дверь в моем номере. Я летала в кровати и давилась смехом в подушку, слушая стенания за дверью: «Открой мне дверь, Даша. Ну, пожалуйста!» Соседи по этажу респектабельной гостиницы «Шератон» были насмерть перепуганы — они открывали двери через цепочку и пытались понять, что происходит. Сосед-индус даже попытался вызвать полицию, вернее, он связался с администратором и сообщил, что к молодой даме напротив ломится солдат в странной белой кепке, что он (индус) опасается за честь молодой дамы (то бишь мою), поскольку солдат сильно пьян, и не следует ли вызвать полицию. Менеджер гостиницы отнесся более чем прохладно к этому темпераментному заявлению. «К этой молодой даме, — заявил он, — каждый день кто-нибудь ломится. Спите спокойно».

Вторым холодным душем стало предложение легионеров заняться групповым сексом. Меня поразила их здоровая солдатская прямота, тем более что в качестве второй партнерши мне предложили черную проститутку. По-видимому, контраст двух женских тел — черного и белого — будоражил их воображение. Это меня отрезвило. Для женщины в подобной ситуации опасен ореол доступности. Чуть-чуть легкомыслия, и меня порвут, как обезьяна газету. Если я хочу получить удовольствие и не обломать свои коготки, надо выбирать партнеров в глубокой тайне, чтобы ни у кого не вызвать ревности. Ведь я в этой ситуации — большой приз, подарок в яркой упаковке, и для большинства легионеров это вопрос самолюбия и гордости — переспать со мной.

Пока судьба не послала мне в кровать кусок отменного легионерского мяса, я занималась сводничеством. Мой новый знакомый, легионер-англичанин Майкл ужасно хотел трахнуть одну черную девочку, работающую в местном баре.

— Скажи мне, я урод? — спрашивал он меня в ресторане, пока я уминала пиццу.

— Нет, Майкл, ты не урод, — отвечала я с набитым ртом. — Ты почти красавец.

— Она говорит, что я не красив, потому что ни разу не приходил в бар с женщиной.

— Так в чем проблема? Купи проститутку и приходи с ней в бар.

— Это не то, —с полной серьезностью заявил Майкл. — Представь: вечер, и я захожу в бар с белой женщиной в красном платье, то есть с тобой. Белая леди в красном — мечта любого мужчины. И девчонке придется нас обслуживать. Она с ума сойдет от ревности. Даша, умоляю, только десять минут.

— Что ж, идем.

Тут вся ресторанная компания возмутилась. На шестерых мужчин в тот вечер приходилась всего одна женщина в моем лице. «Только двадцать минут!» — кричал Майкл, сразу увеличивая время. «Ну, хорошо, — зловеще предупредили его, — если опаздываешь, платишь за всех».

Это был вечер триумфа для Майкла. Он появился в баре, набитом пьяными легионерами, под руку со мной, таинственный и молчаливый. Его тут же отозвали в сторону и устроили ему допрос: «Кто эта женщина?» Майкл отвечал загадками. Черная девчонка, похожая на маленькую птичку, приняла у нас заказ, не глядя на Майкла, потом с видом оскорбленного достоинства принесла мне виски.

— Это и есть твоя мечта? — спросила я Майкла, пожиравшего глазами пичужку.

— Да, только она мне не дает.

— Сегодня даст. Судя по всему, она ревнива.

Я как в воду глядела. Уже глубокой ночью я столкнулась с Майклом и девчонкой на дискотеке — вид у них был до нелепости счастливый.

Пока мы с Майклом мозолили глаза черной официантке, оставшиеся в ресторане легионеры решили устроить мне маленький сюрприз. Я забыла на столике свой фотоаппарат. Легионеры заперлись в туалете и сфотографировали мне на память свои члены и задницы. Этакое непосредственное проявление черного солдатского юмора. (Шутка куда как удалась — пленку в Москве проявлял и печатал мой муж.)

Трудно не поддаться животному магнетизму мужской красоты, особенно, когда вокруг такие экземпляры, созданные на радость женщинам. Первый раз я почти сдалась в полночь, на диком пляже, во время шумной легионерской вечеринки. На вертеле жарилось мясо и рыба, на огне запекались только что выловленные крабы. Выбор блюд был богатейший — от салатов до прелестных маленьких пирожных разных видов. Такое ощущение, что мы сидели не на берегу моря, а в каком-нибудь великосветском ресторане. На длинных столах помимо джина, виски и водки стояли невинные с виду бутылки с минеральной водой. В каждой бутылке сделана дырочка, куда вставлен мундштук с зажженным «косяком». Курят методом примитивного кальяна. Дым вдыхается через горлышко бутылки и, проходя через воду, становится гораздо мягче и не так дерет горло. Некоторые гости питали слабость к гашишу. Удовольствие изысканное и простое. Кусочек гашишной смолы кладется на кончик обычной зажженной сигареты, которая курится через пустой пенал шариковой ручки. Так гигиеничней — когда сигарета передается по кругу, каждый курит через свою ручку.

Вечеринка состоялась в честь дня рождения одного англичанина-легионера. На тридцать мужиков приходилось всего три женщины — две местных проститутки и я. Через пару часов гости совсем одурели от смеси марихуаны, виски и джина. Я решила прогуляться по берегу, чтобы охладить разгоряченную голову. Всего несколько шагов от костра — и меня поглотила кромешная тьма. Начался отлив, и море стремительно отхлынуло на несколько километров, оставив влажный, острый запах водорослей и всякой морской живности. Голова у меня закрутилась, и я упала на песок. Я лежала, обкуренная до блаженного состояния, ощущая, как горит моя кожа от острых песчинок.

Словно во сне я услышала чьи-то тяжелые шаги по песку. Кто-то упал рядом со мной, и я вся напряглась, чувствуя, как мужские руки шарят по мне с нескромной грубостью и чужие губы ждут ответа от моих губ. «Кто здесь?» — спросила я без страха. «Это я», — жаркий шепот мне в ухо. Я рассмеялась, доверяясь незнакомым рукам. «Но кто «я»? Назови имя», — шепнула я. «Женя», — тихий выдох в ночи. Мы сомкнули губы, и я почти задохнулась в бесстыдном поцелуе. Какая разница, кто партнер в такую ночь, когда все скрывает смоляная чернота, и звезды качаются над твоей головой, и крабы ворочаются в горячем песке, пытаясь выбраться на поверхность.

Наш случайный поцелуй тут же прервали — стоило мне исчезнуть из компании на несколько минут, как меня тут же пошли искать. И вот уже другой мужчина берет меня на руки со словами: «Хочешь посмотреть, как далеко ушло море?» Небо вот-вот обрушится на меня, я болтаю в воздухе ногами в черных бархатных туфельках и чувствую себя как никогда счастливой, доверяясь обманчивой ясности мысли, которую порождает марихуана.

В ту ночь я так и не определилась с выбором любовника. Мне хотелось всех и никого. Уже глубокой ночью в гостинице я плавала в открытом бассейне, совершенно голая и умиротворенная. Месяц качался в небе словно долька лимона, и любовная дрожь сотрясала звезды. Никогда в жизни я так остро не ощущала свою молодость и свою бренность. Я четко видела, как медленно утекает время, скользит по моему телу, как вода по коже дельфина. Время — мой самый главный враг.

Прошла неделя, и я поторопилась сделать выбор. Я боялась упустить хотя бы день удовольствий. Моим первым любовником оказался пловец-разведчик, прибалтийский парень с внешностью типичного северянина и совершенным во всех смыслах телом. Когда я первый раз увидела его в баре, я немедленно поперхнулась коктейлем от изумления. Если бывают на свете боги, то этот парень был богом. Серебристо-белые волосы цвета коры молодой березы, цвета жемчуга, и тело, достойное греческих статуй. Даже в этом краю прекрасных мужских особей такой товар редкость. Я тут же загорелась желанием.

Наше любовное свидание состоялось в бассейне моей гостиницы, жаркой южной ночью. Вы когда-нибудь делали любовь с морской пехотой в воде? Точнее, с пловцом-разведчиком? «Это что-то», — как говорила Донна Роза. Больше похоже на водное поло. Только вместо мяча женское тело, которым играют вода и мужские руки. Никто не умеет так работать руками, как легионеры, и ничьи легкие не выдерживают так долго под водой. Когда твой партнер делает глубокий вздох и уходит в воду под тебя, а его руки и губы пускаются в медленное странствие по твоему телу, ощущение, что ты подорвался на очень мягкой мине оргазма.

Цена на меня постепенно росла. От конкретной цифры тысяча долларов за ночь до абстрактного «все отдам за ночь с такой женщиной», как твердил какой-то страстный венгерский солдат. Я уточнила: «А все — это сколько?» Выяснилось, что перевод русского легионера, посредника между нами, был неточен. «Всего себя», — вот что имел в виду практичный венгр. «А-а, — разочарованно протянула я, — это немного».

Особый шик среди легионеров — снять хорошую гостиницу на время уик-энда или отпуска, куда можно приводить проституток. Например, поселиться в «Шератоне». Однажды утром, выйдя из своего номера, я увидела странную картину. Черный стюард катил по коридору тележку, на которой сидел легионер в белой кепке, обставленный бутылками с минеральной водой. Они стучались в двери и раздавали воду. «Это что, гуманитарная помощь?» — спросила я. «Почти, мадемуазель, — с готовностью ответил солдат. — Я помогаю похмельным товарищам. Не хотите ли водички?» Я отказалась. Похмелье здесь переносится довольно легко. В 50-градусную жару любые крепкие напитки, которые ты пьешь, тут же выходят потом. Если, конечно, не быть свинюгой, как один мой приятель-легионер, который любил запивать виски молоком.

Ощущение приблизительно такое, как будто внутри у тебя сворачивается творог.

С тем солдатом, любителем гуманитарной помощи, мы немного подружились. Он оказался французом по происхождению и довольно настойчивым человеком. Звали его Жан. В то время у него как раз был краткосрочный отпуск, он поселился в гостинице «Шератон» и начал последовательную охоту на меня. Цветы, записки, фрукты в номер. Иногда мы встречались в ресторане во время завтрака, мило раскланивались, и он ненавязчиво оплачивал мой счет.

Он вошел в когорту постояльцев отеля, которые опутывали меня своим вниманием. Один из них — молодой симпатичный турок, ошеломивший меня сносным знанием русского языка. Узнав, что я из России, он подошел ко мне, представился по всем правилам и предложил вместе поужинать. Его турецкое имя отличалось такой непроизносимостью, что мы условились, что я буду звать его Димой. Во время ужина выяснилось, что этот турецкий Дима несколько лет назад сбежал из Турили в Одессу, уклоняясь от службы в армии, и прожил на Дерибасовской два года, пока его родители не уладили конфликт. Отсюда его вполне приемлемый русский. В Джибути он приехал как бизнесмен, налаживающий поставки чего-то куда-то (он не вдавался в детали).

Дима принадлежит к тому атавистическому, чрезвычайно приятному типу мужчин, которые ко всем женщинам относятся уважительно и даже с некоторым трепетом. Если такой мужчина заводит отношения с понравившейся ему девушкой, то это всерьез и надолго. Мы много времени проводили вместе, но Дима очень робел и боялся даже случайно дотронуться до меня. Его почтение льстило мне до крайности.

Только однажды я видела, как его смуглое лицо залилось румянцем смущения при виде сексуальной сцены. Это случилось на китайском грузовом судне, с которым у Димы были какие-то дела. Дима пригласил меня на этот корабль пообедать китайскими пельменями. В нашем пятизвездочном гостиничном ресторане так паршиво кормили, что я с готовностью согласилась. Команда китайцев встретила нас очень мило, мы объелись пельменями до отвала и выпили столько пива и виски, что едва могли передвигаться. Капитан очень хотел похвастаться своим необъятным кораблем и устроил нам настоящую экскурсию. Мы много поднимались и спускались по бесчисленным лестницам. В один из таких спусков сильный сквозняк поднял мою пышную цветастую юбку почти до ушей, открыв всеобщим взорам мой загоревший живот и маленькие прозрачно-белые трусики. В этот момент Дима, спускавшийся впереди меня, обернулся и замер, загипнотизированный этой картиной. Он стоял, не в силах отвести взгляда, и медленно заливался краской, пока не порозовели даже его маленькие уши. Я тоже застыла, ничего не предпринимая и радуясь, что на мне сегодня мое лучшее белье. Мы смотрели друг на друга, как в стоп-кадре. В этот момент я поняла, что должна была ощущать Мерилин Монро в знаменитой сцене взбитых ветром юбок. Непередаваемое наслаждение властью над мужчинами. Эти несколько секунд казались бесконечными, потом я опустила юбку, и мы оба дружно рассмеялись. Все казалось шуткой ветра, но после той лестницы Дима был уже не так ловок со мною.

Другого моего поклонника звали Абдул. Красавец араб, интеллигентный, образованный, объездивший весь мир. Внешне все в нем было благопристойно, но, как во всех арабах, чувствовался зверь, готовый в любую минуту встать на дыбы при виде женщины. В отличие от Димы он пытался идти к своей цели напролом и в первый же день знакомства сразу предложил постель. Это разозлило меня, и я отомстила ему на свой лад. По иронии судьбы, мы оказались соседями. Стенки в номерах такие тонкие, что можно слышать, как сосед с утра откашливается, прочищая горло. Я устраивала по ночам настоящее шоу для Абдула, за которое мне смело можно было дать «Оскара». Я как бешеная скакала на своей скрипучей, видавшей виды кровати, потом постанывала с придыханием и под конец кричала на английском, имитируя оргазм: «Мой дорогой! Трахни меня посильнее! О, я кончаю!» Короче, изображала откровенные страсти пещерного человека. После таких спектаклей Абдул выходил к завтраку осунувшийся, с припухшими от бессонницы веками и осторожно выспрашивал у меня, кто вчера приходил ко мне в гости. Я, прикинувшись дурочкой, отвечала: «О, пустяки! Паратройка солдат». У Абдула немедленно пропадал аппетит.

Время поторапливало меня, и я назначила

свидание в моем номере одному русскому легионеру двадцати двух лет, свежему и хорошенькому, точно незабудка, но у этой незабудки на совести уже было как минимум две жизни.

Мой цветочек по имени Славик должен был прийти в два часа дня. Когда ровно без пяти два раздался стук в дверь, я поспешила отпереть, ни секунды не сомневаясь, что это Славик. Каково же было мое удивление, когда на пороге я увидела французика Жана. Несколько секунд мы молчали, рассматривая друг друга. Я ждала объяснений. И Жан не замедлил их дать. Оказывается, отряд специального назначения, в который включили и Славу, и Жана, должен вылететь этой ночью в Мадагаскар. Славе не повезло, его не выпустили из казармы. А Жан подсуетился, договорился с капралом и был таков. Уже у выхода его поймал Славик и попросил передать мне его извинения. Я представила себе внутреннее ликование хитреца Жана, которому случай дал в руки отличный повод явиться ко мне.

«Могу я войти?» — вкрадчиво спросил Жан. Он стоял внешне спокойный, скрывая под оболочкой почтительности хищное вожделение. На неправильном скуластом лице неутолимо горели черные цыганские глаза. Я подивилась внезапной услужливости судьбы, которая вместо одного мужчины предложила мне другого. Глядя на его крупный нос, я вспомнила древнее женское поверье, которое гласит, что носатые мужчины носят в штанах большое сокровище. Это решило дело. «Входи», — усмехаясь, сказала я. Не слишком морально с моей стороны, но не беда, найдется случай соблюсти мораль в другой раз.

Жан поспешил произвести хорошее впечатление и сразу заказал в номер две бутылки дорогущего шампанского, по триста долларов бутылка. Я как женщина практичная тут же пожалела, что эти деньги достались не мне, но красивый жест оценила. Администрация отеля вместе с шампанским прислала тележку фруктов.

Мы пили, ели ломтики ананасов, курили и разговаривали. Я рассматривала руки Жана, покрытые множеством рисунков. Жан рассказал, что хорошая татуировка в Джибути стоит не меньше тысячи долларов. Рисунки делает легионер-испанец, отсидевший в Испании четыре года за убийство в драке, а потом сбежавший во Францию. Каждый рисунок что-нибудь обозначает. Например, летящий дракон — эмблема взвода парашютистов, а морской дракон — символ морской пехоты. Я представила — если заниматься любовью в воде, рисунки оживают и словно шевелятся. Эта порочная картинка вызвала у меня улыбку, и, смутившись, я опустила глаза. «Чему ты улыбаешься?» — спросил Жан. «Своим мыслям», — ответила я, отпив глоток шампанского. «И какие они?» — «Неприличные».

Драгоценное время утекало, стрелка часов неумолимо двигалась к пяти часам. В шесть Жану придется уйти, а я все никак не могла решить, хочу ли я этого мужчину. Он сидел, как голодный щенок в ожидании кормежки, и я решила сжалиться.

14—197

— У меня к тебе просьба, — робко начал Жан, — может быть, немножко неожиданная.

— Говори. Смелее!

— Однажды я видел тебя вечером, ты шла в ресторан с каким-то мужчиной в удивительном вечернем платье. Одень его, пожалуйста, для меня.

— Хорошо.

Я знала, о каком платье идет речь. Длинное, бархатное, цвета пламени — мечта любой женщины. Я переоделась в ванной, сбрызнула себя духами и вышла к нему, светская женщина и чуть-чуть шлюха, в алом платье и черных бархатных туфельках на немыслимо высоких каблуках. Жан ахнул. «У тебя талия такая тонкая, что я могу обхватить ее пальцами». — «Попробуй». Он подошел ко мне сзади, и мы оба отразились в большом зеркале. «Стой так и смотри в зеркало. Не двигайся», — повелительно сказал он. И был прав. Ничто не возбуждает женщину сильнее, чем возможность наблюдать, как мужские губы впиваются в ее шею, а сильные пальцы нетерпеливо поднимают юбку.

Он раздел меня в быстром темпе, но красиво, и сам скинул одежду с обезьяньим проворством. Тут меня ожидал шок. Я вскрикнула, увидев, как щедро его оснастила природа. Все мои прогнозы насчет огромного члена оправдались с лихвой. То, что стояло у него между ног, больше подошло бы жеребцу. Татуировка покрывала его с головы до ног — он весь был одно сплошное художественное полотно.

То, что произошло дальше, напугало меня до смерти. Жан вытащил ремень из брюк и недвусмысленно дал понять, что хочет привязать меня к кровати. Вся моя оборонная система пришла в действие, предупреждая об опасности. Одно дело — поиграть в садомазохизм со старым любовником, которого знаешь до донышка, и другое дело — отдаться на милость совершенно незнакомого человека, которого к тому же преследует закон за какое-то преступление. Все ужасные кадры из триллеров пришли мне на ум. Но Жан поторапливал меня: «Давай, детка. Не бойся. Доставь мне удовольствие». Вся напускная робость слетела с него, он выглядел повелителем.

В каком-то полусне я позволила привязать мои ноги к спинке кровати ремнем, а руки он привязал моим же собственным синим шейным платком. Никогда я не чувствовала себя такой беспомощной. Парализованная страхом, я позволила ему делать со мной все, что угодно. Сначала он проделывал с моим телом восхитительные вещи, и я понемногу расслабилась. Но когда он вошел в меня, я взвыла от его огромности и отчаянно рванулась. Ремень впился мне в кожу, напомнив, что я пленница. Я даже не могла раздвинуть пошире ноги, чтобы дать больше места непрошеному гостю. Мои крики только завели Жана. Он словно спустил всех собак и теперь рвал мою плоть, вколачиваясь в меня все сильнее и сильнее. Рукой он зажал мне рот, а я ухитрилась укусить его за палец. Эта маленькая война начинала мне нравиться. Его целью было взять меня грубо, молча, как при насилии, но насилии желанном. Он кусал мои соски, и мои груди напряглись, словно их начинили взрывчаткой.

Холмики его ягодиц двигались все энергичнее, и наконец оргазм настиг меня, словно бешеный раскат грома. Я подошла к финишу в состоянии чуть ли не беспамятства. Жан разжал мой рот, и я захлебнулась счастливым криком, чувствуя, как оргазм за оргазмом сотрясают мое тело, пока все не завершилось последней ослепляющей вспышкой. Он кончил молча, сдержанно, развязал мои руки и лег на меня сверху, обессиленный, весь влажный от любовного пыла. Я наконец смогла приласкать нового любовника. Его стриженые волосы на ощупь казались шкуркой зверька.

Отдых длился недолго. Жан тут же подскочил и начал лихорадочно собираться, в спешке засовывая две ноги в одну штанину. «Самолет на Мадагаскар», — твердил он с извиняющейся улыбкой. Я отвязала свои ноги и швырнула ему ремень. «Как мало времени на любовь», — грустно сказал Жан. «На нее всегда мало времени», — в тон ему ответила я. Он поцеловал меня на прощание так глубоко, что его толстый шершавый язык целиком заполнил мой рот, и был таков.

Оставшись одна, я загрустила. Времени только шесть часов, и ночь обещает быть пустой, и тело растревожено случайным любовником. Хочется долгой, продолжительной ласки. Я вдруг вспомнила тот случайный поцелуй на берегу моря, такой сумасшедше нежный. Как же звали того парня? Женя. Кажется, Женя.

Телефон затренькал, прервав мои мысли. Позвонил русский легионер из той компании, с которой я приятельствовала, и мы договорились об общей пьянке на девять вечера.

— Послушай, — вдруг сказала я, — а где тот парень, с которым мы пили на берегу? Женя, так его, кажется, зовут.

— Он под арестом.

— За что?

— За опоздание с увольнительной. Сидит на гауптвахте.

— Передай ему, пожалуйста, что я хочу видеть его для интервью, — внушительно сказала я. Долгая пауза в трубке, потом насмешливый голос:

— Интервью? Это теперь так называется?

— Да, я жду его сегодня вечером.

— Боюсь, что ему не удастся удрать. Но все равно передам.

Я положила трубку, внутренне ликуя. Если Женя — мужчина, он найдет способ увидеться со мной именно сегодня. Я приняла ванну, смыв пот и запах предыдущего мужчины, втерла в пах две капли апельсинового масла, побрызгалась духами и нанесла косметику. Это моя ночь, и я должна быть на высоте. Из вороха чемоданного шмотья я выбрала белый обтягивающий комбинезон. Его изюминка заключалась в том, что он обтягивал меня как вторая кожа, аппетитно врезался между ягодиц и четко обрисовывал низ живота, не скрывая даже ложбинки между ног. Более провоцирующую вещь трудно представить. Тем более если не надевать под него трусы. Ходить в таком комбинезоне небезопасно даже в цивилизованном обществе, не говоря уж об Африке.

В девять вечера я пришла к ребятам в номер, который они снимали в моем отеле для развлечений. Собралась большая компания — четверо русских легионеров, турецкий Дима с приятелем, неожиданно подружившийся с нашими ребятами, и я. Все пили, курили марихуану и ждали Женю, чтобы начать большой вояж по барам.

В казарме между тем развивались следующие события. Женя послал товарищей за водкой, наварил ухи на закуску и мертвецки напоил капрала, стерегущего наказанных. Когда Женя уже сам едва держался на ногах, он стал просить капрала: «Слушай, друг! Отпусти меня в город. Меня там женщина ждет». И для вящего эффекта добавил: «Белая женщина». Это решило дело. Капрал задумчиво почесал в затылке и сказал: «Иди, но знай, если тебя поймают, я тут ни при чем. Никто не докажет, что я тебя отпустил. Сам будешь выпутываться».

Женя пришел к нам не слишком уверенной походкой, но держался он довольно неплохо, и я решила, что он просто немного выпил. Он посмотрел на меня жарким, бесстыдным взглядом, и я сразу почувствовала томную слабость в коленях. Все шумно засобирались в ночной клуб. Когда вся компания вышла в коридор, мы с Женей немного отстали и теперь замыкали веселую процессию. Женя вдруг схватил меня за руку и быстро спросил:

— На каком этаже ты живешь?

— На четвертом, — шепотом ответила я.

— Есть тут какой-нибудь запасной выход?

— Если мы быстро свернем направо в эту дверь, никто этого не заметит.

Так мы и сделали. Уже в моем номере Женя заказал по телефону бутылку рома для себе и двойную порцию виски для меня. Я тогда еще не знала, как опасна смесь крепких напитков с «травой». Мы выкурили несколько «косяков» марихуаны. Женя выпил почти всю бутылку рома, и к двум часам ночи я оказалась один на один с совершенно невменяемым человеком. Глаза у него были как взведенные пистолеты, и, глядя в его расширенные зрачки, я поняла, что если он не уйдет сам, мне придется вызывать полицию. Я пыталась выбежать из комнаты, но он перехватил меня у двери с силой, неожиданной для человека, находящегося в таком состоянии. «Ты же хотела написать, как трахаются легионеры, — прошептал он, дыша на меня ромом. — Сейчас ты это узнаешь».

Потом я попала в водоворот. Он поцеловал меня так, что у меня перехватило дыхание. Этот поцелуй не имел ничего общего с тем грубым, животным сексом, что я имела днем. Он был сама нежность. Мягкие, осторожные губы выпивали, как мед, мое дыхание, заставляли обмирать мое сердце. Я замерла, боясь пошевельнуться. Душа, притаившись, сладко грезила и не хотела пробуждения. Мужские губы словно читали по мне, вбирали меня по частям. Голова моя закружилась, словно я поднялась на горную вершину и стою на ней, вдыхая разреженный опьяняющий воздух. В комнате все звенело от наших поцелуев. Я стояла, безвольно уронив руки, не в силах стряхнуть любовного оцепенения, и только позволяла нежить себя, ласкать, баюкать, словно малого ребенка. Нежность! Вот чего мне не хватало все эти годы, как кислорода не хватает в большом городе, когда понимаешь — вроде жить можно, но летать уже нельзя.

Мягко, бережно, не сделав ни единого жеста насилия, Женя уложил меня на кровать и раздел. Он нежно зондировал каждую точку моего тела, и все струны моего существа обнажились и зазвучали под его рукой. Сладостно теряя волю, я обхватила его, словно морская волна, взволнованным телом. И когда мольба мужской плоти настигла меня, я позволила ему овладеть мной. Что за блаженные и окаянные минуты! Мы кончили одновременно в таких нежных содроганиях, как будто занимались любовью в раю. Лежа рядом с ним, я поняла, что есть порог, который никогда не перейти без физической близости. Именно за этим порогом начинается подлинное взаимопонимание между мужчиной и женщиной.

Он ушел, когда за окошком уже занимался рассвет, торопясь на побудку в казармах. Старая, как мир, история — солдат, уходящий в предутренний час от женщины. Я уснула сладко, как утомленный ангел, и в уголках моего рта осталась любовь. Но сны, таившиеся в моей подушке, свели бы с ума любого.

Мне снился ужасный сон. Мужчина, лицо которого я видела как в тумане, лежал на полу. Я, ведомая каким-то звериным, неуправляемым инстинктом, насаживалась на его член сверху, скакала на нем как бешеная, пока не кончила. Изнуренная сумасшедшим оргазмом, я поникла на нем в бессилии. И вдруг на меня повеяло холодом. Мужчина, лежащий подо мной, не шевелился. Я прислушалась к его дыханию, но не уловила даже признаков, приложила ухо к груди, но сердце не билось. Всматриваясь в его неопределенное лицо, я с ужасом увидела на нем трупные зеленовато-синие пятна. От мужчины пахнуло смрадом, я отпрянула и с криком отвращения проснулась.

За окном во все легкие дышало нестерпимо жаркое африканское утро. Кондиционер в комнате в очередной раз сломался, и за ночь я спеклась, как в духовке. Простыни подо мной увлажнились от пота. Я лежала и размышляла над тем, что со мной происходит, какой бес гонит меня от мужчины к мужчине. Почему я каждый день нетерпеливо жду, когда наступит все вознаграждающая, лихорадочная ночь. Может быть, я просто не создана для брачной верности? Ведь к супружеству надо иметь определенное призвание, склонность, если хотите. Все застывшие, покрывшиеся ржавчиной отношения меня только отталкивают. Я всю жизнь пылко отстаиваю право, которое присвоено всякой живой душе, — право изменяться. Любовь не может притязать на то, чтобы сковывать нас кандалами. Жизнь гораздо больше и богаче, чем узкий мирок семьи.

Может быть, моя беда в том, что я никогда не мирилась с каноном и никогда не подчинялась общим правилам? Я признаю только супружество-дружбу, а не брак-тюрьму. Жизнь — виноградник в июле, где мужчина и женщина обмениваются гроздьями наслаждения. Секс — не более, чем форма общения. Если мужчина, который мне нравится, вдруг заговорит со мной на языке интимности, я могу просто поддержать разговор и переспать с ним.

Я вспомнила, что до родов я предпочитала поцелуи и предварительные ласки всему тому, что следует за ними. Теперь я получаю удовольствие от всего процесса, не упуская ни одной детали. Я раскрылась, и, беззащитная и всесильная, одновременно впиваю всеми порами Любовь, как Даная золотой дождь. Прикрикнув на свою совесть, я снова готова пить мед любых обольщений.

Проститутки

С наступлением ночи легионеры выходят на охоту — «искать мясо» (проститутку). Покидая военный городок, они обязаны на выходе взять пачку презервативов. Ни один солдат не может выйти в город без сексуального «боезапаса». Легионерские презервативы считаются самыми надежными. Солдаты одалживают черным проституткам свои презервативы, и те хранят их в холодильнике, чтобы резина не портилась от жары. «Все равно рвутся, — уверяет Александр П. — Потому что п...а у черных некачественная, сухая. У белых женщин внутри все мокро, мягко, член легко скользит. И запах у них совсем другой. Я не охотник до любви всухую, если бы не нужда...»

В дымных барах, где продается любовь, можно купить женщин редкой красоты — всего 30 долларов за ночь. Причем русские умудряются поделиться девочкой на троих. Впрочем, пропускная способность черных проституток необычайно высока.

Легионеры спят с черными и ненавидят их. То, что от любви, здесь немыслимо. Честно говоря, мне трудно понять привередливые вкусы солдат. Лилово-бронзовые девочки, приезжающие на «гастроли» из Эфиопии, разряженные, точно райские птицы, — вылитые Наоми Кэмбелл с немыслимо тонкими талиями, европейскими чертами лица и потрясающей пластикой чувственных тел. Их с детства обучают искусству обольщения. Масла, притирания, благовония — все это известно маленьким эфиопским и сомалийским девочкам. Их цель — соблазнить мужчину. «Да половина из них — с обрезанным клитором, — уверяет Слава из Рязани. — И потом, ты спала когда-нибудь с воздушным шариком? Или с кучей желе? Приблизительно такое же неживое ощущение. Пока они затянуты в джинсы, еще куда ни шло, но стоит им раздеться, все расползается. В одном месте ткнул пальцем, в другом вылезло». «Зато у них все гладкое, — спорит с ним Володя из Приднестровья. — А белые женщины вынуждены бриться». — «По мне, пусть она хоть вся бреется, — горячится Слава. — Лишь бы белая была. И потом, минета от черных не дождешься. Если только в морду дашь». Кстати, бьют проституток регулярно. Некоторые смышленые девочки специально нарываются на драку, чтобы потом требовать от легиона денежных компенсаций. Один поляк, большой любитель пива, выплачивает эфиопской проститутке из своего жалованья 150 000 франков за нанесение телесных повреждений. Кажется, он пытался засовывать ей пивные банки между ног.

Слава рассказывал мне о пьяных ночах в постели, когда знаешь, что больше ничего нет, кроме этого, и как странно просыпаться, не зная, кто это рядом с тобой. «Я с утра сам себе противен, — говорит он. — Повернешь голову, увидишь ее и думаешь: «Опять!» Потом, раз уж купил, трахнешь ее напоследок и выгонишь». Ему вторит Коля с Украины: «Я уже забыл, что такое — драться из-за женщины. Здесь некого делить. Дерешься иногда просто по привычке».

Сергей из Петербурга прекратил ходить к проституткам, когда случайно увидел в газете «СПИД-ИНФО» фотографию девушки в конкурсе «Звезда полей» — прекрасной Олеси. «Я тут же послал письмо в газету, чтобы подать за нее голос, — говорит Сергей. — Я написал, что у этой девушки глаза, которые не лгут. А газета переслала мое письмо ей. И представляешь, Олеся ответила мне. Вдруг в Джибути я получаю письмо от такой красавицы! Она прелесть. Мы переписываемся с ней уже несколько месяцев, и я послал ей приглашение. Может быть, она приедет в Джибути в декабре. Конечно, я не настолько наивный человек, чтобы верить в любовь с первого взгляда. Ну, а вдруг! Теперь на черных я и смотреть не могу, жду Олесю».

Легионеры делят черных женщин на проституток и «честных давалок», мечтающих выскочить замуж за белого. Здесь так мало пищи для воображения, что солдаты, особенно французы, иногда цепляются за этот суррогат любви и даже женятся на «честных» девушках, которые обещают им покорность и детей «кафе оле» (цвета кофе с молоком). Один русский летчик, работающий на местную авиакомпанию, рассказывал мне: «Такие женитьбы — редкость. Они бывают только после истечения срока легионерского контракта и двухлетнего совместного проживания (только с джибутийскими гражданками) уже во Франции. Так что французские бюрократы чинят препоны под флагом борьбы за чистоту расы. А вообще на легионеров в обиде французские летчики, так как всех легионерских детей местные путаны «вешают» на авиацию. Проститутки рассказывают своим незаконным детям трогательные истории. Мол, твой папа был французским летчиком, но он полетел во Францию за разрешением жениться на маме и разбился. «Покойников» много, поскольку к 25 годам почти каждая «вдова» имеет одного-двух детей от легионера».

Спать с женщиной — самая мужская из мужских забав, и буйная, неумеренная здоровая плоть требует своих солдатских радостей без предисловий и долгих разговоров. Некоторые легионеры даже предпочитают «глухонемое мясо» (проститутку, которая не говорит по-французски). Так проще и быстрее. Кстати, легионеры не носят нижнего белья, как Шарон Стоун в «Основном инстинкте». Это облегчает дело — не надо возиться с трусами, скинул шорты и готов к любовной битве. И все же, именно от них, неотесанных и торопливых, я слышала самые возбуждающие слова на свете — до бесконечности нежные и до бесконечности непристойные.

Правила жизни

Жизнь легионера — это цепь случайностей. Судьба, опекающая пропащих, столько раз хранила их и расчищала им путь, что все они теперь немножко фаталисты. Перейдя границу страны под названием «Насилие», они приняли ее законы. Вот они. Плыви по течению, не сопротивляйся его силе. Куда-нибудь вынесет.

Никогда не спрашивай товарищей о прошлом, если не хочешь услышать ложь.

Не протягивай руку помощи, пока тебя об этом не попросят. Иначе ты сам во всем будешь виноват. Война составляет часть законов природы. Понимаешь жизнь только тогда, когда убиваешь ее. В понятие полноты жизни входит все. Даже смерть.

Маленькие тайны примерных учениц

«Предъявите паспорт», — строгий окрик охранника тормозит у входа в ресторанчик «Голодная утка» стайку хорошеньких девушек. Одна из них, ангелоподобное существо с фиалковыми глазами, озабоченно роется в сумочке, потом робко спрашивает: «А зачетная книжка подойдет?» — «Какой курс?» — строго спрашивает охранник. «Второй». — «Проходи». Двух матерых первокурсниц тут же заворачивают. Раскрашенная малолетка в истерике кричит: «Неужели вы не видите, что мне уже восемнадцать?!»

К семи вечера поток девиц густеет, звякают на тарелочке монетки. (Вход всего пять рублей.) Неожиданно вламываются трое здоровенных подвыпивших мужиков. «Сколько за вход?» — небрежно спрашивает один из них. «Извините, господа, но с семи до девяти вечера у нас женские часы». «Это как в бане, что ли?» — усмехается спрашивающий. Дыша перегаром и брякая золотой цепью, он надвигается на охранника и задушевно говорит: «Мужик, сколько тебе бабок дать, чтоб ты пропустил? Отбашляю без свидетелей». Скулы охранника каменеют: «Милости просим, господа, после девяти вечера». Далее следует живописная перепалка с применением отборного мата и взятием «за грудки». «Господа» удаляются нетвердой походкой. «Штурмом вас еще не брали?» — любопытствую я. «Были попытки, — нехотя отвечает страж. — Но пока справляемся».

У входа в гардероб — табличка с предупреждением «Презервативы, прокладки, тампоны, жвачка из карманов пальто не выдаются». В небольшом темном зале яблоку негде упасть. Штук двести спелых девиц с грешно-скромными мордашками, типичные студентки в униформе тинейджеров — коротких юбочках или джинсах и обтягивающих кофточках. На лицах нет и намека на жизненный опыт, помимо того, что дают классные комнаты и посиделки с подружками. Пока все напоминает школьный пикник, вечеринку тинейджеров. Маленькие накрашенные существа гроздьями висят на перильцах, отделяющих столики друг от друга, и на барных стойках. Небольшой диссонанс вносит десяток зрелых матрон в вечерних туалетах, невесть как затесавшихся сюда.

«Эй, подружка, сигареты есть?» — окликает меня соседка, розовощекое чудо природы. Такую нежную, непорочную миловидность я давно не встречала. Девочку можно причастить без исповеди. Я угощаю ее сигареткой и интересуюсь, сколько ей лет. «Шестнадцать, — отвечает она и, видя мое удивление, поясняет: — Я прошла по зачетке моей старшей сестры». — «Чего все ждут?» — «Семи часов — времени бесплатной выпивки. Сейчас такое начнется! Держись за меня».

И точно. Ровно в семь бармены-иностранцы (единственные мужчины в зале) начинают активно метать на стойку напитки жестокой крепости — джин, водку, мартини. Множество рук тянется к одноразовым стаканчикам, хватает их, расплескивая драгоценную жидкость. Выкрики звучат на русском и английском языках. Проблема закуски решается просто — бармены выносят коробки с чипсами и бросают пакетики прямо в визжащую толпу, словно корм собачкам. Аппетитная девица лет двадцати грудью, рвущейся из тесной маечки, прокладывает себе путь через месиво женских тел к барной стойке. Там она разом захватывает десять стаканчиков с водкой и лимонами и методично выпивает их, буйно хмелея прямо на глазах. Окурки и пустые стаканчики летят прямо на пол и ловко давятся острыми каблучками. В густо накуренном помещении от пролитого спиртного появляется характерный запах берлоги.

Внезапно нам приходится пригнуться — мы попадаем под обстрел кубиков льда. Какая-то ошалевшая от спиртного девчушка схватила ведерко со льдом и мечет его пригоршнями в толпу. Слышится подогретый водкой смех, музыка грозно давит на уши. Шум стоит такой, что разговаривать можно только, пользуясь импровизированной азбукой глухонемых. Несколько нетерпеливых девушек взбираются на барную стойку, сбрасывают ногами стаканы и начинают танцевать, если можно назвать танцем ту прихотливую смесь извилистых движений, которые возбудят даже мертвого. Эмоциональный градус резко повышается, через несколько минут все это обилие неумеренно здоровой, буйной женской плоти приходит в движение, подчиняясь общему музыкальному ритму.

Внезапно толстый мужчина средних лет ввинчивается в толпу девиц, забирается на круглый стол и устраивает сногсшибательный стриптиз, подрагивая всеми жировыми складками. «Это наш местный крейзи, американец, — объясняет мне менеджер «Голодной утки» Грэг. — Обожает раздеваться. Мы его пустили для разогрева». — «Значит, это закуска. А где же основное блюдо?» — «Вот оно!» Огни гаснут, луч света застывает на столе, где только что резвился американец, и по общему стону зала ясно, что начинается то, ради чего, собственно, и собрался весь этот молодняк. «Вы готовы?» — шепчет в микрофон мужской голос с придыханием. В ответ ему — единый женский выдох: «Да!»

То, что происходит дальше, не лезет ни в какие ворота. Качественный мужской стриптиз нынче не в диковинку, изюминка в другом. Партнершами для стриптиза становятся сами зрительницы, юные студентки, рвущиеся к столу-сцене в надежде, что их разденут. Шикарный негр или отменный белый мужчина выхватывают из толпы свежую девочку, несут ее на руках к сцене и под общий визг зала снимают с нее одежду, медленно при этом возбуждая. Это почти секс, приостановленный на пике. Публика стонет в чутком предвкушении публичного обнажения. Первая добровольная стриптизерша успела прикрыть срам руками и улизнуть со сцены в самый ответственный момент. Зато остальные не стесняются. Искусственно приводя себя в состояние чувственного бешенства, они не только сами срывают с себя одежду, но и, опускаясь на колени, ласкают ртом едва прикрытые трусиками мужские гениталии. Одна задорная потаскушка прыгает с барной стойки прямо на сцену, рискуя сломать себе ноги, торопливо обнажается и танцует, прижимаясь к черному парню со сладострастием кошки. Ее гигантские груди раскачиваются словно сочные груши, а жесткий кустик лобковых волос торчит так по-боевому, что я слышу рядом громкий вздох. Моя соседка, то самое чудо природы в самом нежном возрасте, запустила руку в трусы и, не стесняясь, свирепо мастурбирует. Ощущение, что все ненадолго сошли с ума. Коллективная оргия, массовый психоз.

Вся эта свистопляска заводит с пол-оборота. Черные руки хватают меня и выносят на сцену. Великолепное мускулистое тело беззастенчиво прижимается ко мне, и сквозь легкую ткань я чувствую эрекцию партнера. Кровь моя полна адреналина, в ушах звенит от криков: «Раздевайся!», чувство удовольствия обостряется при мысли, что его разделяют две сотни зрительниц. В эту минуту я точно знаю, что ощущают эти пропитанные грехом эксгибиционизма девочки-женщины. Они воображают себя звездами экрана, роковыми обольстительницами, этакими «горячими булочками». Черный парень уже поднял мое длинное платье до бедер, пальцы его становятся настойчивее, это отрезвляет меня, и я отстраняюсь. Делаю знак, и чьи-то услужливые руки снимают меня со стола.

Безумие увеличивает обороты. Блондинка, танцующая на барной стойке, внезапно приседает, ловит бармена и прижимает его голову к своему лобку. Она выглядит одержимой. Вдрызг пьяная девчушка пытается удержаться на стойке, несколько секунд балансирует, потом валится с полутораметровой высоты вниз головой. Как ни в чем не бывало подскакивает и взасос целует менеджера. «Здесь одни проститутки», — уверяет меня охранник Сергей. «Непохоже, — возражаю я. — По-моему, просто соплячки, перебравшие спиртного». — «Много ты понимаешь. Мы здесь такого насмотрелись. Приходит — настоящий цветочек, а к полуночи ее уже трахают в углу сразу двое».

Особая пикантность ситуации в том, что после девяти начинают пускать мужчин. (Правда, вход для них дороже — 50 рублей.) У входа выстраивается целая очередь мужиков, знающих о «женских часах». Они чуют запах распаленной женской плоти, как людоед чует свежее мясо. Женщины сейчас как динамит, достаточно поднести спичку, чтоб весь этот порох взорвался. Не важно, чьи руки обнимают тебя, не важно, чьи губы ищут твои. Отрезвление наступит завтра. Легкость, с которой остервеневшие от водки и стриптиза девицы распоряжаются своим телом, поражает воображение. Уже в десять часов слышатся стоны из укромных уголков. Там, прикрытые лишь сигаретным дымом, сжимают друг друга в судорожных объятиях случайные партнеры. Рядом на жесткой скамье спит, сладко похрапывая, невинное создание, сваленное с ног лошадиной дозой джина. Краски стерлись с ее лица, и она выглядит сейчас как поблекшая роза. В женском туалете — революция в миниатюре. Девочки штурмом берут грязный толчок. Кого-то рвет, и кислое зловоние щекочет ноздри. Одна девица тут же меняет одноразовую прокладку. «Мокрая, ну, совершенно мокрая! Что-то я перевозбудилась», — говорит она приятельнице. Моя соседка курит сигаретку, и я вижу еще не улегшееся возбуждение в ее темных, расширенных и таких далеких от реальности глазах. Ребенок, сущий ребенок, выпестованный пороками и готовый на все. «Я специально одеваю в такие дни шикарное белье. А вдруг разденут!» — говорит она мне. «Охрана уверяет, что здесь одни проститутки». Она хохочет: «Да ты с ума сошла! Здесь тридцать процентов девственниц. Вот я, например. Это же безопасная игра. Вроде бы ты шлюха, а вроде и невинность сохранила». Она стирает помаду с губ: «Мама не любит, когда у меня губы накрашены». Легкий взмах расчески, руки, расправляющие невидимые складки на одежде, и эта девственная блудница выходит на улицу, в ночь, снова став послушной дочерью и примерной ученицей.

Мой первый рассказ о любви

Он знал меня в ту пору, когда я еще была ослепительно молода, — девятнадцатилетней девочкой, проходившей стажировку на телевидение в популярной молодежной передаче, гремевшей на всю страну. Он был ее ведущим и казался мне таким же далеким, как парусник в море, — барственно красивый, неслыханно знаменитый, из породы триумфаторов, типичный представитель «золотой молодежи», которому на роду написано править и влиять. Все мамаши бывшего Советского Союза сладко вздыхали: «Какой завидный жених!» Я тоже безнадежно вздыхала, когда он проплывал мимо, надменный, как айсберг, и нервно одергивала свою чересчур короткую юбочку, когда его взгляд, не более теплый, чем у замороженной рыбы, цеплялся за мое наивно раскрашенное личико и длинные ноги. Казалось, он искренне недоумевал, что за провинциалку им Бог послал.

С той поры прошло семь лет. Я выросла, научилась быть волчицей и выиграла жестокую московскую гонку — тоже стала знаменитой. Я по-прежнему видела его на экране — еще более влиятельного, преуспевающего и богатого. Мне захотелось встретиться с ним на равных, будучи уже взрослой женщиной, прошедшей нелегкую школу, и узнать, какими же соками питалась моя детская любовь к нему. Тут как раз подвернулся отличный повод — одна газета попросила меня сделать с ним интервью. Что ж, интервью так интервью! Предлог не хуже прочих. Я позвонила ему, и с той легкостью, которая дается давним шапочным знакомством, мы договорились о встрече в одном московском баре.

Надо ли говорить о том, что в назначенный день я перерыла весь свой гардероб! Наконец остановила свой выбор на алой, трагически красивой бархатной юбке до пят и простом черном боди, подчеркивающем мягкий очерк моих маленьких грудей. Я должна быть хороша, как майский вечер, и вонзиться в его сердце, как шип. В девять вечера безукоризненно подрисованная, блистая чудесно сделанным цветом лица, я вышла из дома. Обледенелая мартовская земля хрустела под высокими каблуками моих сапожек, а наверху коченели от холода голые звезды. Я прятала свой замерзший нос в меховое манто, сбрызнутое перед выходом любимыми духами «Ангел». Этот запах — пронзительно-невинный и холодновато-чувственный — кружил мне голову. Таксист, увидевший на дороге такую разряженную кралю, затормозил рядом. «Что, красотка, на свидание?» — весело крикнул он мне и подмигнул. Я села в машину и всю дорогу молчала, прикидывая в уме сценарий предстоящей встречи.

Так полководец разрабатывает план будущего сражения. Я достала из сумки маленькое зеркальце и поднесла к лицу, разглядывая мельчайшие детали макияжа. Как я люблю этот нежно-розовый тон кожи, когда на ходу надышишься морозным воздухом. «Вам не надо смотреться в зеркало, вы и так красивая», — выдохнул рядом таксист, и мы чуть не врезались в зад «БМВ». «Эй, осторожнее! — крикнула я. — Смотрите за дорогой. Я хочу доехать живой».

В бар я пришла раньше назначенного времени. Народу тьма-тьмущая. Я взяла себе порцию «Джек Дэнилса» и наслаждалась ощущением алкогольного тепла, согревающего каждую клеточку тела. Он возник рядом так неожиданно, что я поперхнулась виски. «Пойдем отсюда, — кинул он небрежно. — Здесь слишком много народу». Я получила удовольствие, следуя за таким огромным мужчиной, — наконец-то можно с чувством носить каблуки, не пряча свой рост. Мы сели в величественную серебристую американскую машину (для мужчин с размахом), и я отметила про себя, что нет ни шофера, ни охранника. Это меня вдохновило.

В маленьком итальянском ресторанчике нас встретили до тошноты почтительно. Перед ним склонялись в три погибели — еще бы, такая знаменитость! «Какое вино ты будешь пить?» — спросил он, когда мы сели за столик. «На твой вкус. Я не очень разбираюсь в винах». — «Знаешь, когда женщина делает вид, что понимает толк в винах, я нарочно заказываю самое дешевое, а потом наблюдаю, как она его нахваливает». — «Зачем? Чтобы посмеяться? Жестоко». Он пожал плечами. «Меня научил разбираться в спиртном мой папа, особенно в сортах виски, но сегодня я выпью водки».

Я внимательно рассматривала его, перебирая в памяти все сплетни, что я о нем слышала. Множество детей от разных женщин, непомерные амбиции, крайняя жестокость с теми, кто имеет несчастье его любить, и одновременно стремление быть вполне хорошим, неслыханная динамичность натуры, стремящейся каждый день созидать, отчаянный сексуальный страх перед женщинами-шлюхами, а в действительности перед собственными желаниями, и в то же время тяга к таким женщинам. «От него же не пахнет спермой, — уверяла меня моя подруга, работавшая под его началом. — Почему тебя тянет к нему? Когда он на работе дружески целует меня в щеку, мне кажется, что я целуюсь с накрахмаленной рубашкой, а не с мужчиной». — «Ты просто не в его вкусе, дорогуша», — отрезала я.

А что он знает обо мне? О скандальной журналистке с подмоченной репутацией женщины-лгуньи, использующей мужчин в своих целях? Наверняка что-то не слишком лестное и преувеличивающее мою искушенность в любовных делах. Хороша парочка. Оба — тщеславные, самолюбивые, решительные, не особо разборчивые в средствах. И все же... В нем столько же притягательного, сколько и отталкивающего. Он был для меня неисследованной страной, которую предстояло изучить, враждебной территорией, которую следовало покорить. А лазеек не было.

Мы держались в рамках светской беседы, в которой каждое слово — намек, а каждая фраза — разведка. Как всякий профессиональный телеведущий, он великолепно владел собой, чего не скажешь обо мне. Его случайные комплименты звучали холодно. Он вскользь заметил, что я ему всегда нравилась. Но слова прозвучали не как ласка, а как констатация факта.

Я нервничала. Все мои остроумные планы рушились один за другим. От волнения я глупела просто на глазах, отвечала невпопад, много курила, пила одну рюмку за другой и разве что не роняла спагетти на пол. Мое маленькое волнение любви стремительно разрасталось, напрочь лишая меня аппетита. Он же ел и пил с пониманием дела и с удовольствием рассказывал о своих планах. В деятельности мужчин всегда есть что-то вроде грубой ласки, и я постепенно отогревалась. Мы оба принялись усиленно позировать друг перед другом, каждый словно вытягивался на цыпочках, стремясь понравиться собеседнику. К черту сплетни, которые мы слышали прежде! Почему бы один вечер не поиграть в доверие?

Голова моя дивно звенела от вина. Я осмелела и позволила себе маленькую вольность: кормить его с ложечки. Ресторан уже был пуст, когда мы собрались уходить. Он довез меня до дому, и тогда, в машине, глядя на него, такого недоступного и далекого, мне вдруг до смерти захотелось целоваться. Я посмотрела на его крупные, мужицкие руки (такими, наверное, Отелло душил Дездемону) и, сама себе удивляясь, взяла его за руку и потерлась об нее щекой, тихо мурлыкая. Так трется кошка у ног хозяина. И он смотрел на меня так же снисходительно, как смотрит хозяин на кошку, когда он завтракает, а кошка бессовестным мурлыканьем выпрашивает у него кусочек рыбы. Ласкаясь и дерзя, я несла всякий вздор. Он улыбнулся своей медленной мальчишеской улыбкой, и мне вдруг почудилось, что это история не на два дня: мы либо столкуемся всерьез, либо не столкуемся вовсе. «Зачем ты торопишь события?» — спросил он, глядя мне прямо в глаза. «Потому что у меня мало времени, милый. Я тороплюсь жить». Я выпросила свидание через неделю и убежала домой, легкая, как детский мячик. И только переступив порог квартиры, поняла, как зверски я голодна. Я поставила на огонь кастрюльку с яйцами и засмеялась счастливым смехом. Мне казалось, что я вот-вот зазеленею и покроюсь цветами и листьями.

Но через неделю мы не встретились. Он улетел в далекую страну, а я медленно перегорела. Через месяц он внезапно возник в телефонной трубке: «Извини, что не звонил. Меня не было в Москве. Прилетел на один день и завтра снова улетаю. Давай увидимся сегодня вечером». Я собиралась в какой-то лихорадке радости, выудила из шкафа случайное платье, нарисовала глаза и одним быстрым мазком сделала губы. Алый рот расцвел одиноким цветком на бледном фоне щек. Из зеркала на меня смотрело смелое, ясное лицо женщины, готовой на все.

Мы встретились в очень шумном, модном ресторане, где каждый, раззявив рот, пялился на него. «Послушай, почему ты всегда выбираешь такие людные места? — спросила я удивленно. — Не боишься, что будут приставать, пытаться познакомиться?» — «Глупости. У меня такое выражение лица, что никто не осмелится сунуться за автографом». У меня почему-то сжалось сердце. Я подумала, что у него нет иного панциря, кроме собственного высокомерия.

Мы сели за столик, выпили вина, и вдруг он заявил мне: «Это наша последняя встреча. Я так решил. Я боюсь с тобой встречаться». У меня упало сердце. «Но почему? Чего ты боишься?» — «Боюсь, что ты войдешь в мою жизнь». — «Послушай, у тебя беременная жена, у меня муж и ребенок. У каждого из нас своя собственная жизнь, и никто не хочет ее менять. Это не значит, что надо отказываться от радостей любви». — «Я так решил». В его взгляде — гордость неуступчивого льва. «Ну и черт с тобой!» — подумала я в ожесточении. Я не ожидала столь быстрого падения занавеса. Но и не собиралась рыдать под звездой, которую все равно не снять с неба. Она совершит свой путь, а я свой.

Прощание так прощание. Я принялась расспрашивать его о недавней поездке. С мечтательным выражением лица, с яркой улыбкой на губах и блуждающими черт-те где мыслями я слушала его рассказы. Немного рисуясь, он открывал мне свой мир мужского успеха и власти. С умильным чувством я наблюдала, как он, похожий на всех мальчишек на свете, пытается произвести на меня впечатление. Им двигала почти абстрактная страсть влиять на судьбы людей, воздействовать на мир, оставаясь при этом вполне хорошим. Деньги и слава для него — лишь знаки или орудия его силы. Я знаю таких мужчин. У них чересчур работает мозг в ущерб плоти. Женщины для них — всего лишь дополнение, восхитительное, но не главное в жизни.

— Я завидую мужчинам, — сказала я. — Они владеют миром, и им не надо ежедневно продаваться, как женщинам, которые хотят выжить.

— А сколько тебе надо денег, чтобы не продаваться?

— Мне бы хватило двух тысяч долларов в месяц.

— Давай я их буду тебе платить, только не продавайся.

— Это что, стипендия? Ты спятил. Я не твоя любовница, не содержанка и не работаю на панели.

— Я просто хочу сделать доброе дело. Совершенно бескорыстно.

— Хочешь почувствовать себя Христом, спасающим Марию Магдалину?

— А почему бы и нет?

Мне вдруг стало жаль его. Сильных людей все пытаются использовать. Каждый только и думает, как подобрать крохи могущества, падающие с их уст. Но я не хочу этого делать.

— Я помню твою джинсовую юбочку, — вдруг сказал он с нежностью. —Твою короткую джинсовую юбочку. Ты бегала в ней по телевиденью семь лет назад.

— Странно, что ты помнишь. Я ведь не в твоем вкусе. У меня маленькая грудь.

— Замолчи. Я обожаю маленькую грудь.

Он протянул ко мне руку и осторожно коснулся моей груди. Его пальцы затрепетали, сделались настойчивее, и я почувствовала, как наливаются соски.

Я словно неожиданно была сбита с ног сильным течением и подхвачена бесшумной гигантской волной. Сознание того, что на нас смотрят, сделало почти болезненным ощущение от этой сдержанной ласки.

— Я немедленно сделаю операцию по увеличению груди, — сказала я, смеясь.

— Не смей! Я запрещаю. О чем ты думала, когда мы расстались с тобой в прошлый раз?

— Сначала скажи ты. О чем ты думал?

— Я первый спросил.

— Ладно. Я представила себе, как мы будем заниматься любовью.

— Хорошо получилось?

— Не очень. Ты был не слишком ловок в моих снах, но это не имело для меня значения.

— Многие женщины говорили мне, что в сексе они получали от меня меньше, чем ожидали.

— Но я ведь и не жду чудес. А теперь ты скажи мне, что ты тогда чувствовал?

— Когда я уехал от тебя, я представил, как я в машине стягиваю с тебя трусики и медленно-медленно вылизываю всю тебя между ног, каплю за каплей, как ты мучаешься от удовольствия и кончаешь раз за разом все сильнее и сильнее. Мне пришлось остановить машину, потому что у меня началась эрекция.

— И ты кончил в машине?

— Да, — просто ответил он.

От этой картины у меня дыбом встал пушок на теле и намокли трусики. Сердце во мне жарко дышало. Чертово племя журналистов! Нам не нужны действия. Нам нужны слова. Мы даже способны кончать от слов. Мы не мужчины и не женщины, для нас следует изобрести третий пол.

— И все же, скажи, как ты себе это видела, когда мы вместе?

— Мне хотелось, чтоб ты взял меня на руки и любил до тех пор, пока я не попрошу пощады. Чтобы ты сделал мне больно, взял меня силой, разрывая на части.

— А я мечтал о нежности. Как по-разному мы это видим.

— Послушай, у нас, наверное, вид сумасшедших. На нас все смотрят.

— Плевать. Хочешь, я сделаю это сейчас?!

— Что? Залезешь под стол, задерешь мне юбку и вылижешь меня досуха? Давай. Только ты струсишь.

Я поддразнивала его, он сделал вид, что лезет под стол. «Стоп, стоп!» —закричала я, и мы оба рассмеялись. Затерянные в большой, шумной зале, мы глубже и острее чувствовали взаимную близость и отчужденность от всех прочих, и у нашей беседы было только три темы: я — это я, ты — это ты, а все прочие — чужие.

Осторожно, ласково я нащупывала мед и шафран его души. Ну, где ты? Почему ты прячешься? Доверься мне. Вот же я, перед тобой, гибкая, теплая жизнь, которая тянется к тебе. Возьми меня, держи меня. Отмой мою душу, запачканную московской копотью и грязью.

Я искала на его лице следы готовности к капитуляции. И пядь за пядью он сдавал позиции. Улетучивался холодок самозащиты, оттаивал лед, намерзший за годы успеха. В какой-то момент мы оба раскрылись и стали полностью беззащитны, уязвимы, как младенцы. Мы тут же дали торжественное обещание никогда не лгать друг другу, говорить только правду. (Безумие! Как будто это возможно?!)

Он словно забыл о том, что у нас нет будущего и это последняя наша ночь. Он то и дело забегал вперед, мечтая о том, как познакомит меня со своими друзьями, или планируя какую-нибудь совместную вылазку. Я тут же, не без яда, напоминала ему, что этого не будет.

Было три часа ночи. Ресторан опустел, и только в углу дремал официант, прикрывшись салфеткой, как белым флагом. Нас не осмелились выгнать. Мы выпали из времени. Где-то я читала, что исчезновение времени есть первый признак влюбленности. В нетерпении мы взялись за руки, но даже поцеловаться нам было негде. Я сжала ноги, чувствуя меж ними тонкую боль усмиренного влечения. Боже мой, как это странно! В моей жизни было много мужчин, одни доставляли мне удовольствие, другие нет. Но никогда я не испытывала оргазма от невозможности прижаться к мужскому телу, коснуться чужих губ губами.

— Я так больше не могу, пойдем в туалет, — сказал он умоляющим голосом.

— Ну уж нет, — грустно ответила я. — Если

это когда-нибудь произойдет, то только не в мужском туалете. Распугаем всех официантов.

Наступило отрезвление. Ночь улетучивалась, не суля больше никаких даров. Карета снова превратилась в тыкву, а лошади — в мышей. Мы вышли на улицу, в предутренний холод. В небе едва теплились звезды, словно маленькие лампады на кладбищенских могилах. «Обещай мне, если тебе когда-нибудь понадобится помощь, любая помощь, ты мне позвонишь», — сказал он, заглядывая мне в лицо, — еще такой близкий, но уже отстранившийся. Я кивнула, мечтая только об одном — поцелуями стереть с его лица упрямое выражение. «Мой шофер отвезет тебя домой. Прощай».

Я села в машину, боясь стряхнуть с себя прекрасную усталость этой ночи. Все это напомнило мне раннюю юность, когда сон успешно заменялся выпивкой и любовью. Страшно подумать о той минуте, когда машина остановится. Мне бы сейчас ехать и ехать, чтобы заглушить боль. Страшно, когда за окном начнет дымиться серое утро. Что у меня было? Шесть счастливых часов. Не так уж мало. «Титаник» затонул быстрее. Гораздо быстрее.

Поцелуй Деда Мороза

Его звали Душан. В постели я звала его «душка Душан», чего он явно не заслуживал. Кроткое югославское имя совсем не вязалось с его несносным характером. Он был маленьким, красивым, увертливым, как угорь, с холодным, ленивым сердцем и по-змеиному гибким телом. И язык у него был, как у змеи, — когда он хотел меня, с языка его капал мед лести, когда добивался своего, шипел, как гадюка, и поцелуи его отдавали стрихнином. Иногда мне казалось, что у него вместо члена костяной клюв, которым он терзает и рвет мои внутренности, словно хищная птица. Наш союз сложился из садомазохистских побуждений, — ему нравилось мучить, а мне мучиться. Он был более толстокожим, чем дорожный чемодан, и не успевала я на него обидеться, как он тут же давал новый повод для возмущения.

Мы встречались с завидной регулярностью раз в неделю и воевали в постели с большим пылом. Кое-как наладив эту невеселую любовь, мы держались за нее так же крепко, как держатся родители за убогого, больного ребенка, — чем он слабее, тем дороже им. Даже этот суррогат любви был диковинкой для двух одиночек, затерянных в огромном мегаполисе, — чужестранца, занятого сомнительным торговым бизнесом, и девочки-студентки из общежития.

Когда Душан, как всегда саркастическим тоном, предложил вместе встретить Новый год, я слегка растерялась. Этот праздник ассоциировался у меня с чем-то плюшево-сентиментальным, розово-пушистым, с запахом мандаринов и подарками в валенках, но никак не с прозаической любовной связью. Но выбор у меня был небольшой — либо слоняться по общежитию из комнаты в комнату, напиваясь до одурения, либо поехать с Душаном за город в престижный партийный пансионат, куда иностранцы за доллары покупали двухдневные путевки. Я предпочла второе.

Вечером 31 декабря разыгралась классическая новогодняя метель. Душан заехал за мной на своем пожилом «Мерседесе», и мы поехали за город, тревожно вглядываясь в снежную ночную муть за стеклом. Пансионат оказался огромным серым зданием в очаровательной рамке старого леса. Построен безвкусно, зато с подлинной страстью к совдеповскому великолепию. В номерах «люкс» все, что полагается, даже фарфоровый сервиз на небольшой кухне, из которого я тут же утащила чашку с блюдцем для нужд общежития.

Душан подготовился к празднику со всей серьезностью. Он переоделся в смокинг, от чего я слегка прибалдела. (До этого я видела смокинги только в кино.) Передо мной стоял расфранченный молодой светский хлыщ. Но я тоже не сплоховала — короткое вечернее платье из рыже-лимонного бархата и туфли на высоченных каблуках, которые я надела из чистой вредности. Душан сразу как-то измельчал, теперь он доставал только до моего плеча. Мы величественно спустились в ресторан, где гостей встречали немолодые взволнованные официантки в белых наколках. Тяжкая гроздь громоздкой хрустальной люстры, просторность натертого до блеска паркета, бархатные портьеры на окнах, в складках которых копилась многолетняя пыль, и порционные тарелочки с салатом оливье на столах. Пушистая елка в центре зала душно и сладко благоухала хвоей. Запах детства. Я растрогалась.

Мы заключили решительное перемирие на

новогодний вечер. Не хватало еще собачиться под звон курантов. Нашей благопристойности хватило минут на тридцать. Мы ели «комплексный ужин» и пили привезенное Душаном французское вино. Он получал удовольствие от моего невежества в винах и менторским тоном зачитывал мне лекцию о свойствах бургундского. «Чтоб ты пропал!» — с тоской подумала я, отпив глоток перехваленного вина и наблюдая, как Душан разделывает рыбу с видом заправского хирурга.

Наш хрупкий мир дал трещину, когда Душан уселся на своего любимого «конька» — разговоры о сексе.

— Я где-то читал, что любовь выдумали трубадуры в средние века. Зачем это было нужно, разве мало нам секса?

— Похоти, ты имеешь в виду?

— Что у тебя за ужасная манера для всего подбирать неприятные слова?

— Я просто называю вещи своими именами.

— Пусть так. Но согласись, что между чувствами быка, трахающего свою корову, и чувствами Ромео к Джульетте разница лишь в степени. Люди назвали это любовью, чтобы высокомерно отделить себя от животных.

— Меня бесит, когда ты рассуждаешь о любви! Ты, холодный, как остывшая картошка, сексуальный экспериментатор, использующий постель только для трюков!

— А ты, разумеется, знаешь, что такое любовь, — язвительно заметил он.

— Во всяком случае, для меня это слово имеет множество значений, неведомых тебе. И одно я знаю точно: чтобы полюбить тебя, мне придется сильно поработать над собой.

Наши взгляды скрестились через стол, словно шпаги. «Мы же заключили мирный договор, — недовольным тоном заметил Душан, — а ты нарушаешь условия». Я молча чистила апельсин. Мне почудилось, что за столом нас теперь трое, — третьим, словно молчаливый собеседник, сидело одиночество. Сложность наших взаимоотношений возрастала с каждой выпитой рюмкой, но до двенадцати часов мы кое-как дотянули. Мы чокнулись, стоя, уже теплым шампанским, и Душан дотянулся до моих губ. От его поцелуя у меня остался вкус пепла во рту. «С Новым годом!» — с непонятным облегчением сказал он.

Вокруг уже творилось нечто невообразимое. Снюхавшиеся между собой гости сдвигали столы, пили на брудершафт, целовались взасос и орали дурными голосами песни. «Пойдем», — нетерпеливо сказал Душан, и я поплелась за ним, прихватив с собой шампанское. В номере он стал неторопливо раздеваться, довольный, словно хищник, точно знающий, что жертве от него не уйти. Я стояла у окна и пила тонко-колючее шампанское, чувствуя, как оно щиплет мне язык. Вьюга уже утихла, и лес стоял в полном великолепии, весь поседевший от снега. «Как там здорово! — воскликнула я. — Пойдем погуляем». — «Разве мы сюда за этим приехали?» — раздраженно спросил Душан. «А зачем же еще? Или все будет как обычно — чистые простыни и грязные мысли?» Он вытянулся на кровати, совершенно голый, и сказал: «Ну, хватит спорить.

Лучше иди ко мне, мой распутный котенок, моя девочка-шлюшка».

Это я научила его этой игре, которая его дико возбуждала, — игре в проститутку и клиента. Ему нравились непристойности, которые я шептала ему на ухо, ему нравилось засовывать мне в трусики аппетитно хрустящие доллары. Иногда Душан брал купюру и медленно водил ею между моих ног, осторожно касался самых потаенных мест, добиваясь, чтобы выступила капелька прозрачной влаги. Потом эти пахнущие мной деньги он с особым чувством засовывал в мой кошелек.

Но этой ночью мне менее всего хотелось играть в эти игры. «Извини, Душан, я не в настроении». — «А какого черта мы вообще сюда приехали? Она, видите ли, не в настроении!» Он грязно выругался. Этому тоже его научила я. Весь богатый запас настоящих, смачных русских ругательств был теперь в его распоряжении, и пользовался им он виртуозно.

Он подошел ко мне и принялся соблазнять грубее, буквальней. Чем сильнее я сопротивлялась, тем жарче становилось его дыхание. Мы быстро свернули шею голубю мира, и дело дошло до драки. Он повалил меня на кровать, задрал платье и попытался раздвинуть мне ноги. «Я тебя не хочу, я тебя не хочу», — твердила я в припадке бешенства. Он наклонился и укусил мой рот. Я дотянулась рукой до тумбочки, схватила толстую стеклянную пепельницу и шарахнула ею Душана по затылку. Пепельница раскололась надвое. Он резко отпрянул и осторожно потрогал свою голову. «Кровь?! — поразился он. —

Ты, подлая стерва, хотела меня убить?!» Я выскользнула из постели и схватила вазу для цветов в качестве оружия. Оба мы выглядели как сумасшедшие — дышащие вином, с бешеными глазами. У меня из губы текла струйка крови, у него кровь склеила волосы на затылке. «Ничего себе Новый год!» — подумала я с внутренней усмешкой, а вслух сказала:

— Все, угомонись, поганец. А то у тебя пена изо рта пойдет. Я сейчас одеваюсь и ухожу, и не смей меня трогать».

Он смотрел на меня с издевкой.

— И куда же ты пойдешь? Ночь, лес вокруг.

— К медведям.

— Денег возьми, глупая. Кто тебя сейчас повезет бесплатно?

— Подавись своими деньгами. Не хочу облегчать тебе угрызения совести.

Я открыла дверь, и он крикнул мне вдогонку с бессильной злостью:

— Дура, я же люблю тебя!

— Ненависть — тоже форма любви.

В пансионате гулянка шла уже вовсю. В коридоре, около лестницы лежал безобидный с виду придурок. Он уже не пытался подняться — это роскошь! — он мечтал встать на четвереньки. Я перешагнула через него и направилась к выходу.

В лесу стояла такая тишина, что можно было слышать собственные мысли. Ночь казалась совсем светлой от почти полной луны, в воздухе сверкали морозные, переливающиеся иглы. Снег светился такой бархатной голубизной, что страшно было ступать по такому великолепию. В сторожке на выходе из пансионата никого не было, ворота распахнуты настежь. Заходи, бери, что хочешь. Сторожа тоже люди, им Новый год встречать надо.

Я вышла на дорогу и побрела в том направлении, в котором, по моим представлениям, находился город. Идти пришлось довольно долго. Ни человека, ни машины. Одни елки вокруг с отяжелевшими от снега лапами. Хоть садись на пенек и волком вой. Хмель из меня быстро выветрился. Я стала тихонько подмерзать и хныкать от горько сосущей сердце грусти, вовсю упиваясь жалостью к себе. Господи, подари мне мужскую нежность! Полцарства за нежность! Когда я окончательно превратилась в сосульку с раскисшими от слез глазами, меня подобрал потрепанный «Москвич». Водитель, вдрызг пьяный мужик лет сорока в заячьей шапке, распахнул дверь и заорал: «Тебе куда?» Он мне показался просто переодетым ангелом-хранителем. «С Новым годом! — заискивающе пролепетала я. — А вы случайно не в город?» — «В город, в город. Садись, подвезу».

Звали мужика то ли Колей, то ли Петей, поругался он то ли с женой, то ли с любовницей (он ее называл «эта сука») и ехал теперь то ли к сестре, то ли к матери «допраздновать» Новый год. На мой взгляд, он «отпраздновал» его уже в полный рост, но, по его расчетам, ему явно не хватило. Всю его нехитрую историю я выслушала несколько раз, от начала до конца и обратно, против шерсти. Этот Коля-Петя решил сократить дорогу к шоссе и свернул в лес, на узкую просеку. «Москвич» героически пробивался сквозь снежные заносы, но на самом выезде к шоссе завяз основательно. Мы несколько раз пытались толкать его, но все напрасно. «Я пойду поищу кого-нибудь на дороге», — сказала я и направилась к шоссе, совершенно пустынному в два часа новогодней ночи. Минут тридцать я коченела на дороге, тщетно пытаясь поймать машину. Когда зубы стали выбивать чечетку, я решила вернуться к «Москвичу» и немного погреться.

В машине стояла прямо-таки африканская жара, а Коля-Петя спал сном праведных, безмятежно раскрыв рот и нежно, с присвистом похрапывая. Я попыталась разбудить его, даже била по щекам и орала в уши, но он лишь повернулся на бок, устраиваясь поудобнее. Да, здесь ловить нечего. Я выключила двигатель, чтобы он не «угорел» от выхлопных газов, вышла из машины и захлопнула дверь. В машине тепло, мужик в дубленке, ничего — до утра проспится, не замерзнет.

Мое спасение — только на дороге. В три часа ночи, когда я уже стучала каблучками изящных осенних полусапожек об мерзлый дорожный лед, я вдруг увидела автобус. Он показался мне сказочным, немыслимым видением. Я выскочила ему наперерез и отчаянно замахала руками. Автобус нехотя затормозил, двери открылись, и я начала хохотать. Такого зрелища я в жизни не видела! Автобус был забит Дедами Морозами, веселыми и пьяными в драбодан. Поначалу я сочла их за безвредную галлюцинацию. Ну, Деды Морозы, ну с кем не бывает! Что мы, Дедов Морозов не видели? Самый шустрый из них крикнул мне: «Снегуркой будешь? Заходи!» Борода у него отклеилась, из-под белой ваты выглядывал молодой черный ус, что придавало ему комичный вид. Черноусый втянул меня в салон и спросил: «Тебе куда?» — «В Черемушки». «Не совсем по пути, ну ладно, забросим. В такую ночь на дороге копыта можно отбросить».

Выяснилось, что эти Деды Морозы — студенты театрального училища, подрабатывающие на ночных новогодних вызовах. Один даже оказался актером из московского театра, очень степенным и неторопливым, молодняк уважительно звал его Михалычем. Уже пожившая Снегурочка — одна на всех — дрыхла в углу. Штукатурка сыпалась с ее лица кусками, помада растеклась до подбородка, как у стареющего клоуна. Эта компания комедиантов уже отработала свою смену, и теперь всех развозили по домам.

Увидев, что меня колотит от холода, черноусый тут же налил мне полный стакан водки со словами: «Выпей залпом, дорогуша. А то так и окочуриться недолго». Я немедленно последовала его совету и, чувствуя, как блаженное тепло разливается по телу, сказала:

— Ин водка веритас.

— Чего-чего?!

— Это по-латински, дурачок. Истина в водке.

— А-а, то-то же!

Михалыч полез в свой изрядно похудевший мешок, где нашлось все, что полагается каждому уважающему себя Деду Морозу, — шмат сала, колбаса с чесноком и буханка хлеба. Все это он мастерски порезал и с чувством мне сказал:

— Поверь старому алкоголику, девонька. Сало в мороз согревает лучше водки. Давай закусывай.

Мы очень весело пили и закусывали до самого общежития. Черноусый вызвался меня проводить. В общаге уже дым стоял коромыслом, когда мы вошли. Быстренько зажав меня в темном коридоре, черноусый потребовал платы за проезд — поцелуя. От него пахло табаком и водкой.

— Не могу, я чеснок ела, — сопротивлялась я.

— Я тоже, — с готовностью сказал он.

— Ну, отклей хотя бы бороду.

Он оторвал вату с лица и наклонился ко мне.

— Подожди, — сказала я, — дай хоть на тебя посмотреть.

Я осторожно сняла с него накладные брови и кусочек ваты, прилипший ко рту. Парень оказался хоть куда и для Деда Мороза целовался совсем неплохо. В моей памяти та новогодняя ночь осталась смачным поцелуем молодого рта, крепким табачным вкусом мужской слюны и той сладкой беспечности ко всем приключениям, которая бывает только в молодости.

ЧАСТЬ 3

Советы дрянной девчонки

Почему отказывают женщины

Французы уверяют, что самая большая неприятность в любви — это то, что часы желаний бьют не в одно и то же время. Несколько лет назад предметом моих вожделений был молодой женатый мужчина, мой коллега по работе, стойко хранящий верность своей жене (назовем его Павел). Я просто помешалась на мысли переспать с ним и разве что сама не лезла к нему в штаны, но все было напрасно. Как-то ему поручили срочно завезти мне диктофон для интервью (мой собственный сломался). Павел позвонил мне в шесть утра (!) со съемок и заявил, что у него нет другого времени заехать ко мне, как сделать это прямо сейчас по пути домой. Я что-то сонно пробормотала в трубку в знак согласия и легла досыпать. Спустя час в доме раздался звонок. Павел стоял на пороге, слегка покачиваясь, и я поняла, что он пьян. «Разве ты не дашь мне чаю?» — спросил он, видя, что я собираюсь захлопнуть дверь. Мне пришлось его пригласить и, отчаянно зевая, затеять возню с чайником. Когда я наконец заварила Павлу чай, он сказал, что вообще-то любит кофе, и кинулся на меня аки лев, уже чуя победную дробь тамтама. У судьбы хорошо развито чувство юмора. Я сопротивлялась не на шутку. «Как! Он думает, что я лягу с ним в постель, не приняв душ, не побрив ноги, не побрызгав на себя духами?! — с возмущением думала я. — Да и зубы неплохо почистить после вчерашнего перепоя». Я чувствовала себя, как школьница, которая не приготовила уроков, а учитель уже вызвал ее к доске. Павел снял осаду, обескураженный моим отпором, и в порыве злости наговорил много жестоких слов. Оставшись одна, я принялась хохотать. Шутки богов зашли слишком далеко! А я-то думала, что Павел — героический однолюб.

Такое досадное стечение обстоятельств, разумеется, исключение из правил, но весьма показательно для женской психологии. Женщины опутаны множеством внутренних правил, которые служат тормозом для их желаний. Они свято верят в ритуал первой ночи с новым мужчиной, включающий в себя дорогое белье, изысканные духи и безупречную чистоту. Более всего они боятся оскандалиться в смысле гигиены. Запах любовного пота, колючки на непобритой голени, нечистое дыхание, реальный вкус розы между ног — все это может возбудить мужчину после, но не в первую же ночь! Я не знаю, при каких обстоятельствах пытались завалить дам своего сердца мои читатели и получили при этом жестокий отказ, но, может быть, дело было лишь в том, что дамы одели не те трусы или не сделали вовремя педикюр, и теперь их пятки рвут колготки.

Аристократизм воображения женщины чувствителен, как счетчик Гейгера, к тому, что может вступить в разлад с ее красотой. С той неудачной ночи я не выхожу из дома, не положив в сумочку одноразовую бритву, зубную щетку и драже с ментолом. Если я не успеваю освежить рот, то заказываю в ресторане коньяк. Из практичных соображений я раньше носила чулки, убивая сразу двух зайцев, — быстро (мужчине остается только задрать юбку) и эффектно (ноги всегда выглядят элегантно). Однажды мне пришлось брить ноги прямо в машине, поскольку любовное приключение грозило завершиться на заднем сиденье автомобиля. Одна моя коллега, приходя утром на работу и договариваясь по телефону о встрече с очередным любовником, доставала из сумочки станок, удобно устраивалась в кресле и брила ноги «насухую», приговаривая: «Ой, девчонки! Сегодня ответственное свидание».

Женщины часто отказывают и по причинам физиологии (я имею в виду не только такой банальный предлог, как менструация). Полный мочевой пузырь — причина несостоятельности многих романов. Казалось бы, чего проще, извиниться и сказать, что хочешь в туалет. Так нет же. Когда над тобой склоняется распаленный мужчина, дышит тебе в ухо и губами берет за мочку, когда его рука уже отправилась в опасное путешествие к твоим бедрам, совершенно немыслимо заявить, что ты умираешь от желания пописать. Вот такая детская причина.

Моя подруга с некоторых пор ненавидит шампанское с шоколадом. Это роковое сочетание помешало ей однажды заняться любовью, поскольку она мужественно боролась с отрыжкой. Боязнь конфуза привела к тому, что она отказала наотрез. Мужчины, не забывайте, что от шампанского, пардон, пучит. Лучше для ночи любви приготовить охлажденное белое вино (красное окрашивает губы в черный цвет). Шампанское годится для первого свидания, когда нужно обворожить, а не затащить в постель. И не делайте любовь натощак. Все это мелочи с мужской точки зрения, но женщины придают деталям колоссальное значение.

Запах — это то, что всегда беспокоит замужних женщин или тех, кто имеет постоянного друга. Любой мало-мальски опытный супруг учует запах чужой спермы или презервативной смазки. Так что, если романтическое свидание происходит в месте, где нет возможности принять после душ, женщина скорее всего откажет, сославшись на какую-нибудь пристойную причину. Кстати, натруженные в любовной битве вспухшие половые губки тоже выдают замужних женщин с головой. (Мой совет дамам: всегда можно складно соврать, что днем ты носила слишком тесные джинсы.)

Мужчины, не торопитесь раздавить свою возлюбленную, словно гроздь винограда, чтобы она отдала свой сок. Ибо женщины в любви медлительны. Для них нет большего удовольствия, чем надеть мужчину на вертел своей красоты и томить его на огне желания. Женщины обладают отлично развитым чувством паузы и умением скользить по тончайшему льду, ощущая под его слоем сладкий до жути холод. Они находят бесконечную привлекательность именно в отсутствии определенности.

Мораль: если звезды сегодня не благоприятствуют вам, и вы получили отказ, попробуйте сделать ставку еще раз — попросите об еще одном свидании. Только сделайте это заранее. Женщины ненавидят экспромты и спонтанные поступки. Если вам отказали вторично, не отчаивайтесь. Вы же не доллар, чтобы нравиться всем без исключения.

Можно ли купить женщину?
(Совет мужчинам)

Все мы, Евины дочки и расчетливые золотоискательницы, питаем нежную слабость к наглой роскоши и под гипнозом подарков становимся совсем ручными. Каждая из нас хоть единожды представляла себя куртизанкой, принимающей королевские дары. На сказочный блеск богатства женщины слетаются, как мошкара, демон корыстолюбия нашептывает им грешные мысли. Деньги сметают все бастионы мнимой стыдливости, а туго набитый кошелек возвеличивает поступки даже самого непривлекательного мужчины. Не верьте женщине, которая уверяет, что она не продается, — либо она настолько обделена природой, что никто не хочет ее купить, либо никто не давал за нее настоящую цену.

Можно упрекать нас, бедных кошечек, в отсутствии моральных принципов, но давайте смотреть правде в глаза. Поэзия материальности во все времена пленяет женщин, чувственное волнение, которое вызывает в них роскошь, легко переходит в любовный трепет. И хитрые мужчины отлично знают, что блеск, появляющийся в женских глазах при виде очередной безделушки баснословной цены, может смениться любовным огнем.

Женская красота стоит дорого, и это справедливо. Плотское очарование быстротечно, мир жесток к женщине, и ей с молодости нужно торопиться обеспечить себя. Подарки — это весомое подтверждение мужских чувств. Соблазнитель должен вызвать у своей возлюбленной эмоции ребенка у рождественской елки, который прикидывает, в каком из свертков спрятан лучший подарок. И каждому уважающему себя Санта-Клаусу необходимо знать, что чем красивее и опытнее женщина, тем она дороже обходится. Разумеется, неискушенную девочку можно подкупить подушечками «Орбит» и банкой пива. Но дама, дорожащая тайнами своего тела, рассмеется вам в лицо, если вы намекнете ей, что ожидаете соответствующей оплаты после похода в фешенебельный ресторан. Так что прежде чем дарить, выясните уровень женщины. За одной моей знакомой ухлестывал самоуверенный скоробогатей, владелец магазина дорогой обуви. Он водил ее по ресторанам, дарил цветы и мелкие презенты, но никак не мог затащить ее в постель. Наконец он привел ее на склад своего магазина, сделал широкий жест рукой и предложил выбрать любую пару туфель. Самые дешевые из них стоили триста долларов. Воздыхатель был уверен, что это более чем щедрое подношение. Девушка презрительно скривила губки и заметила: «У меня дома полный шкаф такой обуви. Неужели ты на что-то рассчитываешь? Вот если бы ты подарил мне машину или квартиру, тогда у тебя был бы шанс». И она ушла, гневно постукивая каблучками, не взяв ничего из предложенного. Магазины нынче предоставляют все лекарства от скуки. Избегайте дешевок, выбирайте вещи, пленяющие истинными своими качествами, а не мишурным блеском, десятикратно преувеличивайте ценность ваших подарков. Женщины всегда мелочно вычисляют стоимость каждой вещи, им важно знать, что почем, чтобы с точностью до рубля подсчитать, на сколько они «разорили» своего поклонника. Мужчины, не стесняйтесь, называйте им цены, приводящие в столбняк. Если вы деликатничаете, тогда напускайте туману, говорите намеками, интригуйте, преподносите свои подарки так, как если бы они были выкрадены из райских кущ или пещеры Алладина.

Роковая ошибка, которую допускают мужчины, — это торопливость. Не спешите, выжидайте, стерегите женщину, как кошка стережет мышь. Оцените роскошь медленного подступа, не делайте грубых попыток к сближению. Наши мужчины почему-то предпочитают следовать принципу: «Кто девушку кормит, тот ее и танцевать будет». Угостив свою даму ужином в ресторане, они проникаются уверенностью, что купили на нее все права. У женщины появляется ощущение, что неумолимый кредитор загоняет ее в угол.

Умелое бездействие — вот превосходный стратегический маневр, господа! Стойте перед вратами рая, не пытаясь войти внутрь, и победа вам обеспечена. Если женщину несколько раз сводили в ресторан или ночной клуб, преподнесли ей букет изысканных цветов и хороший парфюм и не сделали попыток соблазнить ее, она сама начинает задаваться вопросом, что же происходит. Отсутствие инициативы со стороны поклонника ставит ее в тупик. «Может быть, я ему не нравлюсь? — размышляет она. — Может быть, он импотент? Но тогда к чему все его денежные траты? Здесь какая-то загадка! Или со мной что-то не в порядке, или происходит нечто, похожее на любовь, с долгой романтической прелюдией». Вот ход ее мыслей. Она польщена и раздосадована одновременно, пытается найти логику в мужском поведении, мучается сомнениями, томится на огне ожидания и, наконец, берет инициативу в свои руки — ступает на опасный путь кокетства и сама оказывается в роли нападающей. Тут ее и нужно хватать, еще тепленькой! Одна моя подруга недоумевала, почему ее обожатель не пытается переспать с ней. «Он истратил на подарки больше тысячи долларов, — рассказывала она. — Мы посетили с ним множество шикарных ресторанов. И все, чем заканчиваются наши встречи, — это поцелуй в щечку у дверей моей квартиры. Я начинаю беситься». Дело кончилось тем, что она заманила поклонника к себе домой на чашечку кофе и буквально изнасиловала его.

Ну, а если женщина после долгих, терпеливых ухаживаний остается холодной, как лед? Тогда следует выяснить ее вкусы и узнать, от чего она не сможет отказаться, например, от косметического набора хорошей фирмы. Когда этап встреч на нейтральной территории затягивается, вы звоните своей возлюбленной, назначаете ей свидание у себя на квартире, давая понять, что ее ждет сюрприз. Но приманка должна быть действительно хороша, иначе вас ждет отказ. Если дама согласна, вам остается создать ту банальную смесь свежей музыки, хорошего вина, которая действует на всякую душу, и уповать на то, что ночь возьмет на себя роль сводни. Но в случае неудачи не кричите в порыве ярости, как один из героев романа «Хождение по мукам»: «Не для того сладко кормлена, сучка, чтоб другой тебя покрывал!» А если вам повезло, но вам мешает насладиться триумфом привкус поражения, ваше самолюбие задето прямой связью между вашими денежными тратами и любовной победой, — в таком случае будьте великодушны, не упрекайте женщину в ее слабости, считайте, что вы просто сделали удачную покупку, по себестоимости. Женщины не любят, когда им тычут под нос их грехи. Воспитанные в духе преклонения перед условностями и наделенные врожденным чувством благопристойности, они предпочитают даже самые свои неблаговидные поступки прикрывать ханжеским флером приличий. Не откажите им в маленьком удовольствии полицемерить.

Все эти советы годятся, если вы богаты. Ну а если ветер гуляет у вас в карманах, не скупитесь на красивые слова и обещания, раздувайте мыльные пузыри благозвучных фраз, расцвечивайте серый камуфляж обыденности яркими красками, поощряйте в себе склонность к мифотворчеству, лгите безбожно, вдохновенно, творчески. В женщинах сильна склонность к романтическому, они обожают легенды, златоусты всегда пользуются у них успехом. Поэтические признания и клятвы — незаменимые дрожжи в любовном тесте.

Женщина желает быть обманутой. Я расскажу одну историю, не как пример для подражания (она для этого слишком постыдна), а как доказательство наивности и доверчивости женского сердечка. Двое праздных молодых людей попали на вечеринку в ночном клубе, где познакомились с четырьмя хорошенькими девицами. Денег у юношей не было, а девицы выглядели весьма надменными и избалованными. Молодые люди представились операторами телевидения, только что вернувшимися из опасной военной командировки, из Чечни, этакими неизвестными героями. (Заметьте, не журналистами или ведущими, а именно операторами — скромненько, но со вкусом.) Воображение у мнимых героев работало хорошо, и они с шулерским шиком пустились в пространные описания нелегких военных будней. Они рассказывали, как пули свистели над их головами, как они мерзли в холодных окопах Югославии и Грозного, как хоронили мертвых товарищей. «А завтра снова на войну, — говорили они. — Смерть косит наши ряды, и неизвестно, что день грядущий нам готовит. Мы готовы ко всему». Мысль, высказанная ими, была незатейливой, как мычание, — неужели можно отказать героям в простых плотских радостях, когда, может быть, завтра их постелью станет гроб, а единственной возлюбленной — сырая земля. Девицы прослезились и размякли. Юноши пригласили их на квартиру, чтобы посмотреть телогрейки, пробитые пулями, и боевые каски. Там все четверо красоток наградили героев должным образом. Две из них до сих пор преданно ждут возвращения своих новых возлюбленных из сурового края.

Как видите, красноречие творит чудеса, хотя, пускаясь в словесные дебри, помните, что и в обмане должна быть своя этика. Ну, а если вы от рождения косноязычны, неловки, а Бог не дал вам ни богатства, ни обаяния, ни смелости, все равно надейтесь на чудо. Ведь влюбилась же однажды волшебной лунной ночью шекспировская Титания в осла. Жизнь причудливо играет нами, ловите момент. В утешение приведу вам слова моего мужа: «Нет женщин, которые «не дают». Есть мужчины, которые плохо просят».

Ода в честь порнографии

Несколько лет назад в моей жизни был период, когда я жила совсем одна, без друзей и мужчин. Капризы моего тела требовали удовлетворения, но чувство брезгливости мешало мне пуститься на поиски сомнительных одноразовых любовных приключений. Желание, как едкая кислота, мутило и разрушало мою кровь. По ночам мне снились безумные сны, в которых секс принимал самые изощренные формы, а утром я просыпалась совершенно разбитой и павшей духом.

Дело бы кончилось, наверное, одной из форм неврастении или случайной половой связью, если бы в мой дом не попал порнофильм. В один из бесчисленных одиноких вечеров я поставила кассету и путем простейших манипуляций, знакомых каждой женщине, достигла оргазма. Ощутив горячую судорогу удовольствия, я возликовала. Моя радость была почти феминистского толка, радостью освобождения от мужчин. Да здравствует свобода от собственного тела! Теперь можно устраивать маленькие чувственные кутежи, не прибегая к помощи эгоистов-партнеров. На целый месяц я потеряла всяческий стыд и почти утратила рассудок, беспрерывно занимаясь мастурбацией. Мир, увиденный в замочную скважину порнокассеты, таил в себе необоримую, притягательную силу. В любое время дня и ночи я могла получить короткое варварское наслаждение, стоило лишь нажать кнопку видео. Это дарило мне дивное чувство свободы, знакомое только по сновиденьям.

Когда я вышла замуж, я на какое-то время утратила интерес к порнографии, увлеченная любовными открытиями в семейной сфере. Но через несколько месяцев секс с мужем обрел четкие формы, размеренность, регулярность и предсказуемость реакций. Я зевала от скуки, понимая, что колея уже проложена и свернуть с нее будет трудно. Глядя в зеркало собственного брака, мне хотелось взять тряпку и вытереть с него пыль, смахнуть паутину сексуального консерватизма. На выручку вновь пришла порнография.

Как-то днем я нашла знакомую кассету и решила посмаковать старые кадры. Когда волны адреналина помчались по жилам, я поняла, что мой корабль снова причалил к запретным берегам. С того дня я раз в неделю тайком лакомилась порнофильмами, не намереваясь ни с кем делить подобные минуты и все время опасаясь, что меня застанут врасплох. Я наслаждалась восхитительным чувством безнаказанности — оказывается, можно прелюбодействовать и менять партнеров, как перчатки, не переступая красной черты супружеской измены.

Поймав однажды супруга на той же слабости, я решила внести в супружеский секс новые соблазнительные краски. Порнококтейль, этот возбуждающий напиток, оказался превосходным разогревающим средством, бесстыдной прелюдией к добропорядочному семейному концерту. Он пробуждал инстинкт, горячил холодные тела и увеличивал вожделение. В нашей постели теперь присутствовало множество партнеров. Мы получали двойное удовольствие, созерцая чужую любовь и творя собственную.

Порнография не только перчит и солит пресную семейную жизнь, но и выполняет роль полового ликбеза. Она показывает всю механику чувственности в действии. Это своего рода наглядное пособие для начинающих. Ведь в конце концов, где может приобрести необходимые знания нормальный человек? Не в школе и не в университете. И не из любовных мелодрам, дающих розовые представления о животной стороне любви. Только беспринципное «порно» берет на себя смелость быть до конца откровенным.

Бог весть какие тайны скрываются в человеческом сердце! Иногда опасно заглядывать к себе в душу — можно обнаружить яму с нечистотами, нарывы и гнойники чудовищных пороков. Я часто удивлялась, почему жизненная грязь обладает таким магическим притяжением, почему все темное, преступное, греховное делает податливой, как воск, человеческую психику. Почему я, замужняя женщина, с удовольствием смотрю крайне натуралистичную немецкую «порнушку», почему многие здоровые молодые люди наслаждаются кадрами зоофилии или детского секса, а благовоспитанные дамы скрывают свой тайный интерес к лесбийским журналам? Эти вопросы щекотливого свойства касаются самых древних тайн крови и находят свое объяснение в изначальной порочности человеческой натуры.

Однако между воображением и преступлением — целая пропасть. Все наши слабости и грехи, благополучно переваренные в котле подсознания, остаются нереализованными. Конфликт между темпераментом и моралью, требующей воздержания, успешно разрешается с помощью суррогата — порнографических открыток, журналов, фильмов. Все мы, фантазеры-сладострастники, стремимся удовлетворить инстинкты, заложенные природой, но суровыми законами цивилизации оттесненные в загадочную область подсознательного. Порнография облекает в плоть и кровь наши фантазии и тем самым дарует жизнь той части нашего «я», которую мы не можем выразить иначе, как преступив закон. Если я имею склонность к групповому сексу, мне нет нужды подыскивать себе партнеров, — достаточно посмотреть соответствующий фильм, чтобы избавиться от наваждения. Если мужчина питает слабость к соитиям с животными, он не побежит насиловать кроткую деревенскую козу, а просто купит порнокассету и реализует свои желания на уровне воображения. Тем самым порнография избавляет нас от необходимости ломать все нормы узаконенной нравственности и отваживаться на преступление. Ведь всем известно, как опасна подавленная сексуальность, — она порождает маньяков и извращенцев, людей, чья утонченная нервная система не справилась с грузом желаний. Созерцая порок, мы выплескиваем свои черные эмоции и возвращаемся к нормальной жизни белее овечек.

Порнография давно нуждается в амнистии. Она позволяет устраивать оргии в домашних условиях. Мы учимся направлять свои желания умелой рукой, как путник послушного коня, то натягивая, то отпуская поводья. Секс правит миром, он способен принимать разные формы и стучаться во все двери. И не пытайтесь избегнуть его власти, лучше отоприте все засовы, откройте все замки и пустите на порог прекрасного гостя.

Стоит ли платить за карьеру своим телом?

В салоне красоты, где я бываю пару раз в месяц, я с интересом наблюдаю за определенным контингентом женщин, окруженных аурой незыблемого превосходства. Они являют собой само совершенство — идеально подстрижены, деликатно накрашены, выхолены, одеты просто, но дорого. По таким женщинам не скажешь, что они когда-нибудь ходят в туалет.

Мой первый диагноз был безошибочен: «Первоклассные шлюхи, ледяные, расчетливые стервы, покрытые тонюсеньким слоем косметического обаяния». В моих устах это комплимент. Эти знающие себе цену розовые хищницы — не заурядные куртизанки, а женщины дела, создающие свой бизнес на деньги и при помощи мужчин. Они отлично сознают, что положение обычной содержанки, пусть и высокооплачиваемой, — незавидно. Их невероятная гибкость и здравый смысл позволили им сделать карьеру в мире мужчин. Они не чурались низких интриг и не щадили собственного целомудрия, дрессировали свою совесть, и вот эти женщины — на пороге триумфа.

То, что записано на скрижалях общественного кодекса, давно утратило свою силу в нашей стране. Все компасы моральных критериев бесполезны с тех пор, как к власти пришли Деньги. Этот мир жесток к женщине, и она должна обеспечить себя, пока молода и хороша собой. Если мир так нелепо устроен, что рычаги управления находятся в руках у мужчин, а у женщин есть кое-что между ног, без чего эти высокомерные животные никак не могут обойтись, почему бы не использовать эту минутную власть? Любить задаром стоит только в 16 лет, позже можно любить за полцены, если просит сердце.

Предвосхищая яростный протест моралистов и феминисток, этих неутомимых воительниц за права своего пола, замечу, что от всего сердца желаю им удачи. Если они победят, я на их стороне, у них есть время бороться за справедливость? Отлично. Но у меня его нет. Мне осталось лет десять молодости и привлекательности, и я хочу прожить их на полную катушку, не обременяя себя вопросами совести.

Горечь житейской мудрости постепенно вливается в души самых благонамеренных женщин. Одна моя подруга, хорошая — в общепринятом смысле этого слова — девушка, пять лет назад в знак благодарности провела ночь с человеком, сделавшим ей московскую прописку. Проституция? Можно назвать и так. А теперь представьте, во сколько бы ей обошлась пресловутая прописка, добытая другими средствами.

Еще пример: моя приятельница, талантливая журналистка, порядочная до мелочности, с твердыми нравственными правилами, один раз нарушила свои принципы, переспав с человеком, обеспечившим ей место корреспондента одной из телепрограмм. Это место светило ей лет эдак через десять. Теперь она, смеясь, рассказывает мне об одной предприимчивой, хорошенькой студентке журфака, которая бродит по телецентру с единственным вопросом: «С кем тут нужно переспать, чтобы получить работу?»

К чему рядиться в мишурные одежды идеализма, если — по негласной статистике — 90% преуспевающих дам хотя бы раз в жизни снимали трусики в корыстных целях? Лукавая склонность женщин к моральному гриму не вызывает удивления — я отлично разбираюсь в этой косметике, припудривающей огрехи совести. Куда менее лицемерна моя мягкая, снисходительная, бескостная мораль, прощающая зло там, где видит в нем необходимость или невозможность его уничтожения.

Иногда я пытаюсь представить себе идеальное общество, в котором коллега по работе боится сделать тебе комплимент (а вдруг он будет неверно истолкован?), твой босс не рискнет пригласить тебя на ужин в ресторан (а вдруг ты подашь на него в суд за сексуальное домогательство?) — мир без случайных прикосновений, флирта и возможности использовать свое самое сильное оружие — кокетство, и мне становится нестерпимо скучно. А нужны ли мне эти права, о которых столько кричат феминистки, если я обладаю фактической властью добиваться своего через плотскую любовь? Да и что такое эти права? Костыли для немощных, котурны для низкорослых.

Когда я состарюсь и мне уже нечего будет терять, я непременно достану из пропахших нафталином шкафов эти старомодные, высококачественные товары — неподкупность, принципиальность, порядочность. Ведь добродетель и грех живут в одной стране, говорят на одном языке и, встречаясь, подают друг другу руки, как старые добрые друзья.